KU-084-695

P.C. CAST + KRISTIN CAST

Naznaczona

Tom I cyklu

DOM NOCY

Przełożyła z angielskiego
Renata Kopczewska

MKC
POL
CAS

Wydawnictwo „Książnica”

Tytuł oryginału
Marked

Projekt okładki
© Michael Storrings

Projekt serii
© Cara E. Petrus

Opracowanie graficzne
Mariusz Banachowicz

Ilustracja na okładce
© Łukasz Laska

Milton Keynes Libraries	
5619	
BRIGHT	06/07/2010
	£9.99

For the Polish translation
Copyright © by Renata Kopczewska

W książce wykorzystano fragmenty:
G. Byron, Gdy stąpa, piękna, przeł. S. Barańczak [w:] „Dekada Literacka", Kraków 1992, nr 3, s. 3.
Hezjod, Teogonia, przeł. J. Łanowski [w:] Hezjod Narodziny bogów (Theogonia), Prace i dni , Tarcza. Przeł., wstępem i przypisami opatrzył Jerzy Łanowski. Warszawa, 1999, s. 51.
W. Szekspir, Otello, przeł. J. Paszkowski [w:] William Szekspir, dzieła dramatyczne. T.5, Tragedie, Warszawa PIW, 1980.

Copyright © 2007 by P.C. Cast and Kristin Cast
Wszelkie prawa zastrzeżone. Bez uprzedniej pisemnej zgody wydawcy
żaden fragment niniejszego utworu nie może być reprodukowany ani przesyłany
za pośrednictwem urządzeń mechanicznych bądź elektronicznych.
Niniejsze zastrzeżenie obejmuje również fotokopiowanie
oraz przechowywanie w systemach gromadzenia i odtwarzania informacji.

Książka ta jest fikcją literacką. Wszystkie postaci, organizacje i zdarzenia są albo wytworem fantazji autorek, albo użyte zostały w celu wykreowania sytuacji fikcyjnych.

For the Polish edition
© Publicat S.A., MMIX

ISBN 978-83-245-7818-4

Wydawnictwo „Książnica"
40-160 Katowice
Al. W. Korfantego 51/8
oddział Publicat S.A. w Poznaniu
tel. (32) 203-99-05
faks (32) 203-99-06
e-mail: ksiaznica@publicat.pl
www.ksiaznica.com

Katowice

Naszej cudownej agentce, Meredith Bernstein, która wypowiedziała te trzy magiczne słowa: wampirska szkoła życia. Wzięłyśmy je sobie do serca.

PODZIĘKOWANIA

Pragnę wyrazić głęboką wdzięczność, jaką żywię wobec swojego wspaniałego ucznia, Johna Maslina, za pomoc w wyszukiwaniu źródeł i za uczestnictwo w powstawaniu wcześniejszych wersji tej książki. Jego wkład w ostateczne dzieło jest nie do przecenienia.

Wielkie dzięki, chłopaki! Te słowa kieruję do uczestników moich lekcji twórczego pisania, rocznik 2005/2006. Bardzo mi się przydały wasze burze mózgów (które ponadto były bardzo zabawne).

Chcę też podziękować swojej wspaniałej córce, Kristin, która pilnowała, by język tej powieści był językiem nastolatków. Bez ciebie ta książka by nie powstała. (Ona mnie namówiła, bym to napisała).

PC

Pragnę podziękować swojej kochanej Mamie, znanej szerzej jako PC, za to, że jest tak utalentowaną pisarką, z którą tak łatwo mi się współpracowało. (No dobrze, ona mnie namówiła, bym to napisała).

Kristin

Obie, PC i Kristin, chciałybyśmy wspólnie podziękować naszemu Tacie/Dziadkowi, Dickowi Castowi, za jego biologiczne hipotezy, które legły u podstaw stworzenia Domu Nocy wampirów. Kochamy Cię, Tatusiu/Dziadziu!

Nocy ponurej domostwo potworne się tutaj znajduje,
wiecznie pozasłaniane czarnosinymi chmurami.
Przed nim syn Japetosa unosi niebo szerokie,
stojąc, na głowie swojej i nieznużonych ramionach,
niezachwianie, gdzie Noc i Dzień, ku sobie podchodząc,
rozmawiają kroczące poprzez ogromny spiżowy
próg — i jedno z nich wtedy w dół schodzi, gdy drzwiami
drugie
wchodzi; i nigdy obydwu razem domostwo nie mieści,
ale zawsze z nich jedno, wychodząc znowu z domostwa,
krąży po ziemi, a drugie, będąc we wnętrzu domostwa,
czeka na porę swojego wyjścia, kiedy nastąpi...

Hezjod, Teogonia, *fragment poematu o Nyks,*
greckiej personifikacji nocy

)

ROZDZIAŁ PIERWSZY

Kiedy myślałam, że tego dnia już nic gorszego nie może mnie spotkać, zobaczyłam stojącego przy mojej szafce chłopaka nie z tego świata. Kayla jak zwykle trajkotała bez sensu i nawet go nie zauważyła. Na początku. Właściwie nikt go nie zauważył do momentu, w którym przemówił, co niestety świadczy też o tym, jak bardzo jestem nieprzystosowana.

— Zoey, jak Boga kocham, Heath wcale się tak znowu nie uchlał po meczu. Nie bądź dla niego taka okrutna.

— Aha, no pewnie — odpowiedziałam na odczepnego. I zaczęłam kaszleć. Czułam się okropnie. Chyba dosięgła mnie przypadłość, którą pan Wise, nasz biolog, nieźle porąbany, określa mianem „dżumy nastolatków".

Gdybym umarła, przynajmniej ominąłby mnie sprawdzian z geometrii. Nic innego nie może mnie ocalić.

— Zoey, daj spokój, ty mnie nawet nie słuchasz. Myślę, że on obalił najwyżej cztery, no powiedzmy: sześć piwek, a do tego, ja wiem?... ze trzy lufki. Nie więcej. Przecież nie o to chodzi. Pewnie by nie wypił ani jednego, gdyby twoi beznadziejni starzy nie kazali ci wracać do domu zaraz po meczu.

Wymieniłyśmy porozumiewawcze spojrzenia, tym razem absolutnie zgodne co do tego, że spotkała mnie wielka niesprawiedliwość ze strony mojej mamy i ojciacha, za którego wyszła trzy lata temu, co wydaje się wiecznością. Tymczasem Kay dalej trajkotała.

— A do tego była okazja, by coś przecież uczcić. Wiesz, że pokonaliśmy Unię? — Kay potrząsnęła mnie za ramię i popatrzyła mi z bliska w oczy. — Słuchaj, twój chłopak...

— Mój prawie chłopak — poprawiłam ją, z trudem powstrzymując się, by nie zakaszleć jej prosto w twarz.

— Wszystko jedno. Heath jest rozgrywającym, więc jasne, że ma co uczcić. Chyba od stu lat Broken Arrow nie wygrało z Unią.

— Od szesnastu. — Z matmy jestem noga, ale w porównaniu z matematyczną tępotą Kayli wychodzę na geniusza.

— Wszystko jedno. Ważne, że czuł się szczęśliwy. Mogłaś mu odpuścić.

— Ważne, że chyba już po raz piąty w tym tygodniu daje plamę. Bardzo mi przykro, ale nie mam zamiaru spotykać się z chłopakiem, którego dwa główne cele życiowe to grać w piłkę w szkolnej drużynie i wypić duszkiem sześciopak, po czym się nie wyrzygać. Nie mówiąc jużo tym, że od takich ilości piwska stanie się grubasem. — Przerwałam, żeby się wykaszleć. Trochę mi się kręciło w głowie, z trudem łapałam powietrze po ataku kaszlu. Ale Traj-Kayla nawet tego nie zauważyła.

— Coś ty! Heath gruby! Jakoś tego nie widzę.

Udało mi się uniknąć następnego ataku kaszlu.

— Całowanie się z nim przypomina ssanie przesączonej alkoholem skarpety.

Kay skrzywiła się.

— Fuj, obrzydliwe. Szkoda, bo taki z niego przystojniak.

Wzniosłam oczy do nieba, nawet nie starając się ukryć, jak bardzo mnie drażni, że taka jest powierzchowna.

— Robisz się straszna zrzęda, kiedy tylko coś ci dolega. W każdym razie nie masz pojęcia, jaki się wydawał nieszczęśliwy, gdy potraktowałaś go jak powietrze podczas lunchu. Nie mógł nawet...

Wtedy go zobaczyłam. Faceta nie z tego świata. Dokładniej mówiąc: „nie z tego świata" dla mnie znaczy, że on nie należy do świata żywych ludzi, jest raczej kimś odrodzonym, przywróconym życiu. Coś w tym rodzaju. Uczeni co innego mówią, ludzie co innego, a w końcu chodzi o to samo. Nie miałam wątpliwości, kim jest, a nawet gdybym nie czuła bijącej od niego potęgi i mroku, nie mogłam nie dostrzec jego Znaku — wyrytego na czole cienkiego jak rogalik półksiężyca w szafirowym kolorze, a do tego punkcikowy tatuaż wokół niebieskich oczu. To był wampir. Gorzej: to był Tracker.

Cholera, stał przy mojej szafce.

— Zoey! Ty mnie w ogóle nie słuchasz!

Wtedy Tracker wypowiedział sakramentalną formułę, a jego słowa miały uwodzicielską moc, obiecując niebiańskie rozkosze, wabiąc smakiem owocu zakazanego, jak czekolada zmieszana z krwią.

— Zoey Montgomery! Królestwo Nocy cię wzywa, śmierć będzie twoimi narodzinami. Noc zwraca się ku tobie. Usłysz jej wołanie. W Domu Nocy odnajdziesz swoje przeznaczenie!

Podniósł rękę i wyciągnął w moją stronę długi palec. Ból przeszył mi czaszkę, Kayla wrzasnęła.

Kiedy oślepiające płatki przestały wirować mi przed oczyma, zobaczyłam bladą jak śmierć Kaylę, która — skamieniała — wpatrywała się we mnie tępo.

Jak zwykle wypowiedziałam pierwszą lepszą myśl, jaka mi przyszła do głowy:

— Kay, za chwilę oczy wyskoczą ci z orbit.

— On cię Naznaczył! Zoey! Masz na czole Znak! — Przytknęła do ust trzęsącą się rękę, próbując bezskutecznie powstrzymać szloch.

Wyprostowałam się i znów zaczęłam kaszleć. Głowa mi pękała z bólu, potarłam miejsce na czole między brwiami. Szczypało mnie jak po użądleniu osy, a pieczenie rozchodziło się wokół oczu, na policzki, twarz całą. Chciało mi się wymiotować.

— Zoey! — Kayla rozpłakała się na dobre. — O Boże, przecież ten facet to był Tracker, wampir! — mówiła, pochlipując.

Mrugnęłam parę razy z wysiłkiem, usiłując pozbyć się upiornego bólu głowy.

— Kay — powiedziałam łagodnie — przestań płakać. Wiesz, że nie cierpię, jak płaczesz. — Wyciągnęłam ku niej ręce, by objąć ją pocieszającym gestem.

Bezwiednie odskoczyła ode mnie.

Nie mogłam w to uwierzyć. Po prostu odskoczyła, jakby się mnie bała. Musiała zauważyć, że sprawiła mi przykrość, bo natychmiast uruchomiła ciąg swojego trajkotania.

— O Boże, Zoey, co ty teraz zrobisz? Przecież nie możesz tam iść. Nie może stać się jedną z nich. To niemożliwe! Z kim ja bym chodziła na mecze?

Ale przez cały czas swojej tyrady nie przysunęła się do mnie ani na centymetr. Zdusiłam jednak w sobie dławiące uczucie przykrości, które groziło wybuchem płaczu. Oczy natychmiast mi obeschły, miałam niezłą zaprawę w tłumieniu łez. Szczególnie ostatnie trzy lata stanowiły dobrą okazję do doskonalenia się w tej sztuce.

— Nie martw się. Jeszcze się nad tym zastanowię. Może zaszła tu... jakaś straszna pomyłka — skłamałam.

Nie mówiłam normalnie, słowa po prostu same wychodziły z moich ust. Wyprostowałam się, nadal skrzywiona z bólu. Rozejrzałam się wokoło i stwierdziłam z ulgą, że oprócz mnie i Kay w holu matematycznym nie ma nikogo. Stłumiłam ogarniający mnie histeryczny śmiech. Gdybym tak nie wariowała na punkcie tego sprawdzianu z geometrii, który miał się odbyć nazajutrz, nie zeszłabym tutaj, by ze swojej szafki wyciągnąć podręcznik, mając płonną nadzieję, że wieczorem zdołam się jeszcze czegoś douczyć. W takim razie stałabym teraz przed szkołą wraz z innymi uczniami, którzy uczęszczali do miejscowego gimnazjum — a było ich tysiąc trzysta sztuk — w oczekiwaniu na szkolny autobus, wdzięcznie określany przez moją starszą siostrę jako „duża żółta limuzyna". Ja wprawdzie mam samochód, ale do dobrego tonu należy, by dołączyć do tych, którzy muszą korzystać z autobusu, nie mówiąc już o tym, że ma się wtedy świetną okazję do zaobserwowania, kto kogo podrywa. W szatni przed pracowniami matematycznymi stał jeszcze jeden dzieciak, wysoki i chudy głupek z krzywymi zębami, co mogłam sobie dokładnie obejrzeć, bo stał z rozdziawioną paszczęką i gapił się na mnie, jakbym przed chwilą wydała na świat stadko latających prosiaczków.

Zakaszlałam po raz kolejny, tym razem był to mokry, paskudny kaszel. Głupek pisnął wystraszony i uciekł w kierunku pokoju pani Day, przyciskając do kościstej klatki piersiowej planszę do gry w szachy. Widocznie termin zajęć kółka szachowego zmienił się na poniedziałkowe popołudnia po lekcjach.

Ciekawe, czy wampiry grają w szachy? Czy wśród nich znajdują się też takie głupki? Albo cheerleaderki w typie lalek Barbie? Czy tworzą kapele muzyczne? Czy wśród nich są zwolennicy ruchu Emo, dziwolągi płci męskiej, które noszą spodnie o damskim kroju i fryzury zakrywające pół twarzy? A może wszyscy przypominają raczej gotów, którzy niechętnie korzystają z mydła i wody? Kim się stanę? Gotką? A może, co gorsza, Emo? Niespecjalnie lubię ubierać się na czarno, w każdym razie niewyłącznie, nie nabrałam też szczególnej awersji do wody i mydła ani nie myślałam o zmianie uczesania czy o nakładaniu na powieki grubej warstwy tuszu.

Takie myśli wirowały mi w głowie, gdy po raz kolejny poczułam przemożną chęć wybuchnięcia histerycznym śmiechem, który przeszedł jednak w następny atak kaszlu, co przyjęłam niemal z ulgą.

— Zoey? Dobrze się czujesz? — zapytała Kayla nienaturalnie wysokim głosem, jakby ktoś ją szczypał. Odsunęła się ode mnie jeszcze dalej.

Westchnęłam, czując, że zaczyna we mnie wzbierać gniew. Przecież to nie moja wina. Kayla była moją najlepszą koleżanką od trzeciej klasy, ale teraz patrzyła na mnie, jakbym zmieniła się w potwora.

— Kayla, to ja. Ta sama, którą byłam dwie minuty temu, dwie godziny temu czy dwa dni temu. — Zniecierpliwionym gestem wskazałam swoje czoło. — A to nie znaczy, że przestałam być sobą!

Oczy Kay znów zaszły łzami, ale na szczęście odezwała się melodyjka z jej komórki i Madonna zaczęła śpiewać „Material Girl". Bezwiednie rzuciła okiem na wyświetlacz, by sprawdzić, kto dzwoni. Po jej minie, kojarzącej mi się ze znieruchomiałym na drodze królikiem oślepionym blaskiem reflektorów, rozpoznałam, że to Jared, jej chłopak.

— Nie krępuj się, jedź z nim — powiedziałam zmęczonym głosem.

Ulga, z jaką przyjęła moje słowa, była dla mnie jak policzek.

— Zadzwonisz później? — rzuciła przez ramię, wychodząc pospiesznie bocznymi drzwiami.

Patrzyłam za nią, gdy biegła przez trawnik w stronę parkingu. Z komórką przyciśniętą do ucha podniecona mówiła coś do Jareda. Na pewno już mu opowiadała, jak to ja zmieniam się w potwora.

Problem polegał na tym, że przemiana w potwora była jaśniejszą stroną tego medalu. Pierwsza możliwość to przeistoczenie się w wampira, co dla przeciętnego człowieka jest równoznaczne z potworem. Druga — że mój organizm odrzuci Zmianę, co równoznaczne będzie z moją śmiercią. Nieodwracalną.

Zatem dobrą nowiną było dla mnie to, że nie muszę pisać jutro sprawdzianu z geometrii.

Złą natomiast, że muszę przenieść się do Domu Nocy, czyli prywatnej szkoły z internatem, która znajdowała się w śródmieściu Tulsy, nazywanej przez moich kolegów Szkołą Dyplomową Wampirów, gdzie przez kolejne cztery lata będę przechodzić różne dziwaczne zmiany fizyczne, a całe moje życie zostanie wywrócone do góry nogami. I to wyłącznie pod warunkiem, że uda mi się przeżyć cały ten proces przemian.

Świetnie, nie ma co. Tego przecież też nie chciałam dla siebie. Wystarczyłoby mi do szczęścia, gdybym została normalną dziewczyną, co i tak byłoby zadaniem dostatecznie trudnym ze względu na moich zacofanych rodziców, młodszego brata, który przypominał trolla, i idealną starszą siostrunię. Chciałabym zdać geometrię. Chciałabym dostać wysokie oceny, bym mogła iść na weterynarię do Oklahoma State University i wyjechać z Broken Arrow w Oklahomie. Ale najbardziej zależało mi, by znaleźć swoje miejsce, przynajmniej w szkolnym środowisku. W domu zrobiło się beznadziejnie, pozostawali więc mi już tylko przyjaciele i miejsca, gdzie mogłam ich znaleźć.

Teraz i tego mam być pozbawiona.

Potarłam czoło i zmierzwiłam włosy, tak aby spadały mi na oczy, przykrywając przynajmniej częściowo Znak. Ze spuszczoną głową, jakbym nie mogła oderwać wzroku od swojej torby, gdzie w nadprzyrodzony sposób pojawił się środek znieczulający, rzuciłam się do wyjścia, które prowadziło na uczniowski parking.

A jednak zatrzymałam się tuż za progiem. Przez oszklone drzwi zobaczyłam Heatha, a wokół niego wianuszek dziewczyn, które zalotnie odrzucały włosy, ustawiały się w wystudiowanych pozach, podczas gdy chłopaki z hałasem dodawały gazu, uruchamiając wielkie pikapy i ciężarówki, starając się przez cały czas (przeważnie z miernym powodzeniem) wyglądać bajerancko. Czy ta scena mnie pociągała? Czy mogłabym dokonać *takiego* wyboru? Otóż szczerze mówiąc, pamiętam wiele takich chwil, kiedy Heath był naprawdę miły, szczególnie kiedy starał się być trzeźwy.

Piskliwe chichoty dziewczyn wwiercały mi się w uszy jeszcze na parkingu. No proszę, Kathy Richter, największa puszczalska w całej szkole, udawała, że chce pobić Heatha. Nawet z dużej odległości widać było, że te zapasy to część jej końskich zalotów. A Heath, naiwniaczek, jak zwykle niczego się nie domyślał, tylko stał tam zadowolony i szczerzył do niej zęby. Do diabła, dziś już nic milszego nie może się zdarzyć. Tymczasem mój niebieski volkswagenik garbus rocznik 66 zaparkowany był akurat tam, gdzie oni stali. No nie, nie mogłam do nich dołączyć. Nie mogłam się im pokazać z *tym* na czole. Już nie będę należała do tego grona. Nigdy. Wiem aż nadto dobrze, jak by się zachowali. Pamiętam ostatniego chłopaczka, którego wybrał Tracker.

To się stało na początku zeszłego roku szkolnego. Tracker pojawił się przed lekcjami i wybrał sobie chłopaczka, który szedł na pierwszą lekcję. Samego Trackera wtedy nie widziałam, ale widziałam tego chłopca chwilę później, dosłownie kilka sekund po tym, jak to się stało, kiedy rzucił książki na ziemię i wybiegł z budynku ze Znakiem palącym mu czoło, zalany łzami, blady jak kreda. Nigdy nie zapomnę, jak bardzo zatłoczone tego dnia były szkolne korytarze, jednak wszyscy się od niego natychmiast odsunęli, jakby był zadżumiony, gdy z płaczem wybiegał ze szkoły. Ja też byłam wśród tych, którzy cofnęli się, schodząc mu z drogi, mimo że żal mi się zrobiło tego chłopca. Ale nie chciałam zyskać etykietki osoby, która sprzyja „tym dziwolągom". Ironia losu, prawda?

Zamiast więc pójść do samochodu, skręciłam do najbliższej łazienki, która na szczęście była otwarta. Znajdowały się w niej trzy kabiny — każdą dokładnie sprawdziłam, czy ktoś tam nie stoi — na jednej ścianie zainstalowane były dwie umywalki, a nad każdą wisiało średniej wielkości lustro. Naprzeciwko umywalek, na równoległej ścianie, wisiało wielkie lustro, pod którym umieszczona była rynienka na szczotki, przybory do makijażu i tego typu drobiazgi. Położyłam na rynience torebkę i podręcznik do geometrii, nabrałam powietrza do płuc i zdecydowanym ruchem odgarnęłam z czoła włosy.

Zobaczyłam odbicie kogoś znajomego, a jednocześnie nieznajomego. To tak jak czasem zobaczy się w tłumie na ulicy kogoś, kogo na pewno się zna, można by przysiąc, że tak jest, ale nie sposób sobie przypomnieć, kto to jest. Teraz ja stałam się tym kimś — wyglądającą znajomo nieznajomą.

Miała moje oczy. W tym samym niezdecydowanym kolorze, trochę zielonkawym, a trochę brązowym, choć nie pamiętam, by kiedykolwiek były takie duże i okrągłe. Włosy też miała takie jak moje — długie i proste, i niemal równie czarne jak włosy Babci, zanim zaczęła siwieć. Nieznajoma miała podobnie jak ja wystające kości policzkowe, długi zdecydowany nos i szerokie usta — cechy odziedziczone po przodkach Babci z plemienia Czirokezów. Nigdy jednak nie byłam taka blada. Miałam zawsze oliwkową cerę, najbardziej smagłą ze wszystkich pozostałych członków rodziny. Choć może nie nagła bladość podkreślała tę różnicę, tylko tak się wydawało w zestawieniu z granatowym konturem księżyca zajmującego dokładnie środek mego czoła. A może sprawiło to okropne neonowe światło. Miałam nadzieję, że przyczyna tkwi w świetle.

Wpatrywałam się uważnie w egzotyczny tatuaż. W zestawieniu z moimi rysami typowymi dla Czirokezów nadawał całemu wizerunkowi wyraz dziki i wojowniczy, jakby właściwą dla mnie epoką była starożytność, gdy świat był rozleglejszy i... bardziej barbarzyński.

Nigdy już nic nie będzie takie samo. Na krótką chwilę zapomniałam o koszmarze gnębiącej mnie obcości, bo ogarnęła mnie nagle wielka radość, z czego na pewno ucieszyli się przodkowie mojej babci, których miałam we krwi.

)

ROZDZIAŁ DRUGI

Kiedy nabrałam pewności, że do tej pory wszyscy już powinni opuścić szkołę, sczesałam włosy z powrotem na czoło i wyszłam z łazienki, kierując się do wyjścia prowadzącego na uczniowski parking. Wydawało się, że teren jest bezpieczny, gdzieś tylko w oddali szedł z trudem jakiś dzieciak, walcząc z opadającymi workowatymi spodniami, które miały oznaczać przynależność do gangu. Byłam pewna, że nie zwróci na mnie uwagi, tak go pochłaniało trzymanie spodni na uwięzi. Zagryzłam wargi, starając się opanować pulsujący ból w głowie, i pchnęłam drzwi, by udać się wprost do swojego garbusa.

Gdy tylko wyszłam na zewnątrz, słońce zaczęło mi doskwierać. Nie był to jakoś szczególnie słoneczny dzień, po niebie przepływało sporo malowniczych obłoczków, częściowo przesłaniając słońce, ale choć przytłumione, raziło mnie bardzo. Musiałam mrużyć oczy, zasłaniać się od rozproszonego, a jednak dokuczliwego światła. Tak byłam zaabsorbowana cierpieniem, jakie mi sprawiało, że nawet nie zauważyłam zbliżającej się ciężarówki, dopóki nie zatrzymała się z piskiem opon tuż przede mną.

— Cześć, Zo! Nie dostałaś ode mnie wiadomości?

O cholera! To był Heath. Podniosłam głowę i popatrzyłam na niego przez palce, tak jak ogląda się krwawe sceny w idiotycznych horrorach. Siedział w komorze bagażowej pikapa należącego do Dustina, jego kolegi, przy otwartej klapie. Za jego plecami, w kabinie kierowcy, siedział Dustin ze swoim bratem, Drew, i jak zwykle popychali się, poszturchiwali bez specjalnego powodu, jak to chłopaki mają w zwyczaju. Na szczęście nie zwracali na mnie uwagi. Spojrzałam powtórnie na Heatha i westchnęłam. W ręce miał piwo, na twarzy głupi uśmieszek. Niepomna faktu, że dopiero co zostałam Naznaczona, co mnie zmieni w potwora wysysającego krew, napadłam na niego.

— Pijesz na terenie szkoły? Czyś ty zwariował?

Uśmiechnął się jeszcze szerzej.

— Zwariowałem — odpowiedział. — Ale na twoim punkcie.

Potrząsnęłam głową i odwróciłam się do niego plecami. Drzwi mojego garbusa zaskrzypiały, kiedy je otwierałam, by wrzucić na fotel pasażera plecak i książki.

— A wy, chłopaki, dlaczego nie jesteście na treningu? — zapytałam, pamiętając, by nie odwracać się twarzą do Heatha.

— To ty nie wiesz? Mamy wolny dzień, bośmy w piątek dokopali Unii!

Dustin i Drew, którzy musieli jednak zwracać na nas choćby szczątkową uwagę, wydali z wnętrza kabiny kilka zwycięskich okrzyków na potwierdzenie prawdziwości jego słów.

— Nie wiedziałam. Jakoś to do mnie nie dotarło, byłam dziś bardzo zajęta. Wiesz, jutro mamy ważny sprawdzian z geometrii. — Starałam się, by mój głos brzmiał zwyczajnie i trochę nonszalancko. Zakaszlałam, co dało mi pretekst do dodania: — A poza tym złapało mnie jakieś paskudne przeziębienie.

— Zo, no co ty? Wkurzona jesteś na mnie czy jak? A może Kayla coś ci nagadała o tamtym party? Ja cię nie zdradziłem, naprawdę.

Co takiego? Kayla nie pisnęła ani słówkiem o żadnych zdradach. A ja jak ostatnia kretynka zapomniałam o Znaku (to nic, że tylko na chwilę) i odwróciłam głowę tak, by popatrzyć Heathowi prosto w oczy.

— W takim razie co zrobiłeś, Heath?

— Ja? Nic. Zo, wiesz przecież, że ja bym nigdy... — Słowa usprawiedliwienia zamarły mu na ustach, które zapomniał zamknąć, gdy wstrząsnął nim widok Znaku. — Co za...

Przerwałam mu, zanim zdołał dokończyć.

— Ćśśś! — uciszyłam go, ruchem głowy wskazując na Dustina i Drew wyśpiewujących na całe gardło najnowszy przebój Toby'ego Keitha, choć słuchu nie mieli za grosz.

Heath nadal miał w oczach przerażenie, ale przynajmniej udało mu się zniżyć głos.

— Czy to, co masz na czole, to makijaż na zajęcia teatralne?

— Nie — odpowiedziałam szeptem. — To nie makijaż na szkolne przedstawienie.

— Ty nie możesz być Naznaczona. Przecież chodzimy ze sobą.

— Nie, nie chodzimy ze sobą! — I wtedy skończyła się przerwa na chwilowe uwolnienie mnie od kaszlu. Praktycznie kaszel stał się o wiele bardziej dokuczliwy niż przedtem. Teraz był to już długi atak beznadziejnych prób pozbycia się flegmy z płuc.

— Wiesz co, Zo? — odezwał się Dustin ze swej kabiny. — Chyba będziesz musiała rzucić fajki.

— No — dodał Drew. — Tak chrychasz, jakbyś już wypluła połowę płuc.

— Głupi jesteś — ofuknął go Heath. — Odczep się od niej. Wiesz przecież, że Zo nie pali. Ona jest wampirem.

No świetnie. Wspaniale. Cały Heath. Z właściwym sobie brakiem czegoś, co by choćby w przybliżeniu mogło przypominać zdrowy rozsądek, uważał, że krzycząc na kolegów, staje w mojej obronie. Oni oczywiście natychmiast wytknęli głowy z szoferki i zaczęli się na mnie gapić, jakbym była obiektem eksperymentów medycznych.

— O w dupę!... — wykrzyknął Drew. — Zoey jest upiorem!

Te niewybredne słowa wypowiedziane przez Drew uwolniły mój gniew, który wzbierał od chwili, gdy Kayla odsunęła się ode mnie, i teraz eksplodował. Nie zwracając uwagi na rażące słońce, spojrzałam Heathowi prosto w twarz.

— Zamknij się, do diabła! — krzyknęłam. — Miałam dziś okropny dzień i nie chcę, żebyś go jeszcze bardziej psuł opowiadaniem byle czego... — Przerwałam, widząc jego szeroko otwarte ze zdumienia oczy i pogrążonych w milczeniu Drew i Dustina. — Wy tak samo!

Kiedy patrzyłam na Dustina, a on na mnie, nagle uświadomiłam sobie coś, co mnie zaszokowało i napełniło dziwnym podnieceniem: Dustin trząsł się ze strachu. Był naprawdę przerażony. Przeniosłam wzrok na Drew. On też się bał. Wtedy poczułam przyjemny dreszczyk, który rozpalił mój Znak.

Władza. Poczułam smak władzy.

— Zo? Co jest, do cholery?

Głos Heatha przyciągnął moją uwagę, odwróciłam wzrok od braci.

— Wiejemy stąd! — zarządził Dustin, wrzucając bieg i dodając gazu. Pikap ruszył tak gwałtownie, że Heath stracił równowagę i młócąc powietrze rękoma jak wiatrak, wylądował na asfaltowej nawierzchni parkingu. Piwo wyleciało mu z rąk.

Odruchowo podbiegłam do niego.

— Nic ci nie jest? — zapytałam.

Heath gramolił się z pozycji na czworakach. Nachyliłam się nad nim, by pomóc mu stanąć na nogi.

Wtedy poczułam ten zapach. Niepokojący zapach, słodki i nęcący zarazem.

Czyżby Heath zaczął używać nowej wody kolońskiej? Przyprawionej feromonami, tajemniczą substancją, która uruchomiona w odpowiedni sposób przyciąga kobiety jak za dotknięciem czarodziejskiej różdżki. Nie wiedziałam, jak długo stałam tuż przy nim, dopóki się nie wyprostował, a wtedy nasze ciała niemal się stykały. Patrzył na mnie pytająco.

Nie odsunęłam się od niego, choć pewnie powinnam. Przedtem tak bym zrobiła, ale teraz... nie

— Zo? — zapytał zachrypniętym głosem.

— Ładnie pachniesz — wyrwało mi się. Serce waliło mi tak głośno, że echo jego bicia czułam w pulsujących skroniach.

— Zo, naprawdę tęskniłem za tobą. Musimy znowu być razem. Wiesz, że cię kocham.

Wyciągnął rękę, by dotknąć mego policzka, a wtedy oboje zauważyliśmy krew na jego dłoni.

— O cholera! — zaklął, ale zaraz głos mu ścichł, kiedy na mnie popatrzył. Mogę się tylko domyślać, jak wyglądałam: upiornie blada, ze Znakiem odcinającym się niebieskim konturem na moim czole, patrząca pożądliwie na krew na jego skórze. Nie mogłam się poruszyć, nie mogłam odwrócić wzroku.

— Chciałabym... chciałabym... — wyjąkałam. Czego ja właściwie chciałam? Nie potrafiłam znaleźć odpowiednich słów. Nie, to nie to. Wiedziałam, jak wyrazić słowami nieprzeparte pragnienie, które mnie całkowicie opanowało. I to nie bliskość Heatha była tego przyczyną. Już nieraz stał blisko mnie. Od roku już się podpieszczaliśmy, ale nigdy nie doprowadził mnie do takiego stanu jak teraz, nawet w przybliżeniu. Zagryzłam wargi i jęknęłam.

Pikap zahamował tuż przy nas z piskiem opon, niemal się o nas ocierając. Drew wyskoczył z kabiny kierowcy, chwycił wpół Heatha i wciągnął go do środka.

— Odwal się! Rozmawiam z Zoey!

Heath usiłował się opierać, Drew jednak był wspomagającym w drużynie seniorów, prawdziwy z niego mięśniak. Dustin sięgnął przez nich do klamki i szybko zatrzasnął drzwi.

— Odczep się od niego, maszkaro! — wrzasnął Drew, gdy tymczasem Dustin wcisnął gaz do dechy i pędem odjechał.

Weszłam do swojego garbusa. Ręce tak bardzo mi się trzęsły, że dopiero za trzecim razem udało mi się uruchomić silnik.

— Do domu, ja chcę do domu — powtarzałam przez całą drogę pomiędzy atakami kaszlu. Nie miałam siły myśleć o tym, co się wydarzyło.

Jazda do domu trwała piętnaście minut, ale dla mnie było to okamgnienie. Nie czułam się gotowa na scenę, jaka niechybnie rozegra się w domu.

Dlaczego więc tak mi zależało, by znaleźć się jak najszybciej u siebie? Chyba chodziło mi raczej o to, by uciec z parkingu od tego wszystkiego, co się tam wydarzyło.

Nie! Nie będę tego rozpamiętywać! Zresztą na pewno istnieje jakieś rozsądne wytłumaczenie. Dustin i Drew to półgłówki, mieli zwoje mózgowe przesączone piwskiem. Nie użyłam swojej nowo odkrytej władzy, aby ich onieśmielić. Po prostu spanikowali wyłącznie dlatego, że zostałam Naznaczona. I o to chodzi. Ludzie się boją wampirów.

— Tylko że ja nie jestem wampirem! — powiedziałam do siebie. Zaniosłam się kaszlem, przypominając sobie jednocześnie cudowny i nęcący zapach krwi Heatha oraz wywołane tym nagłe podniecenie. Nie Haethem, ale jego krwią.

Nie, nie! Krew nie może być piękna ani nęcąca. Chyba jestem w szoku. Tak, na pewno. Ponieważ jestem w szoku, nie myślę trzeźwo. No dobrze. Bezwiednie dotknęłam czoła. Już mnie nie paliło, mimo to nadal czułam się dziwnie. Zakaszłałam po raz setny. No dobrze. Zostawię Heatha, nie będę o nim myślała, ale wszystkiego nie da się wyprzeć. Coś się we mnie zmieniło. Moja skóra stała się bardzo wrażliwa. Bolało mnie w piersiach i piekły oczy, mimo że założyłam bajeranckie przyciemnione okulary firmy Maui Jim.

— Umieram... — jęknęłam, zaraz jednak zacisnęłam usta. Mogłabym rzeczywiście umrzeć. Spojrzałam na murowany z cegieł dom, który w ciągu ostatnich trzech lat stracił dla mnie walor rodzinnego domu. — Niech to się już skończy raz na zawsze. — Przynajmniej nie będzie jeszcze mojej siostry, ma teraz zajęcia dla cheerleaderek. Mam nadzieję, że troll nie odejdzie od swojej nowej gry komputerowej: Delta Force Black Hawk Down. Mogę więc pogadać z mamą w cztery oczy. Może zrozumie... Może powie mi, co mam robić...

Kurczę! Miałam już szesnaście lat i nagle sobie uświadomiłam, że najbardziej to chcę do Mamy.

Proszę, niech ona zrozumie, modliłam się w duchu do boga lub bogini, którzy mogliby mnie wysłuchać.

Jak zwykle weszłam przez garaż. Przeszłam przez hol do swojego pokoju, tam cisnęłam na łóżko książkę do geometrii, torbę i plecak. Następnie wzięłam głęboki oddech i wyszłam niepewnie na poszukiwanie Mamy.

Znalazłam ją w salonie, siedziała na kanapie z podkurczonymi nogami, sącząc kawę i czytając książkę pod tytułem „Rosół dla kobiecej duszy". Wyglądała normalnie, tak jak przed laty. Ale przedtem się malowała i czytała egzotyczne romanse. Teraz obu tych rzeczy zabronił jej mąż (co za osioł).

— Mamo?

— Hmm? — Nawet na mnie nie popatrzyła.

Przełknęłam z trudem.

— Mamuś... — powiedziałam. Tak się do niej kiedyś zwracałam, jeszcze zanim wyszła za Johna. — Jesteś mi potrzebna.

Nie wiem, czy dlatego, że powiedziałam na nią „mamuś”, czy coś w moim głosie poruszyło w niej struny dawnej maminej intuicji, w każdym razie od razu podniosła na mnie wzrok pełen troski i ciepłych uczuć.

— Co, kochanie... — zaczęła, ale gdy zobaczyła Znak na moim czole, słowa zamarły jej na ustach.

— O Boże! Coś ty zrobiła?

Znów poczułam ból w sercu.

— Mamo, niczego nie zrobiłam. Coś mi się przytrafiło niezależnie od mojej woli. To nie moja wina.

— Tylko nie to! — zawołała, jakby nie dotarło do niej ani jedno moje słowo. — Co na to ojciec powie?

Miałam ochotę wrzasnąć: „A skąd ja mogę wiedzieć, co mój ojciec by na to powiedział, skoro nie widziałyśmy go od czternastu lat!”. Wiedziałam jednak, że taka moja reakcja nie polepszy sytuacji, gdyż ona zawsze się wściekała, kiedy przypominałam jej, że John nie jest moim prawdziwym ojcem. Spróbowałam więc innej taktyki, choć przed trzema laty ją zarzuciłam.

— Mamo, proszę cię, a nie możesz mu tym razem nic nie mówić? Przynajmniej przez jeden dzień albo dwa? Niech to zostanie między nami, dopóki... bo ja wiem... nie przyzwyczaimy się czy... czegoś nie wymyślimy... — Wstrzymałam oddech.

— A co powiem? Przecież nie zakryjesz tego makijażem. — Jej usta ułożyły się w brzydki grymas, kiedy spojrzała nerwowo na półksiężyc.

— Mamo, ja nie powiedziałam, że tu zostanę, kiedy się z tym pogodzimy. Muszę odejść, wiesz przecież. — Musiałam przerwać, bo wstrząsnął mną kolejny atak kaszlu. — Zostałam Naznaczona przez Trackera. Muszę przenieść się do Domu Nocy, bo w przeciwnym razie z każdym dniem będę coraz słabsza. — „I umrę”, pragnęłam dopowiedzieć wymownym spojrzeniem. Bo słowa te nie mogły przejść mi przez gardło. — Po prostu potrzebuję kilku dni, zanim oswoję się z...

Tu przerwałam, nie chcąc wypowiadać tego słowa, zmuszając się do kaszlu, co zresztą wcale nie było takie trudne.

— A co ja powiem twojemu ojcu?

W jej głosie słychać było nutę panicznego strachu, co mnie zmroziło. Czyż nie jest moja matką? Czy nie powinna udzielać mi odpowiedzi, a nie zadawać pytania?

— Powiedz mu na przykład, że przeniosę się na kilka dni do Kayli, bo musimy przygotować ważny referat z biologii.

Obserwowałam, jak zmienia się wzrok Mamy. Z jej oczu zniknęła troska, ustępując miejsca surowości, znanej mi, niestety, aż za dobrze.

— Widzę, że chcesz, abym go okłamała.

— Nie, mamo. Chcę tylko, aby choć raz ważniejsze dla ciebie było to, czego ja potrzebuję, a nie to, czego on sobie życzy. Chcę, żebyś była dla mnie mamą. Żebyś mi pomogła spakować się i pojechała ze mną do nowej szkoły, ponieważ boję się i źle się czuję, i nie wiem, czy sama dam sobie ze wszystkim radę.

— Nie wiedziałam, że przestałam być twoją mamą — odpowiedziała lodowatym tonem.

Poczułam się nią bardziej zmęczona niż Kaylą. Westchnęłam ciężko.

— W tym sęk, mamo. Nie jesteś na tyle blisko, by to zauważyć. Odkąd wyszłaś za Johna, obchodzi cię wyłącznie on.

Spojrzała na mnie spod zmrużonych powiek.

— Nie rozumiem, jak możesz być taka samolubna. Czy nie zdajesz sobie sprawy, ile on dla nas zrobił? Dzięki niemu mogłam rzucić tę okropną pracę u Dillardsa. Dzięki niemu nie musimy martwić się o pieniądze i mieszkamy w pięknym dużym domu. Dzięki niemu mamy zapewnioną bezpieczną jasną przyszłość.

Tyle razy słyszałam te słowa, że znałam je już na pamięć. Zazwyczaj w tym momencie w naszych niby-rozmowach przepraszałam i szłam do swojego pokoju. Ale dzisiaj nie mogłam powiedzieć „przepraszam" i pójść sobie. Dziś było inaczej. Wszystko już stało się inne.

— Nie, mamo. Prawda jest taka, że właśnie z jego powodu od trzech lat nie troszczysz się o swoje dzieci. Czy wiesz, że twoja najstarsza córka to zepsuta wredna puszczalska, z którą spała przynajmniej połowa drużyny futbolowej? Czy wiesz, jakie obrzydliwe gry komputerowe Kevin ukrywa przed tobą? Nie, jasne, że nie wiesz. Tych dwoje na pokaz ma zadowolone miny, oni udają, że lubią Johna i odgrywają komedię szczęśliwej rodzinki, więc się do nich uśmiechasz, modlisz za nich i pozwalasz im na wszystko. A ja? Uważasz, że jestem zła, ponieważ ja nie udaję, bo jestem uczciwa. Wiesz co? Mam dość już takiego życia i cieszę się, że Tracker mnie Naznaczył! Szkołę Wampirów nazywają Domem Nocy, ale nie może tam być ciemniej niż w naszym idealnym domu! — Żeby się nie rozpłakać i nie zacząć wrzeszczeć, odwróciłam się na pięcie i wymaszerowałam do swojego pokoju, zamykając z trzaskiem za sobą drzwi.

Niech ich wszystkich diabli!...

Przez cienkie ściany słyszałam jej histeryczny głos, gdy dzwoniła do Johna. Bez wątpienia przyjdzie zaraz do domu, żeby się ze mną rozprawić. Rozwiązać Problem. Nie uległam pokusie, by usiąść na łóżku i porządnie się wypłakać, tylko wygarnęłam z plecaka szkolne rzeczy. Czy tam, dokąd się wybieram, będą mi potrzebne? Pewnie nawet nie ma tam normalnych lekcji. Może uczą, jak się dobrać komuś do gardła albo jak widzieć w ciemności. A zresztą mam to gdzieś...

Nieważne, co moja mama zrobi albo czego nie zrobi. I tak tu nie zostanę. Muszę odejść.

Co więc powinnam zabrać ze sobą?

Dwie pary ulubionych dżinsów prócz tych, które mam na sobie. Kilka czarnych T-shirtów. No bo w co się ubierają wampiry? O, coś do pływania. Wzięłam swój ulubiony kostium jednoczęściowy, błyszczący i w jasnych kolorach, bo same czarne rzeczy zaczęły na mnie działać przygnębiająco. Kieszenie boczne wypchałam mnóstwem par majtek i biustonoszy oraz kosmetyków. W ostatniej chwili przypomniałam sobie o pluszowej Łybce Otis (kiedy miałam dwa latka, nie potrafiłam wymówić „r”), jakoś sobie nie wyobrażam, że nawet jako wampir mogłabym bez niej zasnąć. Wetknęłam więc Otisa do tego cholernego plecaka.

Wtedy usłyszałam pukanie do drzwi i jego głos wywołujący mnie z pokoju.

— Co?! — krzyknęłam i natychmiast opanował mnie atak kaszlu.

— Zoey, ja i matka musimy z tobą porozmawiać.

Świetnie. Widać diabli ich nie wzięli.

Poklepałam Otisa.

— Otis, to będzie okropne — wyznałam mu, wzruszyłam ramionami, zakaszlałam i wyszłam gotowa zmierzyć się z wrogiem.

)

ROZDZIAŁ TRZECI

John Heffer, mój ojciach, robi wrażenie faceta całkiem w porządku, nawet normalnego. (Tak, to jego prawdziwe nazwisko, niestety również mojej mamy, teraz ona to pani Heffer, dacie wiarę?). Kiedy zaczął się spotykać z moją mamą, słyszałam nawet, jak mówią o nim, że jest „przystojny", a nawet „uroczy". Tak było na początku. Teraz oczywiście Mama ma nowe przyjaciółki, takie, które zdaniem pana Przystojnego i Uroczego są bardziej odpowiednim dla niej towarzystwem niż wesołe niezamężne pańcie, z którymi do tej pory się zadawała.

Nigdy go nie lubiłam. Naprawdę. Nie mówię tak dlatego, że teraz go nie cierpię. Od pierwszego dnia widziałam w nim tylko fałsz. On udaje miłego faceta. Udaje dobrego męża. Tak samo udaje dobrego ojca.

Wygląda jak każdy przeciętny facet mający dzieci w naszym wieku. Ma ciemne włosy, cienkie patykowate nogi i rysujący się brzuszek. Jego oczy są odzwierciedleniem jego duszy: wyblakłe, zimne, o brudnym kolorze.

Gdy weszłam do salonu, stał już przy kanapie. Mama siedziała skulona w jednym rogu, trzymając go kurczowo za rękę. Miała zaczerwienione i załzawione oczy. Pysznie. Gra się rozpoczęła. Zamierzała odgrywać zranioną rozhisteryzowaną matkę. Jest dobra w tej roli.

John najpierw wbił we mnie świdrujący wzrok, ale jego uwagę zakłócił mój Znak. Skrzywił się z niesmakiem.

— Odejdź precz, szatanie! — zawołał kaznodziejskim tonem.

Westchnęłam.

— To nie szatan, to ja.

— Nie pora na ironię, Zoey — zwróciła mi uwagę matka.

— Zostaw to mnie. — Ojciach poklepał ją protekcjonalnie po ramieniu, po czym zwrócił się do mnie: — Ostrzegałem cię, że twoje złe zachowanie przyniesie opłakane skutki. Nawet nie jestem zdziwiony, że stało się to tak szybko.

Potrząsnęłam głową. Spodziewałam się takiej reakcji. Naprawdę. A jednak była dla mnie szokiem. Powszechnie przecież wiadomo, że nikt nie może sam wywołać u siebie Przemiany. Całe to gadanie o tym, że jak cię ugryzie wampir, umrzesz, po czym staniesz się sam wampirem, można między bajki włożyć. Od lat naukowcy starają się dociec, co powoduje cały ciąg fizycznych zdarzeń wiodących do wampiryzmu, mając nadzieję, że jeśli to odkryją, wówczas opracują metody leczenia tego zjawiska jak choroby lub przynajmniej wynajdą rodzaj szczepionki ochronnej. Jak dotąd, bezskutecznie. Tymczasem John Heffer, mój ojciach, nagle odkrył, że złe zachowanie nastolatki — zwłaszcza moje złe zachowanie, takie jak kłamstwa od czasu do czasu, przemądrzałe uwagi czy złośliwe komentarze, szczególnie te skierowane przeciwko rodzicom, do tego na poły niewinne wzdychanie do Ashtona Kutchera (niestety on woli starsze panie) — sprowadziły na mnie tę fizyczną przypadłość. Cholera! Kto by pomyślał?

— Nie ja byłam tego przyczyną — udało mi się wreszcie wtrącić. — Ja tego nie zrobiłam, to mnie dotknęło. Każdy naukowiec to przyzna.

— Naukowcy nie wiedzą wszystkiego. Nie są wysłannikami Boga.

Wlepiłam w niego oczy. Był starszym zgromadzenia Ludzi Wiary, bardzo dumnym z tej funkcji. Między innymi to właśnie przyciągało do niego Mamę i z logicznego punktu widzenia da się to zrozumieć. Starszym może być człowiek, który coś osiągnął. Ma odpowiednią pracę. Ładny dom. Idealną rodzinę. Oczekuje się od niego słusznych decyzji i prawidłowych wyborów. Oficjalnie mógł uchodzić za idealnego kandydata na męża i ojca. Niestety, dokumenty i świadectwa to nie wszystko. I oto zamierza teraz rozgrywać kartę starszego i frymarczyć Bogiem. Gotowa jestem założyć się o swoje bajeranckie czółenka od Steve'a Maddena, że w równym stopniu zirytowało to Boga, jak mnie wkurzyło.

Spróbowałam raz jeszcze.

— Uczyliśmy się o tym na biologii. Reakcja taka zachodzi w organizmach niektórych nastolatków, gdy podnosi się poziom hormonów... — Urwałam zadowolona z siebie, że udało mi się coś zapamiętać z ubiegłego semestru. — U niektórych ludzi hormony wyzwalają coś w rodzaju... — Przez chwilę nie mogłam sobie przypomnieć, ale zaraz wróciła mi pamięć. — Coś w rodzaju łańcucha DNA, który zapoczątkowuje całą Przemianę. — Uśmiechnęłam się, niekoniecznie do Johna, ale dumna z tego, że zdołałam przypomnieć sobie szczegóły, o których uczyliśmy się wiele miesięcy temu. Zaraz jednak spostrzegłam, że uśmiechając się, popełniłam błąd, poznałam to po zaciśnięciu jego szczęk.

— Wiedza boska jest większa, niż nauka może ogarnąć, bluźnisz, młoda damo, twierdząc coś przeciwnego.

— Nigdy nie mówiłam, że uczeni są mądrzejsi od Boga! — krzyknęłam, podnosząc w górę ręce i usiłując opanować atak kaszlu. — Po prostu staram się wytłumaczyć ci pewne rzeczy.

— Szesnastolatka nie będzie mi niczego wyjaśniała.

Miał na sobie koszmarne porty i okropną koszulę. Jasne, że szesnastolatka powinna mu pewne rzeczy wyjaśnić, tyle że nie była to najlepsza pora, by omawiać jego oczywisty brak gustu.

— John, kochanie, co my z nią zrobimy? Co powiedzą sąsiedzi? — Jej twarz pobladła jeszcze bardziej, chlipnęła cichutko. — Co powiedzą ludzie na niedzielnym zgromadzeniu?

Już otworzyłam usta, by coś powiedzieć, ale John zmrużył oczy i wtrącił swoje, zanim zdążyłam się odezwać.

— Zrobimy to, co każda porządna rodzina powinna zrobić w takiej sytuacji. Zostawimy sprawę w rękach Boga.

Czyżby chcieli mnie posłać do zakonu? Niestety musiałam walczyć z kaszlem, tak że oni mówili dalej.

— Zadzwonimy także po doktora Ashera. On będzie wiedział, jak pomóc w tej sytuacji.

Cudownie. Wspaniale. Zadzwonią po rodzinnego psychora, człowieka całkiem pozbawionego wyobraźni. Już lepiej nie można było.

— Linda, zadzwoń do doktora Ashera na jego numer do nagłych wypadków. Myślę też, że dobrze byłoby uruchomić telefoniczne drzewo modlitewne. Załatw, żeby cała starszyzna wiedziała, że ma się u nas zebrać.

Mama kiwnęła głową i podniosła się, by wykonać polecenie, ale moje słowa osadziły ją na miejscu.

— Co?! To jedyną waszą reakcją jest zawołać doktora, który nie ma pojęcia o nastolatkach, i zwołać tutaj tych sztywniaków ze starszyzny? Oni nawet nie będą próbowali niczego zrozumieć. Nie. Dajcie z tym spokój. Wyjeżdżam. Dziś wieczorem opuszczam dom. — Następny atak kaszlu przyprawił mnie o ból w piersiach. — Widzicie? Będzie jeszcze gorzej, jeśli nie pójdę do... — Zawahałam się. Dlaczego tak trudno było mi wymówić to słowo: wampir? Bo brzmiało tak obco, tak ostatecznie, tak... fantastycznie, musiałam to w końcu przyznać. — Muszę iść do Domu Nocy.

Mama skoczyła na równe nogi i przez chwilę wydawało mi się, że chce mnie ocalić. Ale John władczym gestem położył jej rękę na ramieniu. Spojrzała na niego, potem na mnie i choć w jej oczach dostrzegłam jakiś żal, powiedziała jednak tylko to, co John chciałby od niej usłyszeć.

— Zoey, domyślam się, że nikomu nie będzie przeszkadzało, jeśli spędzisz jeszcze tę noc w domu?

— Oczywiście, że nie — odpowiedział John. — Jestem tego pewny. Doktor Asher przyjdzie tu z wizytą domową. Przy nim nic złego jej się nie stanie. — Poklepał ją po łopatce gestem w zamierzeniu troskliwym, ale w rzeczywistości wyglądało to obleśnie.

Przeniosłam wzrok z niego na Mamę. Nie pozwolą mi dziś odejść. Może nawet nigdy, a w każdym razie póki nie naszpikują mnie lekarstwami. Nagle zrozumiałam, że nie chodzi tu o Znak ani o to, że moje życie ulegnie radykalnej zmianie ale o kontrolę. Pozwalając mi odejść, w pewnym sensie przegrają. Jeśli chodzi o Mamę, wydawało mi się, że boi się mnie utracić, co nawet było mi miłe. Co do Johna zaś, to nie chciał stracić swojego cennego autorytetu i iluzji, że stanowimy idealną rodzinkę. Tak jak Mama mówiła: „Co ludzie powiedzą, co powiedzą na niedzielnym zgromadzeniu?" — John chciał zachować te pozory, nawet gdybym miała to przypłacić zdrowiem, jeśli w porę nie znajdę się w Domu Nocy.

Tylko że ja nie chciałam zapłacić takiej ceny.

Chyba nadeszła pora, bym swoje sprawy wzięła we własne ręce (w dodatku wymanikiurowane).

— Dobra — powiedziałam. — Dzwońcie po doktora Ashera. Uruchomcie modlitewne drzewo. Ale nie będziecie mieli nic przeciwko temu, że położę się na chwilę, zanim wszyscy się zbiorą? — Zakaszlałam dla lepszego wrażenia.

— Oczywiście, że nie, kochanie — odpowiedziała Mama z widoczną ulgą. — Chwila odpoczynku dobrze ci zrobi. — Uwolniła się od władczego uścisku Johna. Uśmiechnęła się i objęła mnie. — Chcesz, żebym ci przyniosła NyQuil?

— Nie, nie trzeba — powiedziałam, przytulając się do niej na chwilę, marząc, by wszystko było jak przed trzema laty, kiedy ona należała do mnie i stała po mojej stronie. Po chwili ciężko westchnęłam i powtórzyłam: — Wszystko będzie dobrze.

Popatrzyła na mnie i skinęła głową, jedynie wzrokiem wyrażając żal, bo pozostał jej tylko ten sposób wyrażania uczuć.

Odwróciłam się od niej i zaczęłam iść w stronę swojego pokoju. Wtedy ojciach powiedział do moich pleców:

— Bądź tak miła i znajdź trochę pudru albo czegoś innego, czym mogłabyś jakoś zakryć to, co masz na czole.

Nawet się nie zatrzymałam.

Zapamiętam to sobie, postanowiłam. Zapamiętam, jak okropnie się przez nich czułam. Jeśli więc będę się bała albo czuła samotna, cokolwiek się ze mną stanie, będę pamiętać, że nie ma nic gorszego, jak zostać tutaj. Absolutnie nic.

)

ROZDZIAŁ CZWARTY

Siedziałam na łóżku i słuchałam, jak mama telefonuje po doktora, a zaraz potem do członków wspólnoty modlitewnej. W ciągu najbliższych trzydziestu minut do naszego domu zaczęły się schodzić grube baby i ich mężowie o świdrujących oczkach i wyglądzie pedofili. Zostałam poproszona do salonu. Mój Znak przedstawiał dla nich poważny problem, bo smarowali mnie jakimiś maściami, które na pewno zatykały pory, zanim zdecydowali się mnie dotknąć i zacząć pacierze. Prosili Boga, by sprawił, żebym nie była taką okropną dziewczyną i nie sprawiała dłużej kłopotów swoim rodzicom. Przy okazji żeby zniknął z czoła mój Znak.

Gdybyż to było takie proste! Z pewnością ułożyłabym się z Bogiem i obiecała, że będę grzeczna, byleby nie zmieniał mi szkoły. Zgoda, mógłby wycofać ten sprawdzian z geometrii, ale przecież nie prosiłam Go o to, by zmienił mnie w upiora. Najgorsze było to, że muszę zmienić szkołę. Zacząć gdzieś nowe życie, wśród samych nieznajomych, gdzie będę nowa i obca. Zacisnęłam powieki, aby się nie rozpłakać. Szkoła była jedynym miejscem, gdzie dobrze się czułam, koleżanki i koledzy zastępowali mi rodzinę. Zacisnęłam mocno pięści i zacięłam usta, by nie płakać. Trzeba robić po jednym kroku, powoli. Od tego zacznę.

Nie ma mowy, bym się układała z ojciachem czy jego parafią. Już sama ta sesja modlitewna była wystarczająco przykrym doświadczeniem, a czekało mnie nie mniej przykre spotkanie z doktorem Asherem. Będzie zadawał mnóstwo pytań, na przykład: co czuję w różnych sytuacjach. Potem będzie zasuwał głodne kawałki o gniewie nastolatków i o tym, że tylko ode mnie zależy, w jakim stopniu ten gniew wpłynie na moje dalsze życie. A ponieważ sesja została zwołana w trybie pilnym, będę musiała narysować siebie jako dziecko, które we mnie tkwi, albo coś w tym rodzaju.

Muszę się stąd zabierać.

Dobrze, że zawsze uchodziłam za „złe dziecko", bo zdążyłam się już przygotować na podobne sytuacje. Może niekoniecznie na ucieczkę z domu i przystanie do wampirów, nie trzymałam też zapasowych kluczyków do samochodu pod doniczką na zewnętrznym parapecie, by w razie czego mieć łatwy dostęp do auta, raczej nie wyobrażałam sobie niczego więcej poza wymknięciem się do domu Kayli. Albo, gdybym zamierzała być naprawdę niegrzeczną dziewczynką, poszłabym z Heathem do parku i tam byśmy się migdalili. No, ale Heath zaczął popijać, a ja zaczęłam się zmieniać w wampira. Życie czasami jest pełne niespodzianek.

Złapałam plecak, otworzyłam okno, podniosłam roletę bez najmniejszych wyrzutów sumienia, co bardziej świadczyło o mojej grzesznej naturze niż o nudnych kazaniach ojciacha. Założyłam okulary przeciwsłoneczne i wyjrzałam na zewnątrz. Było mniej więcej wpół do piątej, jeszcze się nie ściemniało, więc tylko płot chronił mnie przed wścibskimi spojrzeniami sąsiadów. Na tę stronę wychodził jeszcze tylko pokój mojej siostry, ale ona zapewne ciągle była na zajęciach cheerleaderek. (Chyba nadszedł już czas, by mi kaktus zaczął wyrastać na dłoni, ponieważ byłam teraz zadowolona, że jak twierdzi moja siostra, świat się kręci wokół cheerleaderstwa). Najpierw wyrzuciłam plecak, a potem powoli zsunęłam się z okna, uważając, by nawet nie sapnąć w momencie lądowania na trawie. Trwałam bez ruchu przez dłuższy czas, tłumiąc kaszel rękawem. Następnie schyliłam się, by podnieść doniczkę z lawendą, którą dała mi Babcia Redbird, i namacałam wśród źdźbeł trawy twardy metalowy przedmiot — klucz.

Furtka nawet nie zaskrzypiała, kiedy ją otwierałam, by wymknąć się ostrożnie niczym jeden z Aniołków Charliego. Mój garbusek stał tam, gdzie powinien, przed trzecimi drzwiami naszego trzystanowiskowego garażu. Ojciach nie pozwalał mi wprowadzać go do garażu, ponieważ jego zdaniem bardziej zasługiwała na to miejsce kosiarka. (Jak może być ważniejsza od leciwego vw? Przecież nie ma w tym ani odrobiny sensu. O rany, mówię jak chłopak. A od kiedy to rocznik samochodu stał się dla mnie ważny? Faktycznie zaczynam się zmieniać). Rozejrzałam się we wszystkie strony. Podbiegłam do samochodziku, wskoczyłam do środka, wrzuciłam na luz i wdzięczna losowi, że nasz podjazd jest stromy, patrzyłam, jak garbusik zsuwa się bezszelestnie na ulicę. Stamtąd droga wiodła na wschód, jak najdalej od dzielnicy dużych, drogich domów.

Nawet nie spojrzałam w lusterko wsteczne.

Wyłączyłam komórkę, bo nie miałam ochoty z nikim rozmawiać.

No, może z jednym wyjątkiem. Istniała jedna osoba, z którą bardzo chciałabym porozmawiać. Tylko ona, tego byłam pewna, patrząc na mój Znak, nie myślałaby o mnie jako o upiorze, nienormalnej albo bardzo złej dziewczynie.

Garbus, jakby czytając w moich myślach, skręcił sam w stronę autostrady wiodącej do Muskogee Turnpike, gdzie znajdowało się najcudowniejsze miejsce na świecie — lawendowa farma Babci Redbird.

*

W przeciwieństwie do drogi ze szkoły półtoragodzinna jazda na farmę Babci Redbird ciągnęła się w nieskończoność. Kiedy w końcu zjechałam z dwupasmowej autostrady na bitą drogę prowadzącą do domu Babci, całe ciało miałam bardziej obolałe niż wtedy, gdy nowa nauczycielka gimnastyki kazała nam biegać z obciążeniem, podczas gdy ona trzaskała z bicza i rechotała. No, może z tym biczem to przesada, ale zawsze. Mięśnie bolały mnie jak diabli. Dochodziła szósta, słońce chyliło się ku zachodowi, a mimo to oczy nadal mnie piekły. Nawet zachodzące słońce wywoływało u mnie reakcję uczuleniową. Cieszyłam się, że to już koniec października i że mogę wreszcie włożyć swoją ulubioną bluzę z kapturem (oczywiście taką, w jakiej jeżdżą w Vegas, ze *Star Trek, następne pokolenia*; muszę przyznać, że mam hopla na tym punkcie), która niemal dokładnie zakrywa mnie całą. Zanim wysiadłam z garbusa, sięgnęłam jeszcze na tylne siedzenie po szeroki kapelusz, który wcisnęłam na głowę, by chronić się przed resztką słońca.

Dom Babci stał pomiędzy dwoma polami lawendy, zacieniony wielkimi starymi dębami. Zbudowany w 1942 roku z miejscowego kamienia, miał wygodny ganek i wyjątkowo wielkie okna. Uwielbiałam ten dom. Już gdy stąpałam po drewnianych schodkach wiodących na ganek, od razu czułam się lepiej, bezpieczniej. Zauważyłam przypiętą do drzwi kartkę, na której widniało równe, kształtne pismo Babci: „Wyszłam na skarpę, zbieram polne kwiaty".

Dotknęłam arkusika, który pachniał lawendą. Zawsze wiedziała, kiedy miałam do niej przyjść. Kiedy byłam dzieckiem, uważałam, że to dziwne, ale gdy stałam się starsza, podobała mi się ta jej niezwykła zdolność. Zawsze, w każdej sytuacji, mogłam na nią liczyć, tego byłam pewna. Przez kilka strasznych miesięcy po ślubie mamy z Johnem chybabym umarła, gdybym nie mogła co niedzielę wymykać się do domku Babci Redbird.

Przez chwilę zamierzałam wejść do środka (Babcia nigdy nie zamykała drzwi na klucz) i tam na nią zaczekać, ale chciałam jak najszybciej się z nią zobaczyć, żeby mnie uściskała i powiedziała to, co Mama powinna była powiedzieć: „Nie bój się... wszystko będzie dobrze... już my dopilnujemy, żeby wszystko się dobrze ułożyło". Zamiast więc wejść do środka, ruszyłam ścieżką wydeptaną przez zwierzynę płową, wiodącą północnym skrajem poletka na łąkę. Po drodze muskałam kwiaty końcami palców, tak że wydzielały słodki aromat, który mi towarzyszył, czcząc w ten sposób moje przybycie.

Wydawało mi się, że nie byłam tu od lat, mimo iż od mojej ostatniej bytności minęły ledwie cztery tygodnie. John nie lubił Babci. Uważał ją za nienormalną. Kiedyś nawet usłyszałam, jak mówił do Mamy, że Babcia jest czarownicą i pójdzie do piekła. Co za dupek.

Nagle uderzyła mnie pewna myśl, tak że nawet się zatrzymałam. Moi rodzice już nie sprawują nade mną kontroli. Nie będę już z nimi mieszkała. Nigdy. John już nie będzie mi mówił, co mam robić.

To dopiero!

Tak mnie to zadziwiło, że dostałam następnego ataku kaszlu, objęłam się ramionami, jakby w obawie, że mogłabym się rozpaść. Babcia była mi pilnie potrzebna.

)

ROZDZIAŁ PIĄTY

Ścieżka wiodąca w górę zbocza zawsze była stroma, chodziłam nią milion razy, z Babcią i sama, ale nigdy nie czułam się tak jak teraz. Nie tylko kaszlałam, nie tylko bolały mnie mięśnie, ale na domiar złego kręciło mi się w głowie, a w brzuchu tak burczało, że przypomniałam sobie Meg Ryan z *Francuskiego pocałunku* po tym, jak nie tolerując laktozy, najadła się sera. (Kevin Kline jest naprawdę fajny w tym filmie, chociaż wcale nie młody).

No i ciekło mi z nosa. Nie żebym od czasu do czasu była pociągająca. Bez przerwy smarkałam w rękawy bluzy, musiałam oddychać przez usta, co sprawiało, że kaszlałam coraz bardziej, do tego strasznie bolało mnie w piersiach. Starałam się przypomnieć sobie, jakie były oficjalne przyczyny śmierci tych dzieci, które nie zdołały przejść procesu Przemiany w wampiry. Czy dostawały ataku serca? A może zakaszlały się i zasmarkały na śmierć?

Muszę przestać o tym myśleć!

Muszę też odszukać Babcię Redbird. Nawet jeśli nie będzie miała gotowej odpowiedzi, to się dowie. Babcia rozumie ludzi. A to dlatego, że nie zerwała ze swoim indiańskim pochodzeniem i pielęgnuje wiedzę przekazywaną od pokoleń przez Mędrczynie z jej plemienia. Ma to we krwi. Nawet teraz uśmiechnęłam się na myśl, jak Babcia zasępia się na samą wzmiankę o ojciachu (jest jedyną dorosłą osobą, która wie, że tak go nazywam). Babcia Redbird powiedziała, że oczywiście krew Mędrczyń płynie również w żyłach jej córki, ale tylko po to, by mnie przekazała dodatkową porcję starodawnej magii Czirokezów.

Nie zliczę już, ile razy pokonywałam z nią tę stromą ścieżkę jako mała dziewczynka uczepiona jej ręki. Na porośniętej wysoką trawą łące rozkładałyśmy kolorowy koc i siedząc na nim, jadłyśmy drugie śniadanie, a Babcia opowiadała mi historie Czirokezów i uczyła mnie niektórych tajemniczo brzmiących słów z ich języka. Kiedy tak wspinałam się mozolnie krętą ścieżką, historie te przebiegały mi przez głowę jak dym z rytualnego ogniska. Na przykład opowieść o tym, jak powstały gwiazdy, kiedy to pies został złapany na gorącym uczynku, gdy ściągnął kukurydzę i został za to wychłostany. Gdy skowycząc, uciekał na północ, magiczna karma rozsypała się na drodze jego ucieczki, tworząc Drogę Mleczną. Albo o tym, jak Wielki Myszołów swoimi skrzydłami stworzył góry i doliny. Czy moja ulubiona opowieść o młodej kobiecie słońce, która mieszkała na wschodzie, i o jej bracie, księżycu, który mieszkał na zachodzie, oraz o Redbird, która była córką słońca.

— Czy to nie dziwne? Ja też jestem Redbird, córka słońca, i właśnie się zmieniam w upiora nocy — powiedziałam do siebie, ale dość słabym głosem, co mnie zdziwiło, zwłaszcza że głos mój odbijał się echem, jakbym mówiła do tuby.

Przypomniałam też sobie, jak Babcia zabrała mnie na naradę plemienną, wspomnienie to z lat dziecięcych ożyło nagle w mojej pamięci, zabiło rytmem bębnów. Rozejrzałam się, mrużąc oczy od wątłego już blasku zachodzącego słońca. Oczy mnie piekły, obraz został zniekształcony. Już nie było wiatru, tylko cienie drzew dziwnie się kołysały, wyciągały swoje długie odnogi w moją stronę.

— Babciu, ja się boję... — poskarżyłam się, miotana nieustannie atakami kaszlu.

Nie ma powodu bać się duchów tej ziemi, ptaszyno.

— Babcia? — Czyżbym słyszała jej głos nazywający mnie ptaszyną czy były to tylko omamy słuchowe i echo moich wspomnień? — Babciu! — zawołałam ponownie i wstrzymałam oddech, nasłuchując odpowiedzi.

Ale słychać było tylko szum wiatru.

U-no-le... To słowo w dialekcie Czirokezów oznaczające wiatr błąkało się w mojej pamięci jak zapomniany sen.

Wiatr? Zaraz! Przecież przed sekundą nie było żadnego wiatru, a teraz musiałam przytrzymywać ręką kapelusz, by mi nie spadł z głowy, drugą natomiast odgarnąć włosy, które zasłaniały mi twarz. W tym wietrze usłyszałam echo wielu głosów Czirokezów skandujących w rytm rytualnego bębnienia. Przez zasłonę włosów i łez dostrzegłam dymy. Orzechowy, słodkawy zapach drewna pinon wdarł mi się do ust, poczułam smak obozowych ognisk palonych przez moich przodków. Zabrakło mi tchu.

Poczułam ich obecność. Niemal widoczne duchy, emanujące lekki szum jak rozpalony asfalt w upalne dni, otaczały mnie ciasnym kołem. Ocierały się o mnie, muskały, przemykając z gracją tanecznym krokiem wokół ogniska.

Dołącz do nas, u-we-tsi-a-ge-ya... Dołącz do nas, córko...

Duchy Czirokezów... brak tchu... potyczka z rodzicami... moje dawne życie uchodzi w przeszłość...

Zbyt wiele tego. Chciałam uciec. Zaczęłam biec.

Zrozumiałam, czego uczyli nas na lekcjach biologii o adrenalinie, jak nas zalewa, dodając ognia do walki lub ucieczki nawet w takim stanie, w jakim się znajdowałam, gdy prawie nie mogłam oddychać, ale bardzo się starałam, jak tonący pod wodą jeszcze chciałby złapać haust powietrza. Nadludzkim wysiłkiem woli pokonałam ostatni i najbardziej stromy odcinek ścieżki, jakby mi dano siedmiomilowe buty.

Ciężko dysząc, biegłam coraz wyżej, potykałam się i zataczałam na ścieżce, chcąc uwolnić się od duchów, które otaczały mnie ciasno jak kłęby mgły, ale zamiast zostawiać je za sobą, zdawałam się wchodzić coraz głębiej w ich świat pełen dymu i cieni. Czyżbym umierała? Czy tak wygląda śmierć? Dlaczego ukazują mi się duchy? Gdzie jest światło? Ogarnięta paniką rzuciłam się do przodu, wyciągając przed siebie ręce, jakbym chciała powstrzymać ogarniające mnie przerażenie.

Nie spostrzegłam wystającego korzenia, który pojawił się nagle na ścieżce. Usiłowałam jeszcze złapać równowagę, ale zawiodły mnie wszystkie zmysły. Runęłam na ziemię. Poczułam ostry ból w głowie, a zaraz potem pogrążyłam się w błogiej ciemności.

Ocknęłam się z dziwnym uczuciem. Spodziewałam się, że będzie mnie bolało całe ciało, nie czułam jednak wcale bólu, po prostu było mi dobrze. A nawet jeszcze lepiej. Nie kaszlałam już, ręce i nogi miałam ciepłe i lekkie, jakbym po zimnym dniu wyszła z gorącej, ożywczej kąpieli.

Co się dzieje?

Otworzyłam oczy. Zobaczyłam światło, które o dziwo, wcale mnie nie raziło. Nie było to palące światło słoneczne, raczej przefiltrowane, delikatne światło świec unoszące się nade mną. Usiadłam i spostrzegłam swoją pomyłkę. To nie światło padało na mnie z wysokości, to ja się unosiłam ku niemu.

Idę do nieba! To będzie szok dla pewnych osób.

Spojrzałam w dół i zobaczyłam swoje ciało. Lub cokolwiek to było — rozciągnięte na skalnym urwisku. Nieruchome. Ze skaleczonego czoła płynęła mi krew. W regularnych odstępach krople krwi padały w skalistą rozpadlinę, docierając do wnętrza ziemi.

To niesamowite uczucie patrzeć na siebie jakby z zewnątrz. Nie bałam się jednak. A może powinnam? Czy to znaczyło, że już nie żyję? Może teraz zobaczę wyraźniej duchy Czirokezów. Ale i ta myśl nie przejęła mnie strachem. Czułam się raczej niczym bezstronny obserwator, jakby nic, na co patrzyłam, nie mogło się stać moim udziałem. (Pewnie tak się czują niektóre dziewczyny, które śpią z każdym i myślą, że nie zajdą w ciążę ani nie złapią żadnej choroby wenerycznej. Cóż, za dziesięć lat okaże się, jak to będzie).

Na razie podobał mi się niezwykły ogląd tego świata, nowy, błyszczący, chociaż bardziej interesowało mnie własne ciało. Podpłynęłam do niego bliżej. Oddychałam, ale mój oddech był urywany i płytki. To znaczy, moje ciało oddychało, nie ja (och, użycie zaimków osobowych w tej sytuacji może być dość mylące!). Nie wyglądałam (ona nie wyglądała) zbyt dobrze. Była(m) blada, usta miała(m) sine. No proszę, biała cera, sine usta i czerwona krew — patriotyczne kolory!

Roześmiałam się, co mnie wprawiło w zdumienie. Zobaczyłam, jak mój śmiech unosi się wokół mnie niczym obłoczek nasion dmuchawca, tylko że nie był biały, ale niebieski jak lukier na urodzinowym torcie. Coś takiego! Kto by pomyślał, że uderzenie się w głowę i utrata przytomności może być takie zabawne? Chyba tak właśnie czuje się człowiek ogarnięty euforią.

Dmuchawcowo-lukrowy śmiech przygasł i wtedy usłyszałam połyskliwy, krystaliczny szum płynącej wody. Przysunęłam się bliżej do swojego ciała i spostrzegłam, że to co początkowo brałam za rozpadlinę, było wąską szczeliną lodową. Szum płynącej wody dochodził właśnie z jej wnętrza. Zaciekawiona zerknęłam w głąb i zobaczyłam mieniące się srebrzyście słowa wynurzające się z czeluści skały. Nadstawiłam ucha i usłyszałam cichy srebrzysty szept.

Zoey Redbird... przyjdź do mnie...

— Babciu! — krzyknęłam w głąb rozpadliny. Moje słowa były jasnopurpurowe, wypełniały przestrzeń wokół mnie. — Czy to ty, Babciu?

Chodź do mnie...

Zmaterializowany w kolorze mój głos, srebrny i purpurowy, zabarwił moje słowa na kolor kwitnącej lawendy. To był znak, wskazówka. Jak przed wiekami duchy przewodnie przodków prowadziły swój lud, tak teraz Babcia Redbird podpowiedziała mi, że mam zejść w tę rozpadlinę.

Bez dalszej zwłoki mój duch uniósł się i opuścił do niej, podążając ścieżką znaczoną kroplami mej krwi i srebrnym szeptem babcinych słów, aż dotarłam do wnętrza przypominającego jaskinię. Przepływał przez nią szemrzący strumyk, rozsypując się na drobne kawałki zmaterializowanych dźwięków jak przezroczyste szkiełka. Zmieszane z czerwonymi kroplami mojej krwi rozjaśniały jaskinię migoczącym blaskiem koloru zeschłych liści. Miałam ochotę przysiąść przy bulgoczącym strumyku, zanurzyć w nim palce i bawić się ich muzyczną strukturą, ale głos powtórnie mnie przywołał.

Zoey Redbird... pójdź za mną tam, gdzie twoje przeznaczenie...

Poszłam więc dalej szlakiem strumyka za wołającym mnie głosem. Trochę dalej jaskinia się zwężała i przechodziła w zaokrąglony tunel. Wił się i kręcił łagodnymi zakolami, znikając nieoczekiwanie w pionowej ścianie, na której wyryte były dziwne symbole wyglądające znajomo, a jednocześnie obco. Zmieszana śledziłam bieg strumyka, który znikał za ścianą. Co dalej? Co teraz będzie moim drogowskazem?

W tunelu nadal nie było widać nic poza migającymi światełkami. Odwróciłam się do ściany i wtedy doznałam szoku. Pod ścianą siedziała kobieta ze skrzyżowanymi po turecku nogami. Miała na sobie białą szatę z frędzlami, haftowaną w te same symbole, które wyryte były na ścianie. Nieziemsko piękna, miała długie i proste włosy, tak czarne, że zdawały się mienić pąsowymi i granatowymi refleksami niczym skrzydła kruka. Gdy mówiła, jej usta formowały srebrzyste słowa emanujące mocą.

Tsi-lu-gi U-we-tsi a-ge-hu-tsa. Witaj, córko. Zuch z ciebie.

Mówiła w języku Czirokezów, ale mimo że przez ostatnie lata nie miałam okazji używać tego języka, rozumiałam wszystko.

— Nie jesteś moją babcią! — wyrwało mi się. Poczułam się niezręcznie, gdy moje słowa wypełniły przestrzeń czerwienią, a wymieszane z jej słowami przeszły w lawendową kompozycję, układając się w fantastyczne wzory wykwitające wokół nas.

Jej uśmiech przypominał wschodzące słońce.

Nie, córko, nie jestem twoją babcią, ale znam bardzo dobrze Sylvie Redbird.

Nabrałam do płuc powietrza.

— Czy ja umarłam?

Bałam się, że może śmiechem skwitować to pytanie, ale tak się nie stało. Obdarzyła mnie łagodnym spojrzeniem, w którym jednak kryła się troska.

Nie, u-we-tsi-a-ge-ya. Daleko ci do takiego stanu, choć twoja dusza została chwilowo uwolniona, by mogła swobodnie powędrować po świecie Nunne'hi.

— Ludzie duchy! — Rozejrzałam się po tunelu, usiłując dostrzec w cieniach twarze i ludzkie kształty.

Twoja babcia była dla ciebie dobrą nauczycielką, u-s-ti Do-tsu-wa... mała Redbird. Rzadko się zdarza, by ktoś tak jak ty miał w sobie zarówno tradycję Dawnych Czasów, jak i elementy Nowego Świata, cenny przekaz pokoleń i zdobycze ludzi z zewnątrz.

Jej słowa sprawiały, że robiło mi się na przemian zimno i gorąco.

— Kim jesteś? — zapytałam.

Noszę wiele różnych imion. Zmieniająca się Kobieta, Gaea, A'akuluujjusi, Kuan Yin, Babcia Pajęczyca, nawet Jutrzenka...

Kiedy wypowiadała kolejne imiona, jej twarz za każdym razem wyglądała inaczej, jej moc była oszałamiająca. Musiała domyślić się, co czuję, bo uśmiechnęła się do mnie i przybrała twarz, którą zobaczyłam na początku.

Ty jednak, Zoey, moja córko, możesz nazywać mnie imieniem, pod którym jestem obecnie znana na tym świecie. Nyks.

— Nyks? — zapytałam niemal szeptem. — Bogini wampirów?

Prawdę mówiąc, najpierw starożytni Grecy, którzy doświadczyli Przemiany, pierwsi zaczęli mnie czcić jako Matkę, której szukali w ciemności wiecznej Nocy. Z przyjemnością nazywałam ich swoimi dziećmi przez wiele pokoleń, przez całe wieki. To prawda, że w twoim świecie dzieci te nazywane są wampirami. Zaakceptuj to imię, u-we-tsi-a-ge-ya, znajdziesz w nim swoje przeznaczenie.

Czułam, jak Znak pali mi czoło, i nagle zachciało mi się płakać.

— Nie rozumiem. Jak to: znajdę swoje przeznaczenie? Właśnie próbuję jakoś odnaleźć się w swoim nowym życiu, uczynić je znośnym. O bogini, chciałabym tylko czuć się gdzieś na swoim miejscu. Nie wydaje mi się, żebym potrafiła odnaleźć swoje przeznaczenie.

Rysy bogini znów złagodniały, a kiedy przemówiła, jej głos przypominał głos mojej matki, z tą tylko różnicą, że bardziej był tkliwy i kochający, jakby w jej słowach zawarta była miłość wszystkich matek tego świata.

Zoey Redbird, musisz uwierzyć w siebie. Naznaczyłam cię swoim Znakiem. Będziesz moją pierwszą prawdziwą u-we--tsi-a-ge-ya v-hna-i Sv-no-yi... Będziesz Córą Nocy... w tym wieku. Jesteś wyjątkowa. Zaakceptuj siebie taką, a wtedy za-

czniesz rozumieć, że w twej wyjątkowości zawiera się także prawdziwa moc. Płynie w tobie krew dawnych Mędrczyń, ale jest w tobie również zrozumienie współczesnego świata.

Bogini wstała i z gracją podeszła ku mnie, jej głos wytwarzał wokół nas srebrne symbole potęgi. Wyciągnęła ku mnie dłonie i zanim ujęła moją twarz w swoje ręce, najpierw otarła mi łzy z policzków.

Zoey Redbird, Córo Nocy. Mianuję cię swoimi oczami i uszami we współczesnym świecie, w świecie, w którym dobro i zło walczą ze sobą, starając się osiągnąć pewną równowagę.

— Ale ja mam dopiero szesnaście lat! Nawet nie umiem zaparkować równolegle do krawężnika! Skąd będę wiedziała, jak stać się twoimi oczami i uszami?

W odpowiedzi uśmiechnęła się pogodnie.

Na pewno przerastasz swoich rówieśników pod każdym względem. Uwierz w siebie, Zoey Redbird, a wtedy odnajdziesz drogę. I zapamiętaj, ciemność nie zawsze oznacza zło, a światło nie zawsze niesie ze sobą dobro.

To mówiąc, bogini Nyks, starożytne uosobienie Nocy, nachyliła się do mnie i pocałowała mnie w czoło. Wówczas po raz trzeci tego dnia zemdlałam.

)

ROZDZIAŁ SZÓSTY

Piękna, widzisz chmurę, chmura nadpływa.
Piękna, widzisz deszcz, deszcz się zbliża...

Słowa dawnej piosenki błąkały mi się w pamięci. Chyba znów śniła mi się Babcia Redbird. Myśl o niej napełniała mnie błogim uczuciem, dawała mi poczucie komfortu i bezpieczeństwa, co było szczególnie miłe, zwłaszcza po ostatnich przeżyciach... chociaż nie mogłam sobie dokładnie przypomnieć, co to takiego było. Hm. Dziwne.

Kto mówi?
Kukurydziane uszko
Wysoko na czubku kolby...

Piosenka Babci przewijała się dalej w mej głowie, przewróciłam się na drugi bok, wzdychając błogo, gdy policzkiem wyczułam miękką poduszkę. Niestety poruszenie głowy wywołało ostry ból w skroniach i niczym trafiona kamieniem szyba moje beztroskie wspomnienia rozprysły się w drobny mak, ustępując miejsca obudzonej pamięci wydarzeń poprzedniego dnia.

Zmieniam się w wampira.

Uciekłam z domu.

Miałam wypadek, po którym doświadczyłam doznań z pogranicza życia i śmierci.

Zmieniam się w wampira. O Boże.

Ależ mnie łupie w głowie.

— Zoey, ptaszyno, już się zbudziłaś?

Zamrugałam powiekami, by rozproszyć mgłę, która zasnuła mi oczy, a wtedy wyłonił się obraz Babci Redbird siedzącej na stołeczku przy moim łóżku.

— Babcia! — wykrzyknęłam zachrypniętym głosem i wyciągnęłam do niej rękę. Mój głos brzmiał okropnie, równie okropnie łupało mnie w głowie. — Co się stało? Gdzie ja jestem?

— Jesteś bezpieczna, ptaszyno. Nic ci nie grozi.

— Boli mnie głowa — poskarżyłam się. Dotknęłam palcami obolałego miejsca i wyczułam szwy.

— Powinno boleć. Wystraszyłaś mnie śmiertelnie. — Babcia delikatnie pomasowała mi głowę. — Tyle krwi... — Wzdrygnęła się na to wspomnienie, pokręciła głową i zaraz się do mnie uśmiechnęła. — Może mi obiecasz, że więcej tego nie zrobisz?

— Obiecuję — odpowiedziałam skwapliwie. — Więc mnie znalazłaś...

— Zakrwawioną i nieprzytomną, ptaszyno. — Babcia odgarnęła mi włosy z czoła, zatrzymując na chwilę palce na moim Znaku. — A taka byłaś bledziutka, że ciemny półksiężyc wyglądał, jakby płonął na tle twojej skóry. Wiedziałam, że powinnaś trafić jak najszybciej do Domu Nocy, więc się o to postarałam. — Zachichotała filuternie, a figlarne błyski zamigotały w jej oczach. — Zadzwoniłam do twojej matki i powiedziałam jej, że cię tam zaprowadzę, po czym musiałam udawać, że połączenie zostało przerwane. Obawiam się, że jest zła na nas obie.

Odpowiedziałam Babci uśmiechem. He, he, na nią Mama też była wściekła.

— Powiedz mi, Zoey, coś ty robiła za dnia sama na dworze? I dlaczego mi nie powiedziałaś, że otrzymałaś Znak?

Z trudem usiłowałam się podnieść, walcząc z okropnym bólem głowy. Dobrze przynajmniej, że przestałam kaszleć. *Pewnie dlatego, że wreszcie jestem w Domu Nocy*... Myśl ta jednak uleciała, gdy tylko dotarł do mnie sens słów Babci.

— Nie mogłam ci wcześniej powiedzieć, ponieważ Tracker dopiero wczoraj przyszedł do szkoły i Naznaczył mnie. Najpierw poszłam do domu. Miałam nadzieję, że Mama odniesie się do tego ze zrozumieniem i stanie po mojej stronie. — Zamilkłam, przypomniawszy sobie okropną scenę rozmowy z rodzicami. Babcia ścisnęła mi rękę gestem pełnym zrozumienia. — Właściwie ona i John zamknęli mnie w moim pokoju, zawołali psychora i zorganizowali wspólne modły nade mną.

Babcia skrzywiła się z niesmakiem.

— Wyskoczyłam więc przez okno i przyszłam od razu do ciebie — dokończyłam.

— Cieszę się, że tak zrobiłaś, ale to wszystko nie ma sensu.

— Wiem — odpowiedziałam z westchnieniem. — Nie mogę uwierzyć, że zostałam Naznaczona. Dlaczego właśnie ja?

— Nie to miałam na myśli, kochanie. Nie dziwię się, że zostałaś wybrana i Naznaczona. Krew Redbirdów zawsze miała silny pierwiastek magii, to tylko kwestia czasu, kiedy kogoś z nas wybiorą. Chodzi mi o to, że nie bardzo rozumiem, dlaczego zostałaś d o p i e r o t e r a z Naznaczona. Przecież masz nie tylko zarys półksiężyca, ale dokładnie wypełniony cały kontur.

— Niemożliwe!

— No to popatrz na siebie, u-we-tsi-a-ge-ya. — Użyła czirokeskiego słowa na określenie córki, nagle przypominając mi tajemniczą starożytną boginię.

Babcia sięgnęła do torebki w poszukiwaniu staromodnego lusterka kieszonkowego, które zawsze nosiła przy sobie. Podsunęła mi je bez słowa. Zwolniłam miniaturowy zameczek. Wieczko odskoczyło z trzaskiem, ukazując mi moje odbicie... Znajoma nieznajoma... To ja, choć nie całkiem ja. Dziewczyna z odbicia miała wielkie oczy i bardzo białą cerę, ale prawie nie zwróciłam na to uwagi. Moją uwagę natomiast przykuł Znak, od którego nie mogłam oderwać wzroku. Był to nie tylko zarys, ale całkowicie wypełniony szafirowym kolorem pełen półksiężyc, tatuaż wampirów. Mając wrażenie, że znów poruszam się we śnie, z wolna dotknęłam palcami niezwykłego Znaku, ponownie czując na skórze pocałunek bogini.

— O czym to świadczy? — zapytałam, patrząc na Znak jak zahipnotyzowana.

— Spodziewaliśmy się, że ty nam to powiesz, Zoey Redbird.

Ten głos brzmiał zaskakująco. Jeszcze zanim spojrzałam znad swojego odbicia, wiedziałam, że osoba, która to powiedziała, będzie wyglądać wyjątkowo pięknie, rewelacyjnie. Miałam rację. Była piękna jak gwiazda filmowa, piękna jak Barbie. Nigdy nie widziałam nikogo choćby w przybliżeniu tak idealnie pięknego. Miała wielkie migdałowe oczy w kolorze głębokiej zieleni mchu. Owal twarzy to zarys serduszka, kremowa cera, taka, jakie się widuje w reklamach telewizyjnych. Włosy koloru ciemnorudego, nie marchewki, nie w czerwonawym odcieniu, nie płowe, ale kasztanowe spadały jej na ramiona kaskadą pukli. Sylwetkę też miała idealną. Nie była chuda jak te wariatki, które się głodzą, byleby wyglądać jak Paris Hilton (a może Hott, w każdym razie Paris). Jej sylwetka była idealna, ponieważ ciało miała mocne i kształtne. Do tego świetny biust, chciałabym mieć taki.

— Co takiego? — spytałam zaskoczona, bo myślami tkwiłam jeszcze przy cyckach.

Kobieta uśmiechnęła się do mnie, pokazując rząd pięknych białych zębów (nie miała kłów zakończonych żądłem). Och, zapomniałam dodać, że na jej czole widniał pięknie wytatuowany szafirowy półksiężyc, a wokół szereg falistych linii, które otaczały brwi i schodziły na kości policzkowe. Kojarzyły mi się z falami oceanu.

Była wampirem.

— Chciałam powiedzieć, że mieliśmy nadzieję, iż potrafisz nam wytłumaczyć, jak to się stało, że początkująca wampirka, która jeszcze nie przeszła Przemiany, ma na swoim czole Znak dorosłej istoty.

Gdyby nie ujmujący uśmiech i łagodna troska w jej głosie pytanie to mogłoby wydać się bezceremonialne. Ale zadała je z przejęciem, sprawiała wrażenie nawet trochę zmieszanej.

— To ja nie jestem wampirem? — zapytałam.

Jej śmiech zabrzmiał jak muzyka.

— Jeszcze nie, Zoey, ale mogę powiedzieć, że ten Znak całkowicie wypełniony to dobry omen.

— No tak... — jąkałam się. — Świetnie.

Na szczęście Babcia przyszła mi na odsiecz i wybawiła mnie od całkowitego upokorzenia.

— Zoey, to jest starsza kapłanka Domu Nocy, Neferet. Dbała o ciebie, kiedy byłaś... — Babcia zamilkła na chwilę, nie chcąc użyć słowa „nieprzytomna" — ...kiedy byłaś uśpiona.

— Witaj w Domu Nocy, Zoey Redbird — powiedziała serdecznie Neferet.

Popatrzyłam pytająco na Babcię, potem na Neferet. Trochę zdezorientowana powiedziałam:

— To nie jest moje prawdziwe nazwisko. Właściwie nazywam się Montgomery.

— Naprawdę? — Neferet uniosła brwi pomalowane na kolor bursztynu. — Jedną z zalet nowego życia jest możliwość zaczynania od samego początku, dokonujesz wyborów, które przedtem nie były ci dostępne. Gdybyś więc teraz mogła wybierać, jakie nazwisko uznałabyś za najbardziej pasujące do ciebie?

— Zoey Redbird — odpowiedziałam bez wahania.

— Zatem tak się będziesz teraz nazywała. Witaj w swoim nowym życiu. — Wyciągnęła rękę w moją stronę, jakby chciała wymienić ze mną uścisk dłoni, a ja bezwiednie wyciągnęłam swoją. Ona jednak zamiast uścisnąć mi dłoń, złapała mnie za przedramię, co w pierwszej chwili mnie zaskoczyło, ale zaraz wydało się gestem na miejscu.

Jej dotyk był mocny i ciepły. Uśmiech serdeczny. Nadal mnie zaskakiwała. W gruncie rzeczy była typowym wampirem — silniejsza od zwykłych śmiertelników, inteligentniejsza, zdolniejsza. Wyglądała, jakby rozświetlał ją wewnętrzny blask, co w odniesieniu do wampirów brzmi jak ironia, biorąc pod uwagę stereotypy przypisywane wampirom (choć część z nich jest całkiem słuszna). Owszem, unikają światła dziennego, ich moc przejawia się głównie nocą, karmią się krwią, która jest im niezbędna do życia (fuj!) i czczą boginię, która jest uosobieniem Nocy.

— Dzięki — wyjąkałam. — Cieszę się, że cię poznałam. — Ze wszystkich sił starałam się wydawać normalna i przynajmniej przeciętnie inteligentna.

— Jak już wcześniej mówiłam twojej babci, jeszcze nigdy nie miałyśmy adeptki, która by przyszła do nas w podobny sposób: nieprzytomna i z całkowicie wypełnionym Znakiem. Czy pamiętasz, Zoey, co się z tobą działo?

Otworzyłam usta, by opowiedzieć jej, co zapamiętałam — jak upadłam i uderzyłam się w głowę... potem przeszłam w stan zbliżony do unoszenia się w powietrzu jak duch... obserwowałam w jaskini materializujące się w kształty i kolory słowa... by w końcu spotkać boginię Nyks. Ale zanim powiedziałam cokolwiek, naszło mnie dziwne uczucie, jakby ktoś zadał mi cios w żołądek. Odgadłam, że mam milczeć.

— Nie bardzo pamiętam — wykręciłam się. Dotknęłam palcami szwów na głowie. — W każdym razie nie pamiętam, co się ze mną działo po tym, jak uderzyłam się w głowę. To znaczy, do tego momentu pamiętam wszystko. Tracker mnie Naznaczył. Powiedziałam o tym rodzicom i miałam z nimi wielkie przejście, a potem uciekłam do Babci. Czułam się naprawdę chora, więc kiedy w końcu wdrapałam się na szczyt wzgórza do rozpadliny... — Pamiętałam dokładnie, co dalej się wydarzyło: duchy Czirokezów, tańce przy rytualnym ognisku. Jednak coś we mnie wołało: *Milcz!* — Myślę, że się poślizgnęłam i upadłam dlatego, że tak się rozkaszlałam, i wtedy uderzyłam się w głowę. A potem pamiętam tylko, jak Babcia śpiewała i jak się tutaj obudziłam. — Pospiesznie skończyłam skróconą opowieść. Wolałam nie patrzeć jej prosto w oczy, ale ten sam głos, który zabronił mi opowiedzieć wszystko, teraz kazał mi wytrzymać jej spojrzenie. Przybrałam więc niewinną minę, udając, że niczego nie ukryłam, choć prawdę mówiąc, pojęcia nie miałam, dlaczego nie wyjawiłam jej wszystkiego.

— Utrata pamięci po urazach głowy to rzecz normalna — usprawiedliwiła mnie Babcia, przerywając krępującą ciszę.

Miałam ochotę ją ucałować.

— Tak, oczywiście — przytaknęła szybko Neferet, a jej rysy stały się na powrót łagodne. — Możesz się nie obawiać o zdrowie swojej wnuczki, Sylvie Redbird. Wszystko będzie dobrze.

Zwracała się do Babci z szacunkiem, co sprawiło, że moje napięcie minęło. Skoro lubiła Babcię Redbird, to znaczy, że jest w porządku, wszystko jedno, wampirzyca czy nie.

— Jestem pewna, że już wiesz o tym — Neferet zwróciła się do mnie z uśmiechem — że wampiry, nawet jeśli są tylko adeptami, mają niezwykłą zdolność szybkiego dochodzenia do zdrowia. Zoey zdrowieje w takim tempie, że możemy już ją zabrać ze szpitalika. — Przeniosła wzrok z Babci na mnie. — Zoey, chcesz poznać swoją nową współmieszkankę?

Nie. Z trudem przełknęłam ślinę i skinęłam głową.

— Tak.

— Doskonale! — odrzekła Neferet. Na szczęście zdawała się nie zwracać uwagi na to, że stoję tam jak słup i głupio się uśmiecham niczym ogrodowy krasnal.

— Czy nie lepiej byłoby zatrzymać ją jeszcze jeden dzień na obserwacji? — zapytała Babcia.

— Rozumiem twój niepokój, ale zapewniam cię, że rany Zoey już się zagoiły, muszę przyznać: w nadzwyczaj szybkim tempie.

Uśmiechnęła się do mnie, a ja choć ciągle jeszcze mocno wystraszona, odpowiedziałam jej uśmiechem. Miałam wrażenie, że szczerze się cieszy moją obecnością w Domu Nocy. Co więcej, sprawiła, że zaczęłam wierzyć, że stawanie się wampirem nie musi być przykrym procesem.

— Babciu, nic mi nie jest, naprawdę. Głowa mnie jeszcze trochę boli, ale poza tym czuję się znacznie lepiej. — Gdy mówiłam te słowa, uświadomiłam sobie, że to prawda. Przestałam kaszleć. Mięśnie już mnie nie bolały. Gdyby nie lekki ból głowy, czułabym się całkiem normalnie.

Tymczasem Neferet zrobiła coś, co nie tylko było dla mnie zaskoczeniem, ale sprawiło, że ją natychmiast polubiłam, a nawet nabrałam do niej zaufania. Podeszła do Babci i przemówiła do niej cicho i wyraźnie.

— Sylvie Redbird, uroczyście ci przysięgam, że twoja wnuczka jest tu całkowicie bezpieczna. Każdy adept ma przydzielonego dorosłego opiekuna. Byś się więcej nie niepokoiła, powiem ci, że ja osobiście będę się opiekować Zoey. Musisz powierzyć ją mojej pieczy.

Neferet przytknęła zwiniętą dłoń do piersi i złożyła przed Babcią głęboki ukłon. Babcia wahała się przez krótką tylko chwilę, zanim odpowiedziała:

— Trzymam cię za słowo, Neferet, starsza kapłanko Nyks. — Następnie powtórzyła gest Neferet, przyciskając dłoń do piersi i składając głęboki ukłon. Po czym odwróciła się do mnie i mocno objęła. — Jeśli będę ci potrzebna, zadzwoń do mnie, ptaszyno. Kocham cię.

— Dobrze, Babciu, ja też cię kocham. Dziękuję, że mnie tu sprowadziłaś — szepnęłam, wdychając rozchodzący się od niej znajomy zapach lawendy i starając się nie rozpłakać.

Pocałowała mnie delikatnie i wyszła swoim zdecydowanym drobnym krokiem, zostawiając mnie po raz pierwszy sam na sam z wampirami.

— A zatem, Zoey, jesteś gotowa rozpocząć nowe życie?

Spojrzałam na nią i znów pomyślałam sobie, jaka to niezwykła istota. Kiedy dokona się we mnie Przemiana, czy ja też będę miała jej pewność siebie i autorytet, czy jest to właściwe tylko starszym kapłankom? Przez moment pomyślałam, jak by to było wspaniale zostać starszą kapłanką, ale zaraz zdrowy rozsądek powrócił. Przecież jestem jeszcze dzieckiem. Zagubionym dzieckiem, które z pewnością nie ma w sobie żadnych zadatków na kapłankę. Chciałabym tylko jakoś tu się odnaleźć, a Neferet w dużym stopniu mi to ułatwiła.

— Jestem gotowa — odpowiedziałam zadowolona, że mój głos brzmiał pewniej, niżby wskazywało moje samopoczucie.

)

ROZDZIAŁ SIÓDMY

— Która godzina?

Szłyśmy wąskim korytarzem, który lekko zakręcał. Ściany pokryte były ciemnym kamieniem i cegłą. W regularnych odstępach ze ścian wystawały żelazne staromodne kinkiety rzucające żółtawe światło, które nie raziło w oczy. W holu nie było okien, nie spotkałyśmy po drodze nikogo, mimo że rozglądałam się nerwowo wokół, chcąc czym prędzej zobaczyć pierwsze wampirze dziecko.

— Dochodzi czwarta rano, to znaczy, że lekcje skończyły się niemal godzinę temu — powiedziała Neferet i zaraz się uśmiechnęła, widząc moje zdumienie. — Lekcje zaczynają się o ósmej wieczorem — wyjaśniła. — Potem jeszcze przez pół godziny nauczyciele są do dyspozycji uczniów, w razie gdyby potrzebna była ich pomoc. Sale gimnastyczne otwarte są do świtu. Będziesz bezbłędnie rozpoznawała tę porę, kiedy przejdziesz już Przemianę. Tymczasem godziny wschodów są wywieszane we wszystkich klasach, wspólnych salach, miejscach zebrań, nie wyłączając stołówki, biblioteki i sal gimnastycznych. Świątynia Nyks oczywiście jest otwarta cały czas, ale oficjalne uroczystości odbywają się tam dwa razy w tygodniu po lekcjach. Najbliższa uroczystość przypada jutro. — Neferet spojrzała na mnie i uśmiechnęła się serdecznie. — Teraz możesz się czuć przytłoczona tym wszystkim, ale wkrótce się rozeznasz. Pomoże ci twoja współmieszkanka, a i ja także.

Już otwierałam usta, by zadać następne pytanie, kiedy nagle puchata ruda kula wtoczyła się do holu i bez ostrzeżenia wskoczyła na ręce Neferet. Podskoczyłam i pisnęłam ze strachu, ale zaraz się poczułam jak idiotka, gdyż ruda kula okazała się dużym kotem.

Neferet roześmiała się i zaczęła drapać kota za uchem.

— Zoey, to jest Skylar. Zazwyczaj się tu kręci, czekając, aż będę przechodzić, i wtedy rzuca się na mnie.

— Nigdy nie widziałam tak dużego kota — przyznałam, wyciągając do niego rękę, by mógł mnie powąchać.

— Uważaj, może cię ugryźć.

Zanim cofnęłam rękę, Skylar zaczął ocierać łepek o moje palce. Wstrzymałam oddech.

Neferet skłoniła głowę na bok, jakby wsłuchiwała się w czyjeś słowa wypowiadane na wietrze.

— Polubił cię, co jest u niego niezwykłe. Oprócz mnie nikogo nie lubi. Do tego stopnia, że stara się nie wpuszczać na teren szkoły innych kotów. Okropny z niego typ — powiedziała z czułością.

Delikatnie podrapałam go za uchem, tak jak robiła to Neferet.

— Lubię koty — wyznałam. — Miałam nawet kiedyś kota, ale kiedy moja mama powtórnie wyszła za mąż, musiałam go oddać do adopcji. John, nowy mąż matki, nie lubi kotów.

— Przekonałam się, że stosunek ludzi do kotów i vice versa mówi bardzo wiele o charakterze człowieka.

Podniosłam na nią wzrok i napotkawszy spojrzenie jej zielonych oczu, zrozumiałam, że Neferet wie znacznie więcej o problemach w nienormalnych rodzinach, niż skłonna jest przyznać. Poczułam, że stała mi się bliska, moje napięcie zelżało.

— Dużo tu jest kotów? — zapytałam.

— Tak, całkiem sporo. Koty zawsze się trzymają blisko wampirów.

Właściwie wiedziałam o tym. Na lekcjach historii powszechnej z panem Shadoxem uczyliśmy się, że kiedyś zorganizowano rzeź kotów, ponieważ uważano, że zmieniają ludzi w wampiry. No tak, co za zabobony. Jeszcze jeden dowód na głupotę istot ludzkich... pomyślałam zdumiona przy okazji, jak łatwo zaczęłam się utożsamiać z wampirami, a o ludzkich istotach myśleć jako o odrębnym gatunku.

— Jak myślisz, czy będę mogła mieć kota? — zapytałam.

— Jeśli któryś kot cię wybierze, będziesz do niego należała.

— Mnie wybierze?

Neferet uśmiechnęła się, głaszcząc czule Skylara, który przymknął oczy i głośno mruczał.

— To koty nas wybierają, nie odwrotnie.

Jakby dowodząc prawdziwości słów Neferet, Skylar zeskoczył z jej rąk i z podniesionym godnie ogonem wymaszerował z holu.

Neferet się roześmiała.

— On jest okropny, ale ja go uwielbiam. Myślę, że kochałabym go, nawet gdyby nie był darem od Nyks.

— Darem? Dostałaś Skylara od Nyks?

— Owszem, w pewnym sensie. Każda starsza kapłanka zostaje wyposażona przez boginię w jakieś nadzwyczajne zdolności. Między innymi po tym rozpoznajemy starsze kapłanki. Te zdolności to na przykład umiejętność czytania w myślach, doświadczanie wizji albo umiejętność przepowiadania przyszłości. Dary te mogą mieć związek ze światem zewnętrznym, na przykład szczególny związek z żywiołami albo ze zwierzętami. Ja otrzymałam dwa dary od bogini. Jeden to pokrewieństwo z kotami, wyjątkowe nawet jak na wampira. Nyks wyposażyła mnie też w dar uzdrawiania. — Uśmiechnęła się. — Dlatego tak szybko dochodzisz do zdrowia, mój dar tu zadziałał.

— Zdumiewające. — Tyle tylko mogłam powiedzieć. Kręciło mi się w głowie od rewelacji ujawnionych w ciągu jednego tylko dnia.

— Chodźmy już do twojego pokoju. Na pewno jesteś zmęczona i głodna. Wkrótce będzie obiad. — Przekrzywiła głowę i nadstawiła ucha, jakby nasłuchując głosu, który podszepnie jej porę. — Za niecałą godzinę. — Uśmiechnęła się do mnie porozumiewawczo. — Wampiry zawsze wiedzą, która godzina.

— To też jest fajne.

— Co stanowi, moja mała adeptko, zaledwie czubek góry lodowej owej „fajności".

Miałam nadzieję, że przenośnia nie zapowiada katastrofy na miarę Titanica. Kiedy szłyśmy korytarzem, rozmyślałam o czasie i innych rzeczach, nie zapominając o pytaniu, które chciałam zadać, kiedy Skylar przerwał mi tok myśli.

— Zaraz. Mówiłaś, że lekcje zaczynają się o ósmej. Wieczorem?

Na ogół nie wykazuję ociężałości umysłowej, ale dziś wydawało mi się chwilami, że Neferet przemawia do mnie w jakimś obcym języku. Czasem trudno mi było za nią nadążyć.

— Kiedy się nad tym chwilkę zastanowisz, sama przyznasz, że to najodpowiedniejsza pora na lekcje. Oczywiście musisz wiedzieć, że wampiry wystawione na działanie promieni słonecznych nie eksplodują, jak czasem pisze się w bajkach, ale światło dnia nam nie służy. Chyba już przekonałaś się na własnej skórze, że trudno ci było wytrzymać na słońcu, prawda?

Skinęłam głową.

— Nawet Maui Jims nie bardzo mi się przydały. — I zaraz dodałam szybko, czując się jak kretynka: — Maui Jims to okulary przeciwsłoneczne.

— Tak, Zoey — odrzekła Neferet cierpliwie. — Znam okulary od słońca, i to bardzo dobrze.

— O Boże, przepraszam — wyjąkałam, zastanawiając się jednocześnie, czy powinnam tutaj mówić „Boże". Może Neferet, starsza kapłanka, która z taką dumą obnosi swój Znak bogini, poczuje się urażona? Może Nyks też będzie urażona? O Boże. A może mam mówić: do diabła? Bardzo chętnie używałam tego przekleństwa. (Prawdę mówiąc, było to jedno z nielicznych przekleństw, jakich używałam). Czy nadal będę mogła tak mówić? Ludzie Wiary głosili, że wampiry czczą fałszywą boginię oraz że przeważnie są to samolubne istoty, które myślą tylko o pieniądzach i luksusie, piją krew i pójdą prosto do piekła; czy w takim razie powinnam uważać, co mówię...

— Zoey.

Neferet patrzyła na mnie badawczo; domyśliłam się, że od dłuższej chwili usiłowała zwrócić na coś moją uwagę, ale ja pochłonięta byłam gonitwą własnych myśli.

— Przepraszam — powtórzyłam.

Neferet zatrzymała się. Położyła mi dłonie na ramionach, tak bym zwrócona ku niej patrzyła jej w oczy.

— Zoey, przestań przepraszać. I pamiętaj, wszyscy bez wyjątku byli kiedyś w tej samej sytuacji co ty teraz. Kiedyś dla nas też wszystko było nowe. Wiemy, jak to jest, kiedy boisz się Przemiany, jakim szokiem jest nagły zwrot w życiu i zmiana na coś całkiem nowego.

— I kiedy nie można sprawować nad tym kontroli — dodałam szybko.

— To też. Ale nie będzie to długo trwało. Kiedy staniesz się dorosłym wampirem, poczujesz się znów we własnej skórze. Będziesz sama decydowała za siebie, robiła, co chcesz, na własny rachunek. Bądź sobą, idź za głosem serca i niech cię prowadzą twoje zdolności.

— Jeżeli stanę się dorosłym wampirem.

— Staniesz się, Zoey.

— Skąd ta pewność?

Neferet spojrzała na mój Znak.

— Nyks cię wybrała. Dlaczego? Tego nie wiemy. Ale jej Znak został wyryty na twoim czole. Nie dotykałaby cię, gdyby wiedziała, że nie podołasz.

Przypomniałam sobie słowa bogini: *Zoey Redbird, Córo Nocy. Mianuję cię swoimi oczami i uszami we współczesnym świecie, w świecie, w którym dobro i zło walczą ze sobą, starając się osiągnąć pewną równowagę.* I pospiesznie odwróciłam wzrok od badawczego spojrzenia Neferet, pragnąc z całych sił dowiedzieć się, jaka siła i dlaczego każe mi trzymać w tajemnicy spotkanie z boginią.

— Tyle się wydarzyło w ciągu jednej zaledwie doby...

— Zwłaszcza jak się ma pusty żołądek.

Ruszyłyśmy dalej, ale zaraz zatrzymał nas ostry dźwięk dzwoniącej komórki. Neferet z przepraszającym uśmiechem sięgnęła do kieszeni po telefon.

— Słucham, Neferet — powiedziała. Przez chwilę milczała skupiona ze zmarszczonym czołem i zmrużonymi oczami. — Nie, dobrze, że zadzwoniłaś. Zaraz przyjdę i sprawdzę, co robi. — Zamknęła telefon z leciutkim trzaskiem. — Przepraszam cię, Zoey. Jedna z adeptek złamała dziś nogę. Ma kłopoty ze zrelaksowaniem się, więc muszę wrócić i upewnić się, że wszystko jest z nią w porządku. Pójdziesz dalej tym korytarzem, trzymając się cały czas lewej strony, aż dojdziesz do głównego wejścia. Na pewno go nie przeoczysz, to wielkie drzwi zrobione ze starego drewna. Tuż za nimi zobaczysz kamienną ławkę. Zaczekaj tam na mnie. Powinnam niedługo wrócić.

— Dobrze, nie ma sprawy. — Ledwie to powiedziałam, Neferet już znikła za zakrętem korytarza. Westchnęłam ciężko. Nie podobało mi się, że zostanę sama w obcym miejscu pełnym dorosłych i niedorosłych wampirów. Teraz, kiedy nie było przy mnie Neferet, żółtawe światło kinkietów już nie wydawało mi się takie przyjazne. Raczej niesamowite, rzucające ponure cienie na stare mury.

Postanowiłam jednak być dzielna, więc poszłam we wskazanym przez Neferet kierunku. Jednak wolałabym spotkać kogoś po drodze, nawet wampira. Tak tu było cicho. I jakoś niesamowicie. Kilkakrotnie korytarz rozwidlał się na prawo, ale pamiętałam, że Neferet kazała mi się trzymać lewej strony, więc nie zbaczałam. Również dlatego, że po lewej było trochę światła, a po prawej prawie żadnych lamp.

Niestety przy następnym rozwidleniu w prawo nie odwróciłam wzroku. Wtedy usłyszałam jakieś odgłosy. Dokładnie mówiąc, usłyszałam czyjś śmiech. Był to śmiech dziewczęcy, ale nieprzyjemny i gardłowy, który sprawił, że przeszły mnie dreszcze. Stanęłam w miejscu. Rzuciłam okiem w głąb korytarza i zobaczyłam ruszające się cienie.

Zoey... ktoś wyszeptał moje imię.

Zamrugałam. Czy rzeczywiście usłyszałam swoje imię czy mi się tylko tak wydawało? Głos brzmiał dziwnie znajomo. Czyżby to była znowu Nyks? Czy bogini mnie wołała? Zdjęta strachem, chociaż w równym stopniu zaciekawiona, postąpiłam kilka kroków w tamtą stronę.

Kiedy wychynęłam zza zakrętu, zobaczyłam coś, co kazało mi przylgnąć do ściany, by mnie nikt nie zobaczył. W niewielkiej alkowie stało dwoje ludzi. Na początku nie zdawałam sobie sprawy, na co patrzę, i nagle zrozumiałam.

Powinnam była natychmiast się stamtąd oddalić. Cichutko się wycofać i spróbować nie myśleć o tym, co zobaczyłam. Ale nie zrobiłam tego. Nogi wrosły mi w ziemię, nie mogłam się ruszyć z miejsca. Jedyne co mogłam, to patrzeć na nich.

Mężczyzna — choć po chwili uświadomiłam sobie, co też było dla mnie wstrząsem, że to nie dorosły mężczyzna, tylko nastolatek, starszy ode mnie najwyżej rok czy dwa — stał oparty plecami o kamienną ścianę alkowy. Głowę miał odrzuconą do tyłu, oddychał ciężko. Jego twarz skrywał cień, mimo to widać było, że jest przystojny. Czyjś zdyszany śmiech kazał mi spojrzeć niżej.

Przed nim klęczała dziewczyna. Widziałam tylko, że ma jasne włosy. Tyle ich miała na głowie, że miało się wrażenie, iż przykrywa ją jasny welon. Potem zobaczyłam jej dłonie przesuwające się po jego udach.

Uciekaj! Coś we mnie wołało. *Zabieraj się stąd!* Zrobiłam jeden krok do tyłu, by się wycofać, ale jego głos osadził mnie na miejscu.

— Przestań!

W pierwszej chwili zmartwiałam, ponieważ pomyślałam, że mówi do mnie.

— Przecież tak naprawdę nie chcesz, żebym przestała.

Kamień z serca mi spadł, kiedy usłyszałam jej głos. Więc do niej mówił, nie do mnie. Nie wiedzieli chyba, że tu jestem.

— Owszem, chcę — powiedział tak, jakby cedził słowa zza zaciśniętych zębów. — Wstań z kolan.

— Przecież lubisz to, wiesz, że lubisz. Równie dobrze wiesz, że nadal mnie pożądasz.

W jej głosie słychać było skrywaną namiętność, ale także coś na kształt skargi. Niemal rozpacz. Patrzyłam, jak poruszają się jej palce, otworzyłam oczy szeroko ze zdumienia, widząc, jak przesuwa palcem wskazującym po jego udzie. Nie do wiary — paznokciem jak nożem przecięła materiał jego dżinsów, na których pokazała się strużka czerwonej krwi.

Na widok krwi poczułam, jak ślinka mi cieknie do ust, co zdumiało mnie i przejęło grozą.

— Nie! — krzyknął, próbując ją odepchnąć od siebie.

— Och, przestań udawać! — roześmiała się w odpowiedzi, a jej śmiech zabrzmiał sarkastycznie. — Wiesz, że zawsze będziemy razem. — Językiem zlizała strużkę krwi.

Ciarki przeszły mi po plecach, stałam bez ruchu jak zahipnotyzowana.

— Odsuń się! — Nadal usiłował odepchnąć ją od siebie. — Nie chcę być dla ciebie nieprzyjemny, ale zaczynasz mnie wkurzać. Nie możesz tego zrozumieć? Nie będziemy tego więcej robili. Nie chcę cię!

— Chcesz mnie. Zawsze mnie będziesz chciał. — Rozpięła mu spodnie.

Nie powinnam tam stać. Nie powinnam na to patrzeć. Oderwałam wzrok od jego zakrwawionych spodni i zrobiłam krok do tyłu.

Chłopak podniósł oczy.

Zobaczył mnie.

Wtedy zdarzyło się coś naprawdę dziwnego. Choć tylko na mnie patrzył, poczułam na sobie jego dotyk. Nie mogłam oderwać od niego wzroku. Jakby stojąca przed nim dziewczyna w ogóle nie istniała. W korytarzu byłam tylko ja i on, i cudowny zapach jego krwi.

— Nie chcesz mnie? Wcale na to nie wygląda — powiedziała nieprzyjemnym gardłowym tonem.

Głowa zaczęła mi się trząść.

— Nie! — krzyknął i odepchnął ją, jakby chciał podejść do mnie.

Z trudem oderwałam od niego wzrok i potykając się, zrobiłam kilka kroków do tyłu.

— Nie! — powtórzył, ale tym razem wiedziałam, że mówi do mnie, nie do niej. Ona musiała nagle zdać sobie z tego sprawę, bo ze zwierzęcym zduszonym okrzykiem zaczęła się odwracać, by zobaczyć, kto za nią stoi. Wtedy paraliżujące napięcie moich mięśni zelżało. Odwróciłam się i wybiegłam stamtąd.

Spodziewałam się, że będą mnie gonili, więc biegłam cały czas, aż dopadłam wielkich drzwi, o których mówiła mi Neferet. Tam się zatrzymałam oparta plecami o ich chłodną, masywną powierzchnię, usiłując uspokoić oddech, by usłyszeć odgłos spodziewanej pogoni.

Co zrobię, jeśli mnie tu odnajdą? Głowa znów mnie rozbolała, czułam się osłabiona i mocno wystraszona. A przy tym okropnie zdegustowana.

Wiedziałam dużo o seksie oralnym. Chyba każdy nastolatek w Ameryce wie, że dorośli wyobrażają sobie, że my obciągamy chłopakom tak samo, jak oni kiedyś dawali loda. Ale gówno prawda, zawsze szlag mnie trafiał, jak to słyszałam. Oczywiście, są takie dziewczyny, które myślą, że szpanersko jest obciągnąć chłopakowi laskę. Tylko że się mylą. Bo która ma trochę rozumu, wie, że to żaden szpan dawać się wykorzystywać w ten sposób.

No więc temat obciągania nie był mi obcy. Ale na pewno nie byłam nigdy świadkiem takiej sceny. To co zobaczyłam przed chwilą, wytrąciło mnie z równowagi. Ale jeszcze bardziej wytrąciło mnie z równowagi to, w jaki sposób zareagowałam na widok krwi.

Bo ja też miałam ochotę ją zlizać.

A to już nie jest normalne.

Do tego jeszcze niezrozumiała wymiana spojrzeń między nami. O co w tym wszystkim chodzi?

— Zoey, dobrze się czujesz?

— Do diabła! — wzdrygnęłam się zaskoczona. Neferet stała obok mnie, zupełnie nie wiedząc, o co chodzi.

— Czy czujesz się chora?

— Ja... — Nie wiedziałam, co mam odpowiedzieć. Przecież nie mogłam wyznać jej, co przed chwilą widziałam. — Po prostu boli mnie głowa — wyjąkałam w końcu. I była to prawda. Miałam straszny ból głowy.

Wyglądała na poważnie zmartwioną.

— Pomogę ci. — Położyła mi delikatnie dłoń na głowie powyżej linii szwów nad czołem. Przymknęła oczy i szeptała coś w niezrozumiałym dla mnie języku. Zaraz poczułam ciepło jej dłoni, które wydało mi się płynne, takie, że mogło wsiąknąć w skórę mej głowy. Zamknęłam oczy i westchnęłam błogo, ponieważ ból zaczął wyraźnie słabnąć.

— Teraz lepiej?

— Tak — szepnęłam ledwo słyszalnie.

Cofnęła dłoń, wtedy otworzyłam oczy.

— Głowa już nie powinna cię więcej boleć — obiecała. — Nie rozumiem, skąd taki nawrót.

— Ja też nie, ale już minął — odpowiedziałam szybko.

Przyglądała mi się w milczeniu przez dłuższą chwilę, a ja wstrzymałam oddech.

— Czy coś cię zbulwersowało? — zapytała wreszcie.

Przełknęłam ślinę.

— Trochę jestem zdenerwowana przed spotkaniem ze współmieszkanką — powiedziałam, co w zasadzie nie było kłamstwem. Wprawdzie nie to mnie zbulwersowało, ale denerwowałam się czekającym mnie spotkaniem.

Neferet uśmiechnęła się uspokajająco.

— Zoey, wszystko będzie dobrze. Chodź, wprowadzę cię teraz w nowe życie.

Neferet pchnęła ciężkie drzwi, za którymi rozciągał się obszerny podwórzec. Odsunęła się, bym mogła lepiej wszystko widzieć. Po podwórzu i chodnikach małymi grupkami spacerowali uczniowie w mundurkach, co wyglądało niezwykle, ale i szykownie. Słyszałam ich głosy, które właściwie brzmiały normalnie, choć mogło to być mylące. Szeroko otwartymi oczami patrzyłam to na nich, to na budynek szkolny, niepewna, czemu najpierw powinnam poświęcić więcej uwagi. Zdecydowałam, że jednak szkole. Był to widok bezpieczniejszy i nie tak onieśmielający (poza tym bałam się, że zobaczę j e g o). Cała sceneria była jakby wyjęta z koszmarnego snu. Środek nocy, więc można by się spodziewać egipskich ciemności, ale rozświetlał je jasny księżyc zwieszający się nad ogromnymi dębami, które rzucały głębokie cienie. Gazowe latarnie z miedzianymi, pokrytymi patyną oprawami znaczyły chodnik biegnący wzdłuż imponującego gmachu szkoły wzniesionego z cegieł i czarnego kamienia. Trzypiętrowy budynek zwieńczony był nadspodziewanie wysokim stromym dachem, który na samym szczycie łamał się w płaską powierzchnię. Zza rozsuniętych ciężkich zasłon padało żółtawe łagodne światło, wywołując ruchome cienie, które ożywiały to miejsce, przydając mu swojskiego charakteru. Wrażenie potęgowała okrągła wieża wbudowana we frontową ścianę głównego gmachu, tak że całość bardziej przypominała stare zamczysko niż szkołę. Słowo daję, lepiej by tu pasowała fosa niż chodnik obrzeżony schludnymi trawniczkami i krzakami azalii.

Naprzeciwko głównego gmachu usytuowany był mniejszy budynek, który trochę przypominał kościół i wyglądał na starszą budowlę. Za nim i za rzędem starych dębów, które zacieniały teren szkoły, rozciągał się kamienny wielki mur. Przed budynkiem, który przypominał kościół, usytuowana była rzeźba przedstawiająca sylwetkę kobiety spowitej w zwiewne szaty.

— To Nyks! — wyrwało mi się.

Neferet zaskoczona uniosła brwi.

— Rzeczywiście, Zoey. Masz rację. To rzeźba naszej bogini, a budynek znajdujący się za tą rzeźbą to jej świątynia. — Gestem nakazała, abym poszła za nią, a po drodze pokazywała mi imponujące zabudowania szkolnego campusu. — Budynek, który nazywamy obecnie Domem Nocy, został wzniesiony w stylu neoromańskim z kamienia przywiezionego tu z Europy. Najpierw, w latach dwudziestych, był to augustiański klasztor przeznaczony dla Ludzi Wiary. Potem urządzono w nim prywatną szkołę dla wybitnie uzdolnionych ludzkich nastolatków, zwaną Cascia Hall. Kiedy postanowiliśmy przed pięcioma laty otworzyć własną szkołę w tej części kraju, kupiliśmy Cascia Hall.

Mgliście pamiętam czasy, kiedy funkcjonowała tu szkoła prywatna, a jedyny powód, dla którego zapadła mi w pamięć, to skandal, jaki wybuchł, kiedy się okazało, że większość tamtejszych uczniów miała kontakt z narkotykami. W gruncie rzeczy nikt nie był specjalnie zaskoczony faktem, że dzieciaki bogatych rodziców sięgały po narkotyki.

— Dziwię się, że właśnie wam sprzedali tę szkołę — zauważyłam mimochodem.

Zaśmiała się krótko, a jej śmiech zabrzmiał złowieszczo.

— Nie mieli na to ochoty, ale dyrektor tej placówki, wielki arogant, otrzymał od nas propozycję nie do odrzucenia.

Chciałam ją zapytać, co właściwie oznaczały jej słowa, lecz zmroził mnie jej śmiech i już nie śmiałam zadać pytania. Poza tym absorbowało mnie tyle innych rzeczy. Pierwsze, co rzuciło mi się w oczy, to że wszyscy, którzy mieli pełen tatuaż, wyglądali niezwykle atrakcyjnie. Po prostu obłędnie. Owszem, wiedziałam, że wampiry są atrakcyjne. Wszyscy to wiedzą. Najznamienitsi aktorzy i aktorki o światowej sławie są wampirami. Wśród nich wielu też jest tancerzy, muzyków, pisarzy i śpiewaków. Wampiry zdominowały świat sztuki, co jest jednym ze źródeł ich bogactwa, a co ludzie wierzący uważają za rzecz niemoralną. Ale tak naprawdę kieruje nimi zazdrość, że sami nie są tacy atrakcyjni. Ludzie Wiary chodzą oglądać ich do kina, do teatru, na koncerty wykonywane przez wampirów, czytają napisane przez nich sztuki, wyrażają się jednak o nich z nutą wyższości, traktują ich z góry. No i czy to nie jest hipokryzja?

Znajdując się wśród tylu wspaniałych ludzi, którzy kłaniali się Neferet, a nawet mnie pozdrawiali, miałam ochotę schować się w mysią dziurę. Odpowiadając nieśmiało na ich powitalne gesty, zerkałam na dzieciaki, które nas mijały. Każde z szacunkiem kłaniało się Neferet. Kilkoro złożyło oficjalny ukłon, krzyżując ręce na sercu, na co ona odpowiadała też lekkim skłonem i uśmiechem. Zgoda, smarkateria nie była tak przystojna jak dorośli. Owszem, małolaty też dobrze wyglądały, powiedziałabym: interesująco, z zarysowanym konturem księżyca na czole, w mundurkach, które bardziej przypominały kreacje, jakie się widuje na pokazach mody, niż przepisowe szkolne ubranka, tyle że nie emanowała z nich wewnętrzna świetlistość jak z dorosłych wampirów. Co prawda zauważyłam, że w ich ubraniach dominuje czerń, co ludziom, dla których sztuka jest ważna, może się wydawać dość banalne (no, ale tak tylko mówię...). Ostatecznie muszę przyznać, że ta czerń dobrze się komponowała z cienkimi szlaczkami głębokiego amarantu, granatu i szmaragdowej zieleni. Na każdym mundurku, czy to na bluzie, czy na żakiecie, kieszonki na piersiach miały bogate zdobienia haftowane złotą i srebrną nitką. Niektóre motywy powtarzały się, choć nie potrafiłabym powiedzieć, co przedstawiają. Poza tym większość młodzieży nosiła wyjątkowo długie włosy — zarówno dziewczyny, jak i chłopcy, również nauczyciele. Nawet koty, które przechadzały się po chodniku, wyglądały jak długowłose futrzane kule. Dziwne. Dobrze przynajmniej, że nie dałam się namówić Kayli w ubiegłym tygodniu na ścięcie włosów na krótko w kaczy kuper.

Zauważyłam też, że tak małolaty, jak i dorośli przyglądają się z taką samą ciekawością mojemu Znakowi. Świetnie, nie ma co. Rozpoczynałam nowe życie jako wybryk natury, co naprawdę było deprymujące.

)

ROZDZIAŁ ÓSMY

Ta część Domu Nocy, w której znajdował się internat, była dość oddalona, ponadto Neferet umyślnie szła wolno, bym miała dość czasu, żeby się wszystkiemu napatrzeć i o wszystko wypytać. Nawet mi się to podobało. Przemierzanie całego terenu zabudowanego przypominającymi stare zamczysko obiektami, na które Neferet zwracała mi uwagę, szczególnie na ich architektoniczne detale, pozwoliło mi poznać charakter tego miejsca. Było dziwne, ale w dobrym tego słowa znaczeniu. Poza tym taki niespieszny spacer dawał mi poczucie powrotu do normalności. Może to zabrzmi dziwnie, lecz znów czułam się sobą, taką jak dawniej. Przestałam kaszleć, nic mnie nie bolało. Nawet ból głowy minął. W ogóle nie myślałam już o krępującej scenie, której zostałam przypadkowym świadkiem. Świadomie zresztą starałam się o niej zapomnieć. Ważniejsze dla mnie stało się teraz oswojenie z nowym życiem i dziwnym Znakiem, jakim zostałam Naznaczona. A zatem — mineta idzie w niepamięć.

Starałam się wmówić sobie, że przechadzając się po campusie o tej nieludzkiej porze nocnej u boku wampirzycy, jestem niemal tą samą osobą, jaką byłam poprzedniego dnia. Prawie tą samą.

No dobrze, może nawet tak nie było, w każdym razie głowa już mi tak nie dokuczała i czułam się gotowa poznać swoją współmieszkankę, kiedy Neferet wprowadziła mnie do internatu dziewcząt.

Wnętrze okazało się dla mnie zaskoczeniem. Choć nie jestem pewna, czego się spodziewałam, może ponurych pomieszczeń z dominującą czernią. Tymczasem zobaczyłam sympatyczne wnętrze z wystrojem w kolorze starego złota i jasnoniebieskim, z wygodnymi kanapami, na których niczym ogromne pastelowe pastylki M&M piętrzyły się pękate poduchy, jakby zapraszając, by na nich usiąść. Łagodne światło gazowe sączące się z kilku stylowych kryształowych żyrandoli sprawiało wrażenie wnętrza godnego księżniczki mieszkającej na zamku. Na kremowych ścianach wisiały wielkie obrazy przedstawiające postaci starożytnych kobiet, władczych i egzotycznych. W wazonach tkwiły świeże kwiaty, na stole piętrzyły się książki, torebki i to, co zazwyczaj można znaleźć w pokoju nastolatki. Zobaczyłam kilka płaskich ekranów telewizyjnych, z jednego z nich dochodziły dźwięki *Real World*, które znałam z MTV. Ogarnęłam wszystko jednym rzutem oka, uśmiechając się jednocześnie do dziewcząt, które ucichły na mój widok i zaczęły się na mnie gapić. Albo inaczej: gapiły się na mój Znak.

— Panienki, to jest Zoey Redbird. Powitajcie ją i przyjmijcie serdecznie w Domu Nocy.

Przez moment wydawało mi się, że nikt do mnie nie przemówi, a ja spalę się ze wstydu, jaki odczuwają zazwyczaj nowicjusze. W pewnej chwili z grupki dziewcząt skupionych wokół jednego z telewizorów podniosła się drobna blondyneczka o niemal idealnej urodzie. Przypominała Sarę Jessicę Parker, kiedy była młoda (której właściwie nie lubię, bo taka jest drażniąca z tą swoją nienaturalną dziarskością).

— Cześć, Zoey. Witaj w swoim nowym domu. — Podobna do SJP dziewczyna uśmiechała się szczerze i serdecznie, starała się też nie gapić na mój Znak, ale patrzeć mi prosto w oczy. Natychmiast pożałowałam, że uczyniłam niekorzystne dla niej porównanie. — Jestem Afrodyta — przedstawiła się.

Afrodyta? Może jednak nie byłam taka złośliwa z tym porównaniem. Bo kto wybiera sobie takie imię? Czy to nie jest mania wielkości? Przyoblekłam twarz w szeroki uśmiech i odpowiedziałam:

— Cześć, Afrodyto.

— Neferet, czy chcesz, abym pokazała Zoey jej pokój?

Neferet zawahała się chwilę, co mnie zdziwiło. Zamiast odpowiedzieć natychmiast twierdząco, zmierzyła Afrodytę wzrokiem, ale zaraz uśmiechnęła się szeroko.

— Dziękuję, Afrodyto, to ładnie z twojej strony. Jestem mentorką Zoey, jednak domyślam się, że będzie jej przyjemniej, jeśli rówieśnica zaprowadzi ją do pokoju.

Czy to złudzenie czy rzeczywiście w oczach Neferet pojawiły się złe błyski? Nie, musiało mi się tylko tak wydawać albo wmówiłam sobie, że to złudzenie. Mimo wszystko coś mi mówiło, że jednak tak nie jest. I nawet nie musiałam długo się zastanawiać, czy intuicja słusznie mi podpowiada, gdyż Afrodyta roześmiała się i... rozpoznałam ten śmiech.

Jakbym dostała cios w żołądek, gdy uświadomiłam sobie, że Afrodyta jest tą dziewczyną, którą widziałam z chłopakiem w holu.

Śmiech Afrodyty i jej skwapliwe zapewnienie: „Z wielką przyjemnością oprowadzę ją po internacie. Wiesz, Neferet, że zawsze gotowa jestem ci pomóc" było równie sztuczne jak wielkie cyce Pameli Anderson, ale Neferet tylko skinęła przyzwalająco głową, po czym zwróciła się do mnie.

— Zostawiam cię tutaj, Zoey — powiedziała, ściskając mi dłoń. — Afrodyta zaprowadzi cię do pokoju, a twoja współmieszkanka pomoże ci przygotować się do kolacji. Do zobaczenia w jadalni. — Posłała mi ciepły matczyny uśmiech, a ja jak małe dziecko miałam wielką ochotę uściskać ją i błagać, by nie zostawiała mnie z Afrodytą. — Nic ci nie będzie — uspokoiła mnie szeptem, jakby czytała w moich myślach. — Przekonasz się, ptaszyno. Wszystko będzie dobrze.

W tym momencie bardzo mi przypominała moją babcię, a na jej wspomnienie chciało mi się płakać. Musiałam mocno zaciskać powieki, by powstrzymać cisnące się do oczu łzy. Neferet szybko skinęła głową na pożegnanie pozostałym dziewczętom i wyszła z internatu.

Drzwi zamknęły się za nią z głuchym trzaskiem. Do diabła... Chciałabym wrócić do domu!

— Chodź, Zoey. Idziemy do twojego pokoju. Tędy — powiedziała Afrodyta. Gestem wskazała drogę wiodącą przez szerokie schody, które skręcały na lewo. Starałam się nie zwracać uwagi na szepty, jakie dały się słyszeć za naszymi plecami.

Żadna z nas nie odezwała się ani słowem, czułam się tak nieswojo, aż chciało mi się krzyczeć. Czy ona widziała mnie tam, w tamtym korytarzu? Ja na pewno nawet się nie zająknę na ten temat. Co do tego nie miałam najmniejszych wątpliwości.

Odchrząknęłam, zanim wypowiedziałam pierwsze słowa.

— Internat wydaje mi się całkiem przyjemny. To znaczy, jest tu naprawdę ładnie.

Spojrzała na mnie z ukosa.

— Więcej niż ładnie, bardziej niż przyjemny — poprawiła mnie. — Tu jest rewelacyjnie.

— Aha. Dobrze, że tak mówisz.

Roześmiała się. Jej śmiech zabrzmiał szyderczo. Przeszły mi ciarki po plecach od tego śmiechu, tak samo jak tam w korytarzu, kiedy po raz pierwszy go usłyszałam.

— Głównie z mojego powodu jest tu rewelacyjnie.

Spojrzałam na nią, chcąc się upewnić, że żartuje, ale napotkałam tylko zimne wejrzenie jej niebieskich oczu.

— Tak, wcale się nie przesłyszałaś. Tu jest ekstra, bo ja jestem ekstra.

O Boże. Co ona wygaduje? Nie miałam pojęcia, co powiedzieć na to bufonowate oświadczenie. Czy oprócz stresu związanego ze zmianą szkoły, trybu życia i własnej osobowości potrzebne mi jeszcze starcia z kimś tak w sobie zadufanym? Na domiar złego nie miałam pewności, czy ona wie, że śledziłam ich w holu.

No dobrze. Zależało mi tylko na tym, aby się jakoś przystosować. Chciałabym czuć się w tej nowej szkole jak we własnym domu. Postanowiłam więc iść na łatwiznę i trzymać język za zębami.

Żadna z nas nie powiedziała więcej ani słowa. Ze schodów wychodziło się na długi korytarz, po którego obu stronach znajdowały się szeregi drzwi. Wstrzymałam oddech, kiedy Afrodyta stanęła przed drzwiami pomalowanymi na lekko amarantowy kolor. Zanim zastukała, odwróciła ku mnie głowę. Patrzyła na mnie z nienawiścią, jej twarz już nie wydawała się niemal idealnie piękna.

— Okay, Zoey. Sęk w tym, że masz ten dziwny Znak na czole, o którym wszyscy szepczą i zastanawiają się, co to, kurwa, oznacza. — Przewróciła oczami i dramatycznym gestem chwytając swoje perły, zaczęła przedrzeźniać koleżanki: — „Oj, ta nowa ma pełny Znak. Co to może oznaczać? Czy ona jest wyjątkowa? Czy ma jakąś nadzwyczajną moc? O rany! Dajcie spokój!" — Odjęła dłoń od szyi i popatrzyła na mnie spod zmrużonych powiek. Jej głos stał się równie nieprzyjemny jak spojrzenie. — Powiem ci, o co chodzi. To ja się tutaj liczę. Jeśli chcesz mieć spokój, lepiej o tym pamiętaj. Bo jak nie, nieźle sobie nagrabisz.

Zaczynała mnie wkurzać.

— Słuchaj — powiedziałam. — Dopiero tu nastałam. Nie szukam zwady i nie mam najmniejszej kontroli nad tym, co kto mówi na temat mojego Znaku.

Nadal patrzyła na mnie spod zmrużonych powiek. Cholera. Czyżbym miała naprawdę walczyć z tą dziewczyną? Nigdy w życiu z nikim się nie biłam. Poczułam, że mnie ściska w dołku i że powinnam zrobić jakiś unik albo po prostu uciec, byleby nie wdać się z nią w bójkę.

Wtedy ona, w równie zaskakujący sposób, w jaki okazała mi wrogość i nienawiść, rozpłynęła się w uśmiechu, stając się na powrót słodką blondyneczką (co mnie jednak nie zwiodło).

— Świetnie. W takim razie doszłyśmy do porozumienia.

Chyba coś z nią było nie tak, ale nie dopuściła mnie do głosu. Uśmiechając się nieszczerze, zapukała do drzwi.

— Proszę — odpowiedział rześki głos z lekkim akcentem zdradzającym pochodzenie z Oklahomy.

Afrodyta otworzyła drzwi.

— Cześć wam wszystkim! O rany, wchodźcie! — zaprosiła nas do środka uśmiechnięta szeroko moja nowa współmieszkanka, również blondynka, ruszając w naszą stronę rączo jak gazela. Ale gdy tylko ujrzała Afrodytę, jej uśmiech zgasł i już nie tak ochoczo ku nam biegła.

— Przyprowadziłam ci nową współmieszkankę — powiedziała Afrodyta. Niby nie było w jej słowach nic niewłaściwego, lecz pełen nienawiści ton i naśladowanie akcentu z Oklahomy, co było przedrzeźnianiem gospodyni, zwarzyło atmosferę. — Stevie Rae Johnson, poznaj Zoey Redbird. Zoey, to jest Stevie Rae Johnson. No proszę, jakie jesteśmy wszystkie milutkie i jak pasujemy do siebie niczym ziarnka kukurydzy na kolbie.

Spojrzałam na Stevie Rae, wyglądała jak wystraszony króliczek.

— Dziękuję, żeś mnie tu przyprowadziła, Afrodyto — powiedziałam szybko, zbliżając się do niej, tak że musiała dać krok do tyłu, czyli znaleźć się z powrotem na korytarzu. — Zobaczymy się niedługo — dodałam, zatrzaskując jej drzwi przed nosem, zanim zdziwienie na jej twarzy ustąpiło miejsca złości. Wtedy odwróciłam się do Stevie Rae, nadal pobladłej.

— Co z nią jest? — zapytałam.

— Ona... ona jest...

Nie znałam jeszcze Stevie Rae, ale domyśliłam się od razu, że waży słowa, nie wiedząc, co może, a czego nie powinna powiedzieć. Postanowiłam jej pomóc. Skoro mamy ze sobą mieszkać...

— To małpa — powiedziałam.

Stevie Rae popatrzyła na mnie okrągłymi ze zdumienia oczami, po czym zaczęła chichotać.

— Nie jest miła, to więcej niż pewne — zgodziła się ze mną.

— Powinna się leczyć — dodałam, czym jeszcze bardziej rozśmieszyłam Stevie Rae.

— Wydaje mi się, Zoey Redbird, że będzie nam ze sobą dobrze — powiedziała, nadal się do mnie uśmiechając. — Witaj w swoim nowym domu. — Skłoniła się i szerokim gestem zaprosiła mnie do skromnego pokoju, jakby to były pałacowe komnaty.

Rozejrzałam się i przetarłam oczy ze zdumienia. Pierwszą rzeczą, jaką zobaczyłam, był wielki plakat przedstawiający Kenny'ego Chesneya zawieszony nad jednym z łóżek i kowbojski kapelusz na blacie nocnego stoliczka, na którym stała też lampa w kształcie kowbojskiego buta. Stevie Rae naprawdę musiała mieć hopla na punkcie tej swojej Oklahomy!

Zaraz serdecznie mnie uściskała, co było dla mnie kolejnym zaskoczeniem. Z krótką czupryną jasnych kręconych włosów i z okrągłą roześmianą buzią przypominała mi laleczkę.

— Zoey! — wykrzyknęła. — Tak się cieszę, że czujesz się już lepiej. Bardzo się martwiłam, kiedy powiedziano mi, że miałaś wypadek. Wspaniale, że wreszcie tu jesteś.

— Dzięki — odpowiedziałam, nadal rozglądając się bacznie po pokoju, który odtąd miał być mój, przejęta i znów bliska łez.

— Można mieć pietra, prawda? — Stevie zgadła moje myśli, patrząc na mnie ze szczerym współczuciem, a w jej wielkich niebieskich oczach pojawiły się łzy. W odpowiedzi kiwnęłam tylko głową, obawiając się, że głos odmówi mi posłuszeństwa.

— Wiem, jak to jest. Sama przepłakałam całą pierwszą noc tutaj.

Przełknęłam łzy i zapytałam:

— Od jak dawna tu jesteś?

— Trzy miesiące. I mówię ci, byłam zadowolona, kiedy mi powiedzieli, że dostanę współmieszkankę.

— Wiedziałaś, że mam tu przyjść?

Potaknęła energicznie.

— Jasne! Neferet powiedziała mi dwa dni temu, że Tracker cię wypatrzył i zamierza cię Naznaczyć. Myślałam, że przyjedziesz wczoraj, ale potem dowiedziałam się, że miałaś wypadek i zabrano cię do kliniki. Co się właściwie stało?

Wzruszyłam ramionami i odrzekłam:

— Szukałam swojej babci i po drodze upadłam i rozbiłam sobie głowę. — Wprawdzie nie miałam tego dziwnego uczucia, że powinnam trzymać buzię na kłódkę, ale nie byłam jeszcze pewna, na ile mogę być szczera ze Stevie Rae. Z ulgą więc przyjęłam jej pełne zrozumienia kiwnięcie głową, co nie zapowiadało dalszych pytań na temat wypadku ani aluzji do mojego niezwykłego kolorowego Znaku.

— Twoi rodzice spanikowali, kiedy zobaczyli, że jesteś Naznaczona?

— Kompletnie. A twoi?

— Mama właściwie była w porządku. Powiedziała, że każdy powód wyciągnięcia mnie z Henrietty jest dobry.

— Z Henrietty w Oklahomie? — zapytałam zadowolona, że w ten sposób rozmowa schodzi na inny niż mój temat.

— Niestety tak.

Stevie Rae opadła na łóżko, nad którym wisiał plakat z Kennym Chesneyem, i gestem wskazała miejsce naprzeciwko. Na łóżku ustawionym po drugiej stronie ze zdziwieniem spostrzegłam swoją odlotową kołdrę od Ralpha Laurena w ostrych kolorach: różowym i zielonym, którą miałam w domu. Przeniosłam wzrok na dębowy stoliczek i przetarłam oczy ze zdumienia. Stał tam mój szkaradny budzik, idiotyczne okulary, które zakładam, kiedy mam oczy zmęczone od szkieł kontaktowych, oraz zdjęcie moje i Babci z ostatnich wakacji. Z kolei na etażerce za komputerem po mojej stronie pokoju zobaczyłam swoją ulubioną serię książek „Gossip Girls", „Bubbles" a także inne powieści, do których lubiłam wracać, jak *Dracula* Brama Stockera, co w mojej obecnej sytuacji było znamienne, trochę płyt CD, laptop i — o rany — moje ukochane miniaturki potworów. Chciałam się zapaść pod ziemię ze wstydu. Na podłodze przy łóżku stał mój plecak.

— Babcia przyniosła tu twoje rzeczy — wyjaśniła mi Stevie Rae. — Jest bardzo miła.

— Więcej niż miła. Jest przy tym odważna jak diabli, nie bała się zmierzyć z moją matką i jej głupim mężem, żeby móc wziąć te rzeczy i przynieść mi je tutaj. Wyobrażam sobie, jaką scenę odstawiła moja matka. — Mówiąc to, westchnęłam ciężko.

— W takim razie ja mam szczęście. Przynajmniej moja mama na ten widok zachowała się jak należy. — Stevie Rae palcem wskazała na czoło i zarysowany tam kontur księżyca. — Nawet tata stracił głowę, wpadł w płaczliwą tonację pod hasłem „moja jedyna córeczka" i tak dalej. — Wzruszyła ramionami i zachichotała. — Moi trzej bracia uznali, że to wyjątkowa okazja, i zaraz chcieli, żebym im pomogła znaleźć wampirskie dziewczyny. — Wzniosła oczy do nieba. — Głupie chłopaki.

— Głupie chłopaki — powtórzyłam i uśmiechnęłam się do niej. Jeśli ona uważa, że chłopaki są głupie, to łatwo mi będzie się z nią dogadać.

— Teraz już przyzwyczaiłam się prawie do wszystkiego. Przedmiotów uczą nas dziwacznych, ale je lubię, zwłaszcza taekwondo. Przyjemnie jest czasem kopnąć kogoś w zadek. — Uśmiechnęła się figlarnie jak jasnowłosy elf. — Podobają mi się mundurki, choć najpierw mnie szokowały. No bo pomyśl tylko: kto lubi mundurki? My jednak możemy dodawać do nich różne rzeczy, co sprawia, że różnią się od siebie i nie wyglądają jak klasyczne szkolne mundurki. Poza tym jest tu trochę naprawdę przystojnych chłopaków, nawet jeśli przyjmiemy, że na ogół to głupki. — Oczy jej zalśniły. — Przede wszystkim jestem cholernie zadowolona, że wyrwałam się z Henrietty, więc nic z tych nowych rzeczy tutaj mi nie przeszkadza, a jeśli Tulsa czasem mnie przeraża, to dlatego, że jest taka duża.

— Tulsa nie jest zła — zaoponowałam. W przeciwieństwie do większości rówieśników z przedmieść Broken Arrow umiałam się poruszać po Tulsie dzięki wypadom „na łono natury", jak nazywała Babcia nasze wycieczki. — Trzeba tylko wiedzieć, gdzie pójść. Na Brady Street na przykład jest świetna galeria z różnymi naszyjnikami, gdzie można samemu zrobić dla siebie koraliki, z czego się chce, niedaleko w Bowery jest sklep Loli, gdzie dostaniesz najlepsze desery w całym mieście. Cherry Street też jest odlotowa. To nawet niedaleko stąd. Nasza szkoła znajduje się tuż przy fantastycznym muzeum Philbrooka, niedaleko Utica Square. Tam są świetne sklepy i...

Nagle zastanowiłam się, co też ja mówię. Czy wampirskie dzieci mają do czynienia z normalnymi ludzkimi dziećmi? Poszperałam w pamięci. No nie, nie przypominam sobie, bym kiedykolwiek widywała małolatów z rysunkiem księżyca na czole włóczących się po ulicach, zaglądających na Philbrook, Utica's Gap, Banana Republic czy Starbucks. Nigdy też nie widziałam ich w kinie. Holender! Przecież nigdy dotąd nie widziałam w ogóle młodocianego wampira! Czyżby więc trzymano ich tu w zamknięciu przez cztery lata? Czując już ograniczenie przestrzeni, zapytałam:

— Czy my stąd kiedykolwiek wychodzimy na zewnątrz?

— Tak, ale trzeba spełniać szereg warunków.

— Jakich warunków?

— Nie można na przykład mieć na sobie żadnej części szkolnego mundurka... — Nagle urwała. — Właśnie! Byłabym zapomniała. Musimy się spieszyć! Za kilka minut kolacja, a ty musisz się przebrać. — Zerwała się na równe nogi, podskoczyła do szafy w mojej części pokoju, zaczęła w niej gorączkowo szperać, przez cały czas mówiąc coś do mnie. — Wczoraj wieczorem Neferet przyniosła ubranie dla ciebie. Nie obawiaj się, że rozmiar może okazać się nieodpowiedni. Jakoś znają nasze rozmiary jeszcze przed naszym przybyciem. Trochę to deprymujące, że dorosłe wampiry wiedzą o nas znacznie więcej, niż można by się spodziewać. Ale nie martw się. Mówiłam poważnie, twierdząc, że mundurki wcale nie są takie straszne, jak by się mogło wydawać. Naprawdę możesz tak jak ja pododawać do nich jakieś własne rzeczy.

Przyjrzałam się jej uważnie. Miała na sobie markowe dżinsy Ropera. Takie rzeczywiście za ciasne i bez kieszeni. Jak można twierdzić, że za ciasne spodnie, w dodatku bez kieszeni, to coś fajnego? W gruncie rzeczy nigdy tak nie uważałam. Stevie Rae była wręcz chuda, ale w tych dżinsach jej tyłek wydawał się pokaźny. Domyśliłam się, że zobaczę u niej kowbojskie buty, jeszcze zanim sprawdziłam, co ma na nogach. Spojrzałam więc i westchnęłam, tak, miała na nogach kowbojskie buty — z brązowej skóry, na płaskich obcasach, ze szpiczastymi czubkami. W spodnie wetknęła czarną bawełnianą bluzkę, która robiła wrażenie dość kosztownej, w stylu tych od Saksa czy Neimana Marcusa, niemających nic wspólnego z prześwitującymi bluzeczkami od przereklamowanego Abercrombiego, gdzie usiłują nam wmówić, że nie wyglądają szmirowato. Kiedy odwróciła się do mnie, zauważyłam, że każde ucho ma przekłute w dwóch miejscach, a w nich małe srebrne kółeczka. Podała mi bluzkę podobną do tej, jaką miała na sobie, w drugiej ręce trzymała pulower. Chociaż nie jestem zwolenniczką stylu country w modzie, bo do mnie zupełnie nie pasuje, musiałam przyznać, że w wydaniu Stevie Rae taka mieszanka prostoty z elegancją okazała się nawet szykowna.

— Masz! Włóż tylko to i będziesz gotowa.

Migotliwe światło z jej lampy w kształcie buta ujawniło srebrny haft na przodzie swetra, który mi podawała. Wstałam i wzięłam od niej obie bluzki, podnosząc sweter bliżej do oczu, by zobaczyć dokładnie deseń. Srebrną nitką wyhaftowany był spiralny wzór zataczający koła wokół piersi.

— To nasze oznaczenie — wyjaśniła Stevie Rae.

— Oznaczenie? — zdziwiłam się.

— Tak, klasy tu się nazywa formatowaniem: czwarte formatowanie, piąte formatowanie i szóste formatowanie, i każda ma swoje oznaczenie. My należymy do trzeciego formatowania, a naszym oznaczeniem jest srebrny labirynt bogini Nyks.

— Co to znaczy? — zapytałam bardziej siebie niż Stevie Rae. Palcami wodziłam po srebrnych kółkach.

— To symbolizuje początek naszego nowego życia, kiedy dopiero wchodzimy na Ścieżkę Nocy i zaczynamy się uczyć wszystkich sposobów bogini oraz możliwości, jakie się przed nami otwierają.

Popatrzyłam na nią zdziwiona, że potrafi mówić tak poważnie. Uśmiechnęła się do mnie nieśmiało i wzruszyła ramionami.

— Od tego się zaczyna. Tego uczysz się na kursie socjologii wampirów 101. Lekcje te prowadzi Neferet, biją na głowę wszystkie lekcje, jakie miałam w szkole średniej w Henrietcie, kolebce walk kogutów. Wyobrażasz sobie? Walczące koguty! Co to za symbol?! — Potrząsnęła głową i wzniosła oczy do góry, wyrażając w ten sposób bezbrzeżną pogardę, co mnie z kolei rozśmieszyło. — Słyszałam, że Neferet ma być twoją mentorką, ty to masz szczęście. Ona bardzo rzadko zajmuje się nowicjuszami, a poza tym mieć za mentorkę starszą kapłankę to jest coś!

Powiedziała, że mam szczęście, ale miała na myśli, że jestem wyjątkowa z powodu Znaku wypełnionego kolorami. A właśnie...

— Stevie Rae, dlaczego nie zapytałaś mnie o mój Znak? Nie myśl, że nie jestem ci wdzięczna, że nie zasypałaś mnie milionem pytań, ale każdy, kogo tutaj spotkałam, gapił się na mój Znak. Afrodyta zapytała mnie o niego, ledwieśmy się poznały. A ty nawet na niego nie patrzysz. Dlaczego?

Teraz zerknęła na mój Znak, po czym wzruszyła ramionami i spojrzała mi w oczy.

— Jesteś moją współmieszkanką. Pomyślałam sobie, że powiesz mi sama, kiedy będziesz gotowa. Tego właśnie nauczyłam się w Henrietcie: jeśli chce się pozostawać z kimś w przyjaźni, nie należy być wścibskim. A my mamy mieszkać razem przez cztery lata... — Przerwała, nie chcąc wypowiadać i mnie znanej prawdy, że pozostaniemy współmieszkankami przez następne cztery lata jedynie pod warunkiem, że przeżyjemy Przemianę. Stevie Rae z widocznym trudem przełknęła ślinę i pospiesznie dokończyła myśl: — Chcę przez to tylko tyle powiedzieć, że zależy mi, byśmy zostały przyjaciółkami.

Uśmiechnęłam się do niej. Wyglądała młodziutko i niewinnie, nie wyobrażałam sobie, że wampir dziecko może tak wyglądać, sympatycznie i po prostu normalnie. Poczułam przypływ nieśmiałej nadziei. Może uda mi się jakoś tu zaaklimatyzować?

— Ja też chcę się z tobą przyjaźnić — przyznałam.

— Świetnie! — wykrzyknęła, znów przypominając mi ruchliwego szczeniaczka. — Ale pospieszmy się, żebyśmy się nie spóźniły!

Popchnęła mnie w stronę drzwi znajdujących się pomiędzy dwiema szafami, a sama usiadła przy biurku przed lusterkiem do makijażu i zaczęła szczotkować swoją krótką fryzurkę. Ja zaś wślizgnęłam się do maleńkiej łazieneczki, gdzie szybko ściągnęłam z siebie T-shirt z BA Tigers, włożyłam bawełnianą bluzkę, a na nią sweter z jedwabnej dzianiny w kolorze głębokiego amarantu w czarną kratkę. Chciałam jeszcze tylko wrócić do pokoju po plecaczek, gdzie miałam kosmetyki, by poprawić makijaż i doprowadzić włosy do porządku, kiedy zerknęłam do lustra wiszącego nad umywalką. Moja twarz nadal była blada, ale utraciła już niezdrowy wygląd i wystraszony wyraz. Włosy miałam w nieładzie, rozczochrane, a nad lewą skronią rysowały się niewyraźnie cienkie szwy. Moja uwagę jednak przykuł Znak wypełniony szafirowym kolorem. Kiedy mu się przyglądałam zafascynowana jego niezwykłym pięknem, lampa łazienkowa oświetliła srebrzysty labirynt wyhaftowany w okolicach mojego serca. Uznałam, że oba te symboliczne znaki jakoś pasują do siebie, mimo że kształty były różne, kolory niejednakowe...

Pytanie: czy ja do nich pasuję? I czy pasuję do tego nowego dziwnego świata?

Zacisnęłam powieki i wyraziłam w duchu nadzieję, że na kolację nie dostanę niczego, co by mi mogło zaszkodzić (och, byleby nie było tam krwi), bo żołądek miałam już bardzo wydelikacony przez nerwowe przejścia.

— Jeszcze tego by brakowało — szepnęłam do siebie — żebym dostała rozstroju żołądka!...

)

ROZDZIAŁ DZIEWIĄTY

Stołówka... o, przepraszam — jadalnia, bo tak głosił napis przed wejściem — okazała się całkiem bajerancka, nie taka jak gigantyczne szkolne stołówki z fatalną akustyką, gdzie nawet siedząc obok Kayli, nie mogłam zrozumieć jej paplania, taki był hałas. Tutaj pomieszczenie emanowało ciepłą, przyjazną atmosferą. Ściany były zbudowane z tej samej kompozycji cegieł i kamienia co na zewnątrz, a drewniane stoły pasowały do ciężkich, również drewnianych ław, dla wygody wyłożonych poduchami na oparciach i siedziskach. Każdy stół przeznaczony był dla sześciorga stołowników, a w samym centrum jadalni jeden wyróżniał się obfitą zastawą — mnogością serów, owoców, różnych mięs oraz tym, że kryształowe kielichy napełnione były ciemnoczerwonym płynem przypominającym czerwone wino. Co wydało mi się podejrzane — jak to, wino w szkole? Pomieszczenie ograniczał od góry nisko zawieszony sufit, tylną ścianę zaś stanowiły niemal wyłącznie okna, oddzielone w połowie również oszklonymi drzwiami. Ciężkie aksamitne story w kolorze burgunda zostały rozsunięte, odsłaniając widok na piękny skwer, a na nim kamienne ławeczki, kręte ścieżki i kwietniki, tu i ówdzie poprzetykane ozdobnymi krzewami. Na środku skweru widniała marmurowa fontanna, z której czubka, przypominającego owoc ananasa, spływała woda. Widok był urzekający, szczególnie oglądany w świetle księżyca i z rzadka rozmieszczonych stylowych lamp gazowych.

Przy wielu stołach dzieciaki już się porozsiadały, jadły i gadały, ale kiedy weszłyśmy, ja i Stevie Rae, wszyscy zaczęli się na nas gapić. Wzięłam głęboki oddech, podniosłam wysoko głowę. Proszę bardzo, niech oglądają ten mój Znak, skoro są tak ciekawi. Stevie Rae podprowadziła mnie do typowego stołówkowego bufetu, gdzie personel podawał ze szklanych gablot wybrane potrawy.

— Co to za stół, ten w środku sali? — zapytałam, kiedy przechodziłyśmy obok.

— Symboliczna ofiara dla bogini Nyks. Zawsze jest dla niej specjalne nakrycie. Początkowo może się to wydawać dziwne, ale wkrótce przestaje szokować.

W gruncie rzeczy wcale mi się nie wydawało takie dziwne. To miało pewien sens. W ten sposób bogini była tu bardziej żywa. Wszędzie widziało się jej Znaki. Jej pomnik stał dumnie przed świątynią. Niemal na każdym kroku dawało się zauważyć liczne posążki i obrazki z jej wizerunkiem. Starsza kapłanka miała być moją mentorką, a z boginią Nyks czułam się już związana. Z trudem powstrzymałam się od dotykania swojego Znaku. Dla pewności złapałam tacę i ustawiłam się w kolejce za Stevie Rae.

— Możesz się nie martwić — pocieszyła mnie. — Jedzenie tutaj jest naprawdę dobre. Nie każą ci pić krwi ani jeść surowego mięsa, nic z tych rzeczy.

To mnie uspokoiło. Większość stołowników już siedziała przy stołach, więc kolejka nie była długa. Kiedy podeszłyśmy blisko pojemników z potrawami, ślinka napłynęła mi do ust.

— Spaghetti! — Pociągnęłam nosem. — I to z czosnkiem!

— Widzisz? Opowiadanie, że wampiry nie tolerują czosnku, to po prostu gówno prawda, że się tak wyrażę —

zwróciła się do mnie szeptem Stevie Rae, gdy nakładałyśmy sobie porcje na talerze.

— A co w takim razie z pogłoskami o piciu krwi? — zapytałam również szeptem.

— Nie.

— Co nie?

— To nie jest gówno prawda.

Ha. Bosko. To właśnie chciałam usłyszeć: że to nie jest gówno prawda.

Próbując odpędzić od siebie myśli o krwi i podobnych rzeczach, wzięłam tak jak Stevie Rae szklankę herbaty i poszłam za nią do stołu, przy którym siedziało już kilkoro małolatów i przy jedzeniu rozprawiało o czymś z ożywieniem.

Oczywiście rozmowa się urwała z chwilą, gdy się do nich zbliżyłyśmy, co Stevie Rae w ogóle nie zbiło z tropu. Kiedy wślizgnęłam się na swoje miejsce, dokonała prezentacji tym swoim oklahomskim nosowym akcentem.

— Cześć wszystkim. Poznajcie moją nową współmieszkankę, Zoey Redbird. Zoey, to jest Erin Bates — powiedziała, wskazując na zabawną ładną blondyneczkę, która siedziała po mojej stronie stołu. (Do licha, ileż tu może być blondynek? Bez ograniczeń?). Nadal rzeczowym tonem i z wyraźnym akcentem z Oklahomy wyjaśniała: — Erin to ta ładna. Poza tym jest zabawna, bystra i ma więcej par butów niż ktokolwiek inny w szkole.

Erin oderwała wzrok od mojego Znaku, któremu już dość długo się przypatrywała, i powiedziała zwięźle:

— Cześć.

— A to symboliczny mężczyzna w naszej grupie, Damien Maslin. Ale on jest gejem, więc właściwie się nie liczy jako chłopak.

Damien wcale się nie obruszył na Stevie Rae ani nie wyglądał na zmieszanego.

— Uważam, że skoro jestem gejem, powinienem się liczyć podwójnie jako chłopak. Dzięki mnie możecie poznać męski punkt widzenia, a z drugiej strony nie musicie się obawiać, że będę chciał was macać.

Miał łagodny wyraz twarzy, kasztanowe włosy i piwne oczy, co go upodobniało do jelonka. W gruncie rzeczy był fajny. Nie miał dziewczyńskich cech właściwych wielu nastolatkom płci męskiej, którzy pewnego dnia postanawiają wyjawić światu to, o czym i tak wszyscy dawno wiedzą z wyjątkiem ich rodziców, którzy gotowi są do końca zaprzeczać faktom. Damien nie był typem wymuskanego chłopczyka o dziewczyńskich cechach, wyglądał po prostu na sympatycznego małolata o ujmującym uśmiechu. Poza tym widoczne były jego starania, by się nie gapić na mój Znak, czym zasłużył sobie na moją wdzięczność.

— No cóż, może masz rację — przyznała lekko Stevie Rae z ustami pełnymi chleba z masłem czosnkowym.

— Nie zwracaj na nią uwagi, Zoey — powiedział Damien. — Pozostali są prawie normalni. I strasznie się cieszymy, że wreszcie do nas dołączyłaś. Stevie Rae zamęczała nas zgadywaniem, jaka się okażesz, kiedy się w końcu objawisz.

— Czy będziesz narwaną gówniarką, która brzydko pachnie i uważa, że wampir tylko wypatruje największych frajerów — wtrąciła Erin.

— Albo może kimś podobnym do nich — Damien kątem oka wskazał siedzących przy sąsiednim stole z lewej strony.

Poszłam za jego wzrokiem i poczułam, jak przeszywa mnie nerwowy dreszcz, kiedy zobaczyłam, kogo może mieć na myśli.

— Chodzi ci o Afrodytę? — zapytałam.

— Tak — odpowiedział Damien. — I cały wianuszek jej cmokierów.

Przetarłam oczy.

— Kogo? — zapytałam.

Stevie Rae westchnęła.

— Będziesz musiała się przyzwyczaić do słownictwa Damiena. Na szczęście to akurat słowo nie jest tak całkiem obce, przynajmniej dla niektórych z nas, więc nie ma potrzeby błagać go o wyjaśnienie. Na wszelki wypadek: cmokier to służalczy pochlebca — dodała tonem nauczycielki.

— Wszystko jedno. I tak chce mi się rzygać na ich widok — wyznała Erin, nie podnosząc głowy znad talerza ze spaghetti.

— Ich?

— To Córy Ciemności — wyjaśniła Stevie Rae, zniżając głos.

— Możesz je uważać za babski konwentykiel — podsunął Damien.

— Wiedźmy z piekła rodem — dodała Erin.

— Ej, nie sądzę, byśmy musiały nastawiać Zoey przeciwko nim. Jej może się z nimi układać.

— Pieprzenie. To wiedźmy z piekła rodem — powiedziała Erin.

— Nie miej takiej niewyparzonej gęby — napomniał ją Damien. — Bo ci będzie przeszkadzać w jedzeniu.

Bardzo mi ulżyło, kiedy się przekonałam, że nikt nie lubi Afrodyty. Bardziej tym ośmielona już chciałam dokładniej wypytać o przyczyny, kiedy zdyszana dziewczyna przypadła z tacą do naszego stołu i klapnęła na miejsce obok Stevie Rae. Miała karnację cappuccino (prawdziwej kawy, jaką można dostać tylko w wyspecjalizowanych sklepach, a nie obrzydliwej przesłodzonej namiastki, jaką podają w Quick Trip), była okrąglutka, o pełnych wargach i wystających kościach policzkowych, co nadawało jej wygląd afrykańskiej księżniczki. Ona też miała bujne ciemne włosy, które opadały jej na ramiona lśniącymi falami, a oczy tak czarne, że źrenice prawie się w nich nie odcinały.

— Ja was przepraszam — zaczęła — ale czy nikt, dosłownie nikt nie mógł się pofatygować, by mnie obudzić i powiedzieć, że czas już na kolację?

— Wydawało mi się — odpowiedziała flegmatycznie Erin — że jestem twoją współmieszkanką, nie niańką.

— Żebym czasem nie musiała w środku nocy ściąć trochę tych blond pukli w stylu Jessiki Simpson — zagroziła afrykańska księżniczka.

— Mówiąc ściśle, należałoby powiedzieć: „Żebym czasem nie musiała w środku dnia ściąć trochę tych blond pukli w stylu Jessiki Simpson". Bo praktycznie noc jest dla nas dniem, a dzień nocą — sprecyzował Damien.

Czarnulka spojrzała na niego spod zmrużonych powiek.

— Wiesz, Damien, tym swoim słownictwem działasz mi cholernie na nerwy.

— Shaunee... — Stevie Rae pospiesznie przerwała tę wymianę zdań. — Moja współmieszkanka nareszcie się zjawiła. To jest Zoey Redbird. Zoey, a to współmieszkanka Erin, Shaunee Cole.

— Cześć — pozdrowiłam ją z ustami pełnymi spaghetti, kiedy Shaunee przeniosła wzrok z Erin na mnie.

— Jak to jest, Zoey, z twoim Znakiem? — zapytała bez ogródek. — Cały wypełniony kolorem, a ty zdaje się, jesteś dopiero adeptką.

Wszyscy zamilkli porażeni nietaktowną bezpośredniością tego pytania. Shaunee powiodła wzrokiem wokół.

— O co chodzi? Nie udawajcie, żeście tego nie zauważyli i nie chcielibyście się dowiedzieć.

— Zauważyliśmy — odpowiedziała godnie Stevie Rae. — Ale mamy na tyle taktu, by o to głośno nie pytać.

— Dajcie spokój. Zresztą mniejsza o to. — Shaunee wzruszeniem ramion zbyła obiekcje Stevie Rae. — Chodzi o coś ważnego, a każdy chciałby wiedzieć, co jest z tym Znakiem. Nie ma co bawić się w grzeczności, kiedy można się dowiedzieć czegoś ciekawego. — Zwróciła się teraz do mnie. — No więc co to za dziwna sprawa z tym Znakiem?

No cóż, właściwie dlaczego miałabym nie zmierzyć się z tym problemem właśnie teraz? Pociągnęłam łyk herbaty, by zwilżyć usta. Wszyscy czworo wpatrywali się we mnie intensywnie, z niecierpliwością czekając na moją odpowiedź.

— Owszem, jestem adeptką i nie wydaje mi się, bym różniła się czymś od was. — I plotłam coś jeszcze przez chwilę, podczas gdy wszyscy mówili jednocześnie. Wiedziałam, że w którymś momencie będę musiała odpowiedzieć na to pytanie. W końcu nie jestem głupia. Może skołowana, ale nie głupia. I coś w środku mi podpowiadało, że nie mogę im opowiedzieć o swoich przeżyciach z pogranicza życia i śmierci, kiedy to spotkałam Nyks. — Właściwie nie wiem, dlaczego mój Znak jest wypełniony kolorem. I to nie Tracker Naznaczył mnie w ten sposób. Ale później tego dnia zdarzył mi się wypadek. Upadłam i uderzyłam się w głowę. A kiedy się ocknęłam, Znak już wyglądał tak jak teraz. Zastanawiałam się nad tym i przychodzi mi na myśl tylko tyle, że związane jest to z moją reakcją na ten wypadek. Byłam nieprzytomna. Straciłam wiele krwi. Może przyspieszyło to proces ciemnienia Znaku? W każdym razie tak mi się wydaje.

— Phi — prychnęła lekceważąco Shaunee. — Miałam nadzieję usłyszeć coś ciekawszego. Coś mocnego, jakieś ploteczki.

— Przykro mi... — wyjąkałam.

— Uważaj, Bliźniaczko — powiedziała Erin, ruchem głowy wskazując na sąsiedni stół, gdzie siedziały Córy Ciemności. — Bo wygląda na to, że bardziej byś pasowała do towarzystwa siedzącego obok.

Shaunee skrzywiła się.

— Prędzej bym się zabiła, niż przystała do tych małp.

— Przestań, flaki się przewracają od tego, co mówisz — zniecierpliwiła się Stevie Rae.

Damien westchnął przeciągle.

— Zaraz wam przypomnę, jak bardzo jestem cenny w waszym gronie, z penisem czy bez.

— Bardzo cię proszę, żebyś nie używał słów na „p" — powiedziała Stevie Rae. — Szczególnie kiedy jem.

— A mnie to nie przeszkadza — wtrąciła się Erin. — Gdyby wszyscy nazywali rzeczy po imieniu, nikt by się nie czuł zażenowany, zmieszany czy zawstydzony. Na przykład gdybym chciała iść do ubikacji, mówiłabym wprost: wezbrał mi pęcherz i muszę oddać mocz. Proste, jasne, nieskomplikowane.

— Ordynarne, prostackie, obrzydliwe — odparowała Stevie Rae.

— Zgadzam się z tobą, Bliźniaczko — powiedziała Shaunee. — Gdybyśmy mówili otwarcie o takich sprawach jak oddawanie moczu, menstruacja i tym podobne, życie byłoby znacznie łatwiejsze.

— Okay. Przestańcie rozprawiać o menstruacji podczas jedzenia spaghetti. — Damien podniósł rękę do góry, jakby tym gestem chciał przerwać rozmowę. — Mogę być gejem, ale nawet ja mam dość. — Pochylił się w moją stronę i rozpoczął swój wywód: — Po pierwsze, Shaunee i Erin nazywają siebie bliźniaczkami, mimo że jest bardziej niż oczywiste, że nie są ze sobą spokrewnione: Erin to bardzo biała dziewczyna z Tulsy, a Shaunee, Jamajka z pochodzenia, w pięknym kolorze mokki z Connecticut...

— Miło mi, że doceniasz fakt, iż jestem czarna — powiedziała Shaunee.

— Nie ma sprawy — odrzekł Damien i ciągnął swój wywód: — Więc chociaż nie są spokrewnione ze sobą, ich wzajemne podobieństwo jest zdumiewające.

— Tak jakby je rozdzielono po urodzeniu — dopowiedziała Stevie Rae.

W tej samej chwili Shaunee i Erin uśmiechnęły się do siebie jednocześnie i wzruszyły ramionami. Zauważyłam wtedy, że są identycznie ubrane: ciemne dżinsowe żakiety ze złotymi skrzydłami pięknie wyhaftowanymi na kieszonkach na piersi, czarne T-shirty i czarne biodrówki. Miały nawet takie same kolczyki w uszach: wielkie złote koła.

— Nosimy ten sam rozmiar butów — powiedziała Erin, wysuwając spod stołu stopę, żebyśmy mogły zobaczyć jej czarne skórkowe szpilki ze szpiczastymi czubkami.

— Jakie znaczenie więc może mieć ta odrobina melaniny, skoro łączy nas głęboka miłość do butów? — dodała Shaunee, unosząc nogę i pokazując również czarne, ale matowe szpilki ozdobione przy kostce srebrną sprzączką.

— Dalej — przerwał im Damien, wznosząc oczy do góry. — Córy Ciemności to mówiąc skrótowo, grupka uczennic z wyższych klas, które uważają, że są odpowiedzialne za ducha całej szkoły i tak dalej.

— Nie, mówiąc skrótowo, to wiedźmy z piekła rodem — sprostowała Shaunee.

— Powiedziałam dokładnie to samo, Bliźniaczko — ucieszyła się Erin.

— Stale mi przeszkadzacie — skarcił je Damien. — Na czym stanąłem?

— Na duchu całej szkoły i tak dalej — przypomniałam mu.

— A, rzeczywiście. No więc one mają być świetlaną prowampirską, proszkolną organizacją. Ponadto zakłada się, że jej przewodnicząca zostanie namaszczona na przyszłą starszą kapłankę, zatem to ona ma być sercem, duszą i umysłem szkoły, a w przyszłości najważniejszą osobą w środowisku wampirów, et cetera bomba. Coś w rodzaju zasłużonej stypendystki, od której zależy ranga środowiska, otoczonej tłumem klakierów i bandą ciot.

— Ej, czy nazywanie ich bandą ciot nie narusza czasem twojej godności geja?

— Użyłem tych słów w znaczeniu pieszczotliwym — odrzekł Damien.

— A ci, co grają w piłkę nożną? Nie zapominaj o Synach Ciemności, bo i taka organizacja istnieje — przypomniała Erin.

— Ojej, Bliźniaczko. To naprawdę wstyd i hańba, że chłopaki jak ta lala dały się wciągnąć...

— Ściągnąć i obciągnąć — dorzuciła Erin z niewinnym uśmieszkiem.

— Wiedźmom z piekła rodem — dokończyła triumfalnie Shaunee.

— Ja miałbym zapomnieć o chłopakach? Tylko wy bez przerwy mi przerywacie.

Wszystkie trzy uśmiechnęły się przepraszająco. Stevie Rae udała, że zamyka sobie usta na kłódkę, a kluczyk wyrzuca za siebie. „Idiotka", wymówiła Shaunee bezgłośnie w jej kierunku, ale ostatecznie umilkły i pozwoliły Damienowi dokończyć jego wywód.

Zauważyłam ich gierki słowne z „wciąganiem", „ściąganiem" i „obciąganiem", co nasunęło mi myśl, że scena, której byłam świadkiem, nie należała do rzadkości.

— W rzeczywistości Córy Ciemności to grupa nadętych małp, które usiłują wszystkich sterroryzować. Chcą, żeby każdy im przytakiwał i robił, co one uważają za najwłaściwsze wampirom wedle ich kretyńskich wyobrażeń. Nienawidzą ludzi, a jeśli nie podzielasz ich poglądów i uczuć, nie będą sobie tobą dupy zawracać.

— Za to dadzą ci popalić — dodała Stevie Rae.

Pomyślałam, że ona wie najlepiej, jak to jest, kiedy dają popalić, zwłaszcza że przypomniałam sobie, jaka była blada i wystraszona, kiedy Afrodyta przyprowadziła mnie do naszego pokoju. Postanowiłam, że później ją zapytam, co się wówczas wydarzyło.

— Nie można dać się zastraszyć — powiedział Damien. — Ale trzeba się przed nimi pilnować.

— Cześć, Zoey. Miło mi znów cię widzieć.

Tym razem bez trudu i od razu rozpoznałam ten głos. Słodki jak miód, zdecydowanie przesłodzony. Wszyscy wzdrygnęli się na jego dźwięk, łącznie ze mną. Afrodyta ubrana była w taki sam sweter jak mój, tylko że srebrny haft na piersiach przedstawiał sylwetki trzech bogiń, z których jedna trzymała coś w rodzaju nożyczek. Afrodyta miała na sobie też plisowaną czarną spódniczkę, czarne rajstopy skrzące się srebrzyście i wysokie do kolan czarne buty. Za nią stały dwie dziewczyny, bardzo podobnie ubrane. Jedna z nich była czarnoskóra z niesamowicie długimi włosami, druga blondynka, tyle że przyjrzawszy się jej dokładniej, nabrałam podejrzeń, że taka z niej naturalna blondynka jak ze mnie.

— Cześć, Afrodyto — odpowiedziałam, podczas gdy pozostałym odebrało z wrażenia mowę.

— Mam nadzieję, że nie przeszkadzam — powiedziała nieszczerze.

— Nie, rozmawialiśmy o tym, jakie gałgany włożyć na wieczór — odpowiedziała Erin, szeroko i sztucznie uśmiechnięta.

— Na pewno się dowiesz — poinformowała ją Afrodyta sarkastycznym tonem, demonstracyjnie odwracając się do niej plecami. Zobaczyłam, jak Erin zaciska pięści i ma minę osoby, która najchętniej by się rzuciła na przeciwniczkę. — Zoey, miałam ci o czymś powiedzieć, ale jakoś mi to wyleciało z głowy. Chcę ci wysłać zaproszenie na jutrzejsze wieczorne obchody Pełni Księżyca organizowane przez Córy Ciemności. Na ogół nie zdarza się, by ktoś, kto przebywa wśród nas tak krótko, brał udział w naszych obrzędach, ale twój Znak świadczy, że nie jesteś przeciętną adeptką. — Spojrzała z góry na Stevie Rae. — Rozmawiałam już na ten temat z Neferet, ona też uważa, że dobrze by było, gdybyś do nas dołączyła. Podam ci więcej szczegółów później, kiedy nie będziesz zajęta... głupstwami. — Obdarzyła resztę towarzystwa ironicznym uśmieszkiem, odrzuciła do tyłu włosy, po czym oddaliła się wraz ze swoją świtą.

— Co za małpy, wiedźmy z piekła rodem — powiedziały jednocześnie Shaunee i Erin.

)

ROZDZIAŁ DZIESIĄTY

— Stale mam nadzieję, że ta jej nieposkromiona pycha sprowadzi na nią karę — westchnął Damien.

— Pycha, czyli wyniosłość i arogancja, na jaką mogą sobie pozwolić jedynie bogowie — dodała wyjaśniającym tonem Stevie Rae.

— Wiem — odpowiedziałam, odprowadzając wzrokiem Afrodytę i jej świtę. Właśnie skończyliśmy na lekcjach angielskiego omawiać *Medeę*. To przecież zgubiło Jazona.

— Tak bym chciała pięściami wybić jej pychę z tej ufryzowanej głowy! — wyznała Erin.

— Przytrzymam ją, żebyś mogła to zrobić — obiecała Shaunee.

— Nie. Pamiętacie, że już o tym rozmawialiśmy. Bicie jako kara jest czymś złym. Bardzo złym. Naprawdę nie warto.

Zauważyłam, że Erin i Shaunee pobladły. Chciałam dowiedzieć się czegoś więcej, ale Stevie Rae zwróciła się do mnie:

— Musisz być czujna, Zoey. Czasami może się wydawać, że Córy Ciemności, a zwłaszcza Afrodyta, są nieszkodliwe. Ale właśnie wtedy są najbardziej niebezpieczne.

Potrząsnęłam głową.

— Wcale się nie wybieram na te ich księżycowe imprezy.

— Wydaje mi się, że będziesz musiała — powiedział Damien tonem łagodnej perswazji.

— Neferet się zgodziła — przypomniała Stevie Rae, a Erin i Shaunee skinęły potakująco głowami. — To oznacza, że jej zdaniem powinnaś pójść. Nie możesz odmówić swojej mentorce.

— Zwłaszcza gdy twoją mentorką jest Neferet, starsza kapłanka bogini Nyks — dodał Damien.

— A nie mogłabym po prostu powiedzieć, że nie jestem gotowa na... to, czego one ode mnie chcą, na te ich... jak to się nazywa... księżycowe obchody? Czy nie mogłabym jakoś się od tego wykręcić?

— Może byś i mogła, ale wtedy Neferet im powie, a one pomyślą, żeś się ich wystraszyła.

Tak krótko tu byłam, a już zdążyłam wdepnąć w niezłe gówno z tą Afrodytą.

— Ojej, Stevie Rae, przecież już się ich wystraszyłam.

— W takim razie one nie powinny o tym wiedzieć. — Stevie Rae zmieszana patrzyła w talerz. — To byłoby gorsze, niż im się sprzeciwić.

— Słoneczko. — Damien uspokajającym gestem poklepał ją po ręce. — Przestań się biczować z tego powodu.

Stevie Rae uśmiechnęła się do niego z wdzięcznością. Po czym zwróciła się do mnie, mówiąc:

— Idź tam. Zdobądź się na odwagę i idź. Nie zrobią niczego okropnego podczas uroczystości obrzędowych. Nie odważą się, dopóki obchody odbywają się w campusie.

— Aha, wszystkie świństwa robią daleko stąd, gdzie wampirom trudniej przyłapać je na czymkolwiek — powiedziała Shaunee. — Bo tu udają niewinne, słodkie stworzonka, więc nie wszyscy wiedzą, jakie są naprawdę.

— Ale my wiemy — dodała Erin, szerokim gestem pokazując nie tylko nas, siedzących przy stoliku, lecz wszystkich zebranych w jadalni.

— Czy ja wiem? — zastanowiła się Stevie Rae. — Może Zoey jakoś się z nimi dogada. — W jej głosie nie było ani cienia sarkazmu czy nuty zazdrości.

Potrząsnęłam głową.

— Nie, nie będę się dogadywała. Nie lubię osób, które usiłują zawładnąć innymi i ich poniżać, żeby sobie poprawić samopoczucie. Zresztą nie chcę iść na ich obchody Pełni Księżyca — powiedziałam zdecydowanie, myśląc jednocześnie o swoim ojczymie i jego kumplach. Co za ironia losu, że tyle mają wspólnego z osobami, które uważają się za córy bogini.

— Poszłabym z tobą, jak pewnie każdy z nas, ale jeśli nie należy się do Cór Ciemności, to pójść na ich zgromadzenie można tylko z imiennym zaproszeniem — powiedziała Stevie Rae ze smutkiem w głosie.

— Nie szkodzi. Jakoś sobie z tym poradzę. — Nagle straciłam ochotę do jedzenia. Byłam już tylko bardzo zmęczona i wolałam zmienić temat. — Może mi ktoś wyjaśni, co oznaczają symbole, które tu nosicie. Powiedziałyście mi już o naszym symbolu, spirali Nyks. Damien też nosi spiralę, co znaczy, że... — Zamilkłam na chwilę, by przypomnieć sobie, jak Stevie Rae nazwała nowicjuszy. — Że przechodzi trzecie formatowanie. Natomiast Erin i Shaunee mają skrzydła, a Afrodyta jeszcze coś innego.

— Chodzi o trzy Parki — pospieszył z odpowiedzią Damien. — Parki są dziećmi Nyks. Ci z szóstego formatowania noszą symbole Parek, z Atropos trzymającą nożyce, co oznacza koniec szkoły.

— A dla niektórych koniec życia — dodała ponuro Erin.

Wszyscy zamilkli. Kiedy przedłużająca się cisza zaczynała być nieznośna, odchrząknęłam i zapytałam:

— W takim razie co oznaczają skrzydła Erin i Shaunee?

— To skrzydła Erosa, który jest dzieckiem nasienia Nyks...

— Owoc boskiej miłości — powiedziała Erin, kręcąc znacząco biodrami.

Damien skrzywił się i dalej mówił:

— Złote skrzydła Erosa są symbolem czwartego formatowania.

— Jesteśmy klasą miłości — zanuciła Erin, podnosząc ręce nad głową i znów kołysząc biodrami.

— Chodzi raczej o to, by nam przypominać o niezmierzonej miłości Nyks, a same skrzydła oznaczają stałe posuwanie się naprzód.

— A co jest symbolem trzeciego formatowania? — zapytałam.

— Złota karoca Nyks ciągniona przez sznur gwiazd — odpowiedział Damien.

— Uważam, że to najładniejszy ze wszystkich czterech symboli — oświadczyła Stevie Rae. — Te gwiazdy migoczą jak szalone.

— Karoca ma wyrażać myśl, że podążamy drogą Nyks. Gwiazdy z kolei ukazują magię dwóch lat, które zaliczyliśmy.

— Pilny uczeń z tego Damiena — zauważyła Erin.

— Mówiłam wam, że powinien nam pomóc przygotować się do testu z ludzkiej mitologii — przypomniała Shaunee.

— Wydawało mi się, że to ja tobie powiedziałam, że on powinien nam pomóc...

— W każdym razie — Damien usiłował przebić się przez ten spór — to tyle na temat symboliki naszych klas. Łatwiutkie, kaszka z mleczkiem. — Spojrzał znacząco na Bliźniaczki, które właśnie zamilkły. — Oczywiście jeżeli ktoś uważał na lekcji, a nie zajmował się pisaniem liścików i gapieniem się na chłopaków rzekomo atrakcyjnych.

— Damien, jesteś naprawdę pruderyjny — orzekła Shaunee.

— Zwłaszcza jak na geja — dodała Erin.

— Erin, masz dziś roztrzepane włosy. Nie chcę być złośliwy ani nic w tym rodzaju, ale może powinnaś zmienić kosmetyki. Nadmiar pielęgnacji nie zaszkodzi. Wkrótce zaczną ci się rozdwajać końce.

Erin zrobiła wielkie oczy, a jej ręce natychmiast powędrowały w stronę włosów.

— No wiesz, Damien, w głowie mi się nie mieści, że mogłeś coś takiego powiedzieć. Przecież ona ma bzika na punkcie swoich włosów. — Shaunee zaczęła dyszeć z oburzenia, przez co przypominała kawową rybkę pracowicie łapiącą powietrze skrzelami.

Damien tylko się uśmiechnął i z niewinną miną powrócił do swojego niedokończonego spaghetti.

— Słuchajcie — powiedziała szybko Stevie Rae, wstając i trącając mnie łokciem. — Zoey jest skonana. Pamiętacie, jak to było z wami pierwszego dnia? My wracamy do pokoju. Muszę się jeszcze pouczyć do testu z socjologii wampirów, więc pewnie zobaczymy się dopiero jutro.

— Dobra, cześć — odpowiedział Damien. — Zoey, naprawdę miło mi było cię poznać.

— Witaj w przedsionku piekieł — powiedziały chórem Shaunee i Erin, zanim Stevie Rae wyciągnęła mnie z jadalni.

— Dzięki, jestem naprawdę zmęczona — powiedziałam do Stevie Rae, kiedy już wracałyśmy przez hol, który rozpoznałam jako miejsce wiodące do głównego budynku szkoły. Drogę przeciął nam srebrnoszary kot o lśniącej sierści i zręcznych ruchach, goniący pręgowanego kotka, który umykał wystraszony.

— Belzebub! Zostaw Cammy'ego! Zobaczysz, Damien cię obedrze ze skóry!

Stevie Rae spróbowała złapać szarego kota, ale jej się nie udało. Na szczęście jednak ten przestał uganiać się za pręguskiem i czmychnął w przeciwną stronę, dokładnie tam, skąd wyszłyśmy. Stevie Rae popatrzyła za nim ze złowrogą miną.

— Shaunee i Erin powinny nauczyć tego swojego kota, jak się należy zachowywać, on zawsze coś nabroi. — Spojrzała na mnie, gdy po wyjściu z budynku wyszłyśmy na pogrążony w mroku dziedziniec. — Ten mały kotek to Cameron i należy do Damiena, a Belzebub to kot Erin i Sahunee, wybrał je obie. Naprawdę. Może się to wydawać dziwne, ale jak trochę bliżej je poznasz, przekonasz się, że są jak prawdziwe bliźniaczki.

— W każdym razie są sympatyczne.

— Tak, to świetne dziewczyny. Lubią się sprzeczać, ale w gruncie rzeczy są bardzo lojalne i nie pozwalają, by ktoś na ciebie nagadał. — Wyszczerzyła się w uśmiechu. — Owszem, mogą mówić o tobie, ale nigdy za plecami.

— Damien mi się podoba.

— On jest kochany i naprawdę łebski. Czasem mi go naprawdę żal.

— Dlaczego?

— Kiedy zjawił się tu pół roku temu, miał współmieszkańca, który jak się dowiedział, że Damien jest gejem — a zauważyłaś, że on się z tym wcale nie kryje... — poszedł do Neferet i powiedział, że nie chce mieszkać z pedziem.

Skrzywiłam się. Nie lubię homofobów.

— A co Neferet na to? Zgodziła się?

— Nie, dała wyraźnie gówniarzowi do zrozumienia — on teraz nazywa się Thor, bo zmienił imię po przyjściu tutaj — że jego zachowanie jest sprzeczne z naszymi zasadami, a Damienowi zostawiła wybór: albo zostanie z Thorem, albo zamieszka sam w pokoju. Damien wolał mieszkać sam. Ja też bym tak zrobiła na jego miejscu, a ty?

Skinęłam potakująco głową.

— Jasne. W żadnym razie nie dzieliłabym pokoju z Thorem Homofobem.

— Wszyscy tak uważają. Więc od tej pory Damien mieszka sam w pokoju.

— Nie ma tu innych chłopaków o gejowskiej orientacji?

Stevie Rae wzruszyła ramionami.

— Jest parę dziewczyn, które są lesbijkami, ale choć niektóre są fajne i zadają się z resztą, na ogół trzymają się razem. Są poza tym bardzo religijne i głęboko czczą boginię Nyks, więc wiele czasu spędzają w jej świątyni. Są też takie kretynki, rozrywkowe dziewczyny, które uważają, że zaszpanują, jak się będą ze sobą gzić, ale robią to tylko wtedy, gdy przystojne chłopaki są w pobliżu.

Potrząsnęłam niedowierzająco głową.

— Nigdy nie zrozumiem, jak dziewczyny mogą sobie wyobrażać, że migdalenie się między sobą to sposób na złapanie chłopaka. Raczej powinno działać na odwrót.

— Mnie by nie zależało na chłopaku, który by uważał, że jestem seksowna tylko wtedy, kiedy całuję się z dziewczyną. Fuj!

— A co z innymi gejami?

Stevie westchnęła.

— Jest kilku oprócz Damiena, ale są zbyt pokręceni albo zbyt dziewczęcy jak na jego upodobania. Żal mi go. Uważam, że jest dość samotny. Jego rodzice w ogóle nie piszą do niego ani nie kontaktują się z nim w żaden inny sposób.

— Przestraszyli się, że ich syn ma zostać wampirem?

— Nie, zdaje się, że specjalnie ich to nie obeszło. Ale nie rozmawiaj na ten temat z Damienem, bo to chyba dla niego bolesna sprawa. Mnie się wydaje, że jego rodzice odetchnęli z ulgą, kiedy został Naznaczony. Nie wiedzieli, co mają zrobić z tym fantem, że ich syn jest gejem.

— Nie musieli niczego robić. Przecież nadal jest ich synem. Tyle że lubi chłopców.

— Oni mieszkają w Dallas, a jego tata jest grubą rybą w środowisku kościelnym. Może jest jakimś duchownym czy kimś w tym rodzaju.

Uniosłam rękę.

— Możesz dalej nie mówić. Znam ten temat doskonale. — I tak było. Aż za dobrze znałam ten pogląd: „Nasza droga jest jedyną słuszną drogą", reprezentowany przez Ludzi Wiary. Już sama myśl o tym działała na mnie przygnębiająco.

Stevie Rae pchnęła drzwi do naszego internatu. We wspólnej części wypoczynkowej siedziało tylko kilka dziewczyn, które oglądały powtórkę z *Lat siedemdziesiątych*. Stevie Rae z daleka pomachała im ręką.

— Chcesz wziąć na górę coś do picia? — zapytała mnie.

Kiwnęłam głową i podążyłam za nią przez część wypoczynkową, potem przez mniejsze pomieszczenie do miejsca, gdzie stały cztery lodówki, wielki zlewozmywak, dwie mikrofalówki, mnóstwo szafek oraz na samym środku ładny drewniany stół pomalowany na biało. Jak w prawdziwej kuchni, tyle że z przewagą lodówek. Wszystko wydawało się schludne i czyste. Stevie Rae otworzyła jedną z lodówek. Zerknęłam jej przez ramię i zobaczyłam, że wypełniona jest samymi napojami — od soków owocowych do napojów gazowanych, nie wyłączając wody sodowej o obrzydliwym smaku.

— Na co masz ochotę?

— Cokolwiek, może być cola.

— To wszystko jest dla nas — powiedziała, podając mi dietetyczną colę, a dla siebie biorąc dwie puszki napoju grejpfrutowego. — W tych dwóch lodówkach znajdują się owoce i jarzyny, a w trzeciej chude mięso do kanapek. Przez cały czas są pełne, ale ponieważ wampiry mają fioła na punkcie zdrowej żywności, nie znajdziesz tu żadnych chipsów ani batonów, nic z tych rzeczy.

— Czekolady też nie?

— Owszem, jest trochę naprawdę drogich czekolad w tamtych szafkach. Wampiry powiadają, że czekolada w umiarkowanych ilościach jest dla nas dobra.

W porządku, tylko kto do diabła zadowoli się czekoladą w umiarkowanych ilościach? Tak sobie pomyślałam po drodze do naszego pokoju na górę, ale nic na głos nie powiedziałam.

— Czyli... eee... wampy — jakoś nie mogłam się przyzwyczaić do tego określenia — przywiązują wagę do zdrowej żywności?

— Tak, chociaż chyba najbardziej do tego, by adepci jedli zdrowo. To znaczy, nie zobaczysz grubego wampira, ale nie ujrzysz też nikogo, kto by pogryzał marchewkę, selera czy zajadał się sałatkami. Przeważnie jedzą razem w swojej jadalni, a krążą pogłoski, że jedzą dobre rzeczy. — Spojrzała na mnie uważnie i zniżyła głos do szeptu: — Słyszałam, że jedzą dużo czerwonego mięsa. Surowego mięsa.

— Iiii — skrzywiłam się, wywołując w wyobraźni nieprzyjemny obraz Neferet zatapiającej zęby w krwistym befsztyku.

Stevie Rae też się wzdrygnęła, ale mówiła dalej:

— Zdarza się, że któryś z mentorów siada z nami do posiłku, wtedy jednak przeważnie wypija tylko kieliszek czerwonego wina i nic nie je.

Otworzyła drzwi do naszego pokoju, a ja zaraz usiadłam na łóżku i z westchnieniem ulgi zrzuciłam buty. Ależ byłam zmęczona! Masując stopy, zastanawiałam się, dlaczego dorosłe wampiry nie jedzą razem z nami, ale po chwili uznałam, że nie chcę się nad tym dłużej zastanawiać. To bowiem nasuwało cały szereg następnych pytań, na przykład co wampiry jedzą? Albo: co będę musiała jeść, kiedy (jeżeli) stanę się dorosłym wampirem? Och!...

Ponadto chcąc nie chcąc przypomniałam sobie swoją reakcję na krew Heatha. Czy to się zdarzyło zaledwie wczoraj?

I moja późniejsza reakcja na krew tego chłopaka widzianego w holu. Nie, z pewnością nie chcę się nad tym teraz zastanawiać, ani trochę. Zmusiłam się więc, by skoncentrować uwagę na zdrowej żywności.

— Jeżeli oni nie przywiązują zbyt wielkiej wagi do tego, by sami zdrowo się odżywiali, dlaczego w takim razie tak im zależy na tym, żebyśmy my jedli zdrową żywność? — zapytałam Stevie Rae.

Napotkała mój wzrok, który wyrażał nie tylko zatroskanie, ale i przestrach.

— Chcą, żebyśmy się zdrowo odżywiali, tak samo jak chcą, byśmy codziennie ćwiczyli, żeby nasze ciała stały się silne i odporne, bo gdy zaczniemy słabnąć albo utyjemy, będzie to pierwsza oznaka tego, że nasz organizm odrzuca Przemianę.

— A wtedy umrzemy — powiedziałam cicho.

— A wtedy umrzemy — przytaknęła.

)

ROZDZIAŁ JEDENASTY

Nie myślałam, że zasnę. Wyobrażałam sobie, że leżąc już w łóżku, zatęsknię za domem i będę rozpamiętywać ten nieoczekiwany zwrot, jaki dokonał się w moim życiu. Intrygujące błyski w oczach chłopaka z holu pojawiały się raz po raz w mojej pamięci, byłam jednak tak zmęczona, że nie mogłam się na tym skoncentrować. Nawet myśl o naznaczonym nienawiścią usposobieniu Afrodyty nie bardzo mnie dręczyła, tylko sennie odsuwała się ode mnie coraz dalej. Ostatnią moją troską, zanim zasnęłam, był powracający ból głowy. Czy spowodowany był Znakiem i raną na skroni, czy też tworzył mi się jakiś gigantycznych rozmiarów pryszcz? I czy z takimi włosami będę mogła się pokazać pierwszego dnia w szkole dla wampirów? Ale kiedy otuliłam się kołdrą i otoczył mnie znajomy zapach pierza i domu, poczułam się nagle swojsko i bezpiecznie... i wtedy odpłynęłam na dobre.

Nie miałam koszmarów sennych. Śniły mi się koty. Żadni przystojni chłopcy nie pojawili się w mych snach. Żadne nowe atrakcyjne działanie wampirzych mocy. Nic z tych rzeczy. Po prostu koty. A szczególnie jeden. Mały pomarańczowy pręgulek na tycich łapkach, z brzuszkiem jak kieszonka, czym przypominał małego torbacza. Skrzeczał na mnie głosem starej baby, dlaczego tak długo zwlekałam z przyjściem. Ale zaraz ten głos zmienił się w terkot budzika...

— Zoey, wyłącz wreszcie ten budzik!

— Co?... A...

O rany, nie znoszę poranków. Po omacku zaczęłam szukać wyłącznika budzika, by wreszcie przestał dzwonić. Czy już mówiłam, że bez szkieł kontaktowych prawie nic nie widzę? Złapałam swoje idiotyczne okulary i zerknęłam, która godzina. Było wpół do siódmej wieczorem. Wszystko na opak.

— Chcesz teraz wejść pod prysznic czy ja mam pójść pierwsza? — zapytała Stevie Rae sennym głosem.

— Mogę iść pierwsza, jeśli ci to nie przeszkadza.

— Nie... — ziewnęła.

— Dobra.

— Powinnyśmy się pospieszyć, bo nie wiem jak ty, ale jeśli ja nie zjem śniadania, nie mogę potem wytrzymać do obiadu, po prostu umieram z głodu.

— Płatki zbożowe? — ożywiłam się. Uwielbiam płatki, a na dowód tego mam nawet T-shirty z napisem: „Kocham płatki".

— Tak. Zawsze jest mnóstwo różnych płatków, prócz tego obwarzanki, owoce, jajka na twardo i różne takie.

— Zaraz będę gotowa — obiecałam, nagle czując się strasznie głodna. — Powiedz mi, Stevie Rae, czy mogę się ubrać w cokolwiek?

— Tak — odpowiedziała, znowu ziewając. — Włóż po prostu któryś z tych swetrów, do tego żakiet z symbolem trzeciego formatowania i wystarczy.

Zaczęłam się spieszyć, chociaż zależało mi na tym, by wyglądać jak najlepiej, dlatego wolałabym mieć przynajmniej parę godzin na staranne zrobienie makijażu i wyszczotkowanie włosów. Siedząc przed pożyczonym od Stevie Rae lusterkiem , podczas gdy ona brała prysznic, uznałam, że lepiej zrobić delikatny makijaż, niż przesadzić nadmiernym upiększaniem. Dziwne, jak Znak zmienił cały wyraz mojej twarzy. Zawsze miałam ładne oczy: duże, okrągłe, ocienione długimi gęstymi rzęsami. Nawet Kayla mi ich zazdrościła, nieraz mówiąc, że to niesprawiedliwe, bym ja miała rzęsy, którymi dałoby się obdzielić ze trzy dziewczyny, a ona krótkie jasne włoski. A skoro już mowa o Kayli... zatęskniłam za nią, zwłaszcza rano, kiedy wybierałam się do szkoły bez niej. Może zadzwonię do niej później. Albo wyślę e-mail. Albo nie... Przypomniałam sobie właśnie, co Heath mówił o imprezie, i postanowiłam, że raczej nie zadzwonię. W każdym razie Znak sprawił, że moje oczy wydawały się teraz większe i ciemniejsze. Podkreśliłam je cieniem w kolorze szaroczarnym, który zawierał trochę srebrnych drobinek, ładnie połyskujących. Nie chciałam zamalować powiek na czarno, jak to robią niektóre dziewczyny, myśląc, że tak jest bajerancko, podczas gdy naprawdę wyglądają jak wystraszone szopy pracze. Poprowadziłam cienką kreskę wzdłuż rzęs, potem nałożyłam troszkę tuszu, pędzelkiem naniosłam na policzki trochę ciemnego pudru i przeciągnęłam błyszczykiem po wargach, by ukryć fakt, że je nerwowo przygryzam.

Potem uważnie się sobie przyjrzałam.

Na szczęście włosy układały się jako tako, nawet ząbek w linii zarostu włosów, który rysował mi się nad środkiem czoła, nie rzucał się tak bardzo w oczy, jak nieraz się zdarzało. Teraz wyglądałam... hm, niby tak samo, a jednak inaczej. Nadal widoczny był wpływ Znaku na mój wygląd. Właśnie przez ten Znak uwypukliły się etniczne elementy moich rysów: ciemne oczy, szerokie kości policzkowe, szlachetny prosty nos, nawet oliwkowy odcień karnacji, którą odziedziczyłam po Babci. Szafirowy Znak jakby rzucił nowe światło na moje rysy i wydobył je; uwolnił z mego wnętrza czirokeską dziewczynę i sprawił, że zajaśniała pełnym blaskiem.

— Masz świetne włosy — zauważyła Stevie Rae, gdy wyszła z łazienki z ręcznikiem na głowie. — Chciałabym, żeby moje tak się układały, kiedy urosną. Ale nic z tego. Długie są po prostu rozwichrzone. Wyglądają jak rozwiana końska grzywa.

— Podobają mi się twoje krótkie włosy — powiedziałam, ustępując jej miejsca i sięgając po czarne baleriny.

— Ale przez nie jestem tutaj odmieńcem. Bo wszyscy mają długie włosy.

— Zauważyłam, tylko nie rozumiem, jak to się dzieje.

— To jeden z procesów, jakie w nas zachodzą, kiedy podlegamy Przemianie. Włosy wampirów rosną niezwykle szybko, podobnie paznokcie.

Opanowałam dreszcz na wspomnienie paznokci Afrodyty, które bez trudu rozcinały materiał spodni i znajdującą się pod nimi skórę.

Na szczęście Stevie Rae nie domyśliła się biegu moich myśli i dalej mówiła.

— Przekonasz się. Wkrótce nie będziesz musiała przyglądać się ich symbolom, by wiedzieć, jakie formatowanie przechodzą. Zresztą wszystko to poznasz na lekcjach socjologii wampirów. Właśnie, byłabym zapomniała. — Rzuciła się do biurka i zaczęła przekopywać się przez stos papierów, zanim znalazła to, czego szukała, by mi zaraz wręczyć. — To twój plan. Trzecią i piątą godzinę mamy razem. Sprawdź, jakie masz przedmioty do wyboru na drugiej godzinie. Możesz wybrać z listy, co chcesz.

Na górze arkusza z planem zajęć wydrukowane było wielkimi literami moje imię i nazwisko: ZOEY REDBIRD, ROZPOCZYNAJĄCA TRZECIE FORMATOWANIE, a pod tym data pięć dni wcześniejsza od dnia, w którym Tracker mnie Naznaczył.

1. godzina — socjologia wampirów 101. Pok. 215. Prof. Neferet

2. godzina — zajęcia teatralne. Sala przedstawień. Prof. Nolan

albo
Rysunek 101. Pok. 312. Prof. Doner
albo
Muzyka, zaj. początkowe, pok. 314. Prof. Vento
3. godzina — literat. 101. Pok. 214. Prof. Pentesilea
4. godzina — szermierka. Sala ćwiczeń. Prof. D. Lankford

PRZERWA NA LUNCH

5. godzina — hiszpański 101. Pok. 216. Prof. Garmy
6. godzina — wstęp do studiów jeździeckich. Zabudowania na polu. Prof. Lenobia

— Nie ma geometrii? — zapytałam z udawaną radością, choć przytłoczył mnie ten plan zajęć.

— Na szczęście nie ma. W przyszłym semestrze będziemy miały ekonomię, ale może nie będzie taka trudna.

— Szermierka?... Wstęp do studiów jeździeckich?...

— Mówiłam ci, chcą, żebyśmy byli w dobrej kondycji. Szermierka nie jest zła, chociaż dosyć trudna. Nie jestem w tym dobra, ale często dają ci do pary kogoś starszego, kto pełni rolę trochę kolegi, a trochę instruktora. Musisz wiedzieć, że niektórzy są naprawdę napaleni. W tym semestrze nie mam tych zajęć, zostałam przydzielona do grupy taekwondo. I muszę ci powiedzieć, że to uwielbiam!

— Naprawdę? — wyraziłam powątpiewanie, zastanawiając się jednocześnie, jak mogą wyglądać zajęcia z końmi.

— Tak. Więc które zajęcia wybierasz?

Spojrzałam na rozkład.

— A ty na które idziesz?

— Na muzykę. Profesor Vento jest świetny, a poza tym... — Stevie Rae uśmiechnęła się i zaczerwieniła. — Chciałabym zostać gwiazdą muzyki country. Wiesz, Kenny Chesney, Faith Hill, Shania Twain, oni wszyscy są wampirami. Cała trójka. A Garth Brooks pochodzi stąd, z Oklahomy, przy czym on jest największym wampirem z nich wszystkich. Wobec tego nie rozumiem, dlaczego nie miałabym zrobić podobnej kariery.

— Ja to doskonale rozumiem — powiedziałam. — Rzeczywiście, dlaczego nie?

— Chcesz chodzić ze mną na muzykę?

— Nie nadaję się. Nie umiem śpiewać ani grać na żadnym instrumencie. Zrobiłabym z siebie pośmiewisko.

— W takim razie lepiej nie.

— Prawdę mówiąc, brałam pod uwagę zajęcia teatralne. W szkole miałam zajęcia z teatru i lubiłam je. Wiesz coś o profesor Nolan?

— Tak. Pochodzi z Teksasu i ma bardzo silny teksański akcent, ale studiowała aktorstwo w Nowym Jorku. Wszyscy ją lubią.

Niemal roześmiałam się głośno, gdy Stevie Rae wspomniała o akcencie profesor Nolan. Sama przecież mówiła z tak silnym akcentem, że mogłaby uchodzić za kogoś mieszkającego w slumsach, ale za skarby świata nie zraniłabym jej uczuć.

— W takim razie zajęcia z dramatu.

— No to bierz plan i chodźmy — zarządziła, a kiedy wypadłyśmy z pokoju i zbiegałyśmy po schodach, dodała jeszcze: — Wiesz co? Może ty będziesz drugą Nicole Kidman?

Zostać drugą Nicole Kidman... całkiem niezła perspektywa (wyjąwszy ślub, a następnie szybki rozwód z konusem, który musiał być nienormalny). Nie zastanawiałam się jeszcze nad swoją przyszłą karierą zawodową, zwłaszcza odkąd Tracker przewrócił moje życie do góry nogami, ale skoro Stevie Rae poruszyła ten temat, to raczej wolałabym zostać weterynarzem.

Spasiony czarno-biały kocur smyrgnął tuż pod naszymi nogami, goniąc innego kota, który wyglądał, jakby był jego sobowtórem. Skoro włóczy się tu tyle kotów, weterynarz na pewno się przyda. (Zabawnie brzmi: wampirka weterynarka, wamp-wet, już widzę, jak się ogłaszam: „Krew pobieramy bezpłatnie").

W kuchni i salonie tłoczyły się dziewczęta, które pospiesznie jadły, nie rezygnując z rozmawiania. Odpowiadałam na liczne pozdrowienia wyrażane przez nowo poznane osoby, którym Stevie Rae skwapliwie mnie przedstawiała, a jednocześnie starałam się znaleźć swoje ulubione czekoladowe chrupki. Już zaczynałam się martwić, że ich nie znajdę, kiedy wreszcie je zobaczyłam ukryte za wielkimi kartonami glazurowanych płatków, które mogłabym wybrać w drugiej kolejności, ale to jednak nie to samo. Glazurowane nie zawierają ani odrobiny czekolady, no i nie mają tej pysznej kropelki marmoladki. Stevie Rae wzięła sobie pełną miseczkę Lucky Charms, po czym zasiadłyśmy przy stole i zaczęłyśmy pospiesznie pochłaniać śniadanie.

— Cześć, Zoey!

Gdybym nawet nie rozpoznała tego głosu, to i tak wystarczająco wymowna była reakcja Stevie Rae, która spuściła głowę, pilnie wpatrując się w swoje płatki.

— Cześć, Afrodyto — odpowiedziałam, starając się, by mój głos brzmiał normalnie.

— W razie gdybyśmy się miały przedtem nie zobaczyć, wolałabym mieć pewność, że trafisz do nas wieczorem. Rytuał Pełni Księżyca obchodzony przez Córy Ciemności zaczyna się o czwartej rano, zaraz po szkolnych obchodach. Przepadnie ci kolacja, ale nie martw się, nakarmimy cię. Nasza uroczystość odbywa się w sali rekreacyjnej za wschodnim murem. Spotkamy się przed świątynią Nyks, zanim zaczną się szkolne uroczystości, żebyśmy mogły w nich razem uczestniczyć, a potem zaprowadzę cię do naszej auli.

— Kiedy ja już obiecałam Stevie Rae, że z nią pójdę na szkolne uroczystości. — Nie znoszę apodyktycznych ludzi.

— No! Przykro mi. — Z satysfakcją zobaczyłam, jak Stevie Rae wreszcie uniosła głowę znad talerza z płatkami i przemówiła.

— Ty wiesz, gdzie jest sala rekreacyjna, prawda? — zwróciłam się do Stevie Rae z niewinną miną.

— Jasne.

— W takim razie powiesz mi, którędy mam iść, prawda? I Afrodyta nie musi się martwić, że nie trafię.

— We wszystkim ci pomogę — zachrypiała przejęta Stevie Rae.

— W takim razie nie ma problemu — powiedziałam, uśmiechając się szeroko do Afrodyty.

— Okay, w porządku. Widzimy się o czwartej. Nie spóźnij się. — To powiedziawszy, oddaliła się z godnością.

— Jeśli dalej tak będzie zarzucała dupskiem, to jeszcze po drodze coś stłucze — zauważyłam.

Stevie Rae prychnęła śmiechem, aż mleko o mało nie poszło jej nosem. Krztusząc się, odpowiedziała:

— Nie rób tak, kiedy jem. — Przełknęła to, co miała jeszcze w ustach, i uśmiechnęła się do mnie. — Widzę, że nie pozwalasz sobą rządzić.

— Ty też nie — zrewanżowałam się. Skończyłam jeść płatki i zapytałam: — Gotowa?

— Gotowa. Zaczynamy. To wcale nie będzie trudne. Pierwszą lekcję masz po sąsiedzku ze mną. Wszystkie główne przedmioty dla uczestników trzeciego formatowania odbywają się w tym samym holu. Chodź, pokażę ci kierunek i już będziesz wiedziała.

Opłukałyśmy talerze i włożyłyśmy je do zmywarki, po czym mogłyśmy już wyjść na zewnątrz, gdzie panował piękny jesienny wieczór. O rany, jakoś dziwnie było iść do szkoły wieczorem, nawet jeśli ciało się temu nie sprzeciwiało. Weszłyśmy do wnętrza szkoły przez masywne drewniane drzwi, przez które przelewało się mnóstwo uczniów.

— Właśnie tu jest hol trzeciego formatowania — oświadczyła Stevie Rae, prowadząc mnie za róg, a następnie w górę po kilku schodkach.

— To łazienka? — zapytałam, kiedy mijałyśmy fontannę znajdującą się pomiędzy dwojgiem drzwi.

— Aha — odrzekła. — Tu jest moja klasa, a twoja zaraz obok. Do zobaczenia po lekcji!

— Dobra, dzięki! — zawołałam.

Przynajmniej do łazienki było niedaleko. Gdybym nagle dostała biegunki, zdążę dobiec.

)

ROZDZIAŁ DWUNASTY

— Zoey, tutaj!

Prawie rozpłakałam się z radości, kiedy usłyszałam głos Damiena i zobaczyłam, jak macha do mnie, wskazując puste miejsce w ławce obok siebie.

— Cześć. — Usiadłam, uśmiechając się do niego z wdzięcznością.

— Gotowa jesteś stawić czoła pierwszemu dniowi w tej szkole? — zapytał.

Nie.

Kiwnęłam jednak potakująco głową.

— Tak. — Chciałam coś więcej powiedzieć, lecz rozległ się pięciokrotny dźwięk dzwonka, a gdy umilkł ostatni jego pogłos, do sali weszła Neferet. Miała na sobie ciemnofioletowy jedwabny sweter oraz długą czarną spódnicę z rozcięciem na boku, przez które widać było wspaniałe buty na wysokich obcasach. Nad jej lewą piersią wyhaftowany srebrną nitką widniał wizerunek bogini z uniesionymi rękoma, z dłońmi obejmującymi sierp księżyca. Złote włosy splecione miała w gruby warkocz. Drobne, ale liczne tatuaże okalały jej twarz, co sprawiało, że przypominała starożytną wojującą boginkę. Gdy uśmiechnęła się do nas, zauważyłam, że cała klasa pozostaje pod magnetycznym wrażeniem jej znaczącej obecności.

— Dobry wieczór. Nie mogłam się doczekać, kiedy przejdziemy do tej części materiału. To mój ulubiony temat: zagłębianie się w bogatą historię Amazonek oraz jej socjologiczne aspekty. — Wskazała na mnie. — Idealna pora dla Zoey, która właśnie teraz do nas dołączyła. Jestem jej mentorką, dlatego liczę, że moi uczniowie powitają ją gorąco. Damien, czy mógłbyś dać Zoey podręcznik? Jej szafka znajduje się tuż obok twojej. A w tym czasie, kiedy będziesz ją zapoznawał z systemem zamykania szafek, chciałabym, aby pozostali zastanowili się nad pierwszymi skojarzeniami, jakie wam się nasuwają na temat starożytnych wampirzych wojowniczek, które znamy jako Amazonki.

Przez klasę przebiegł typowy w takich sytuacjach szmer przewracanych kartek i szeptów, gdy tymczasem Damien poprowadził mnie do tylnej części klasy, gdzie cała ściana zabudowana była uczniowskimi szafkami. Otworzył tę, która miała numer „12" w srebrnym kolorze. Szafka zawierała wygodne szerokie półki z podręcznikami i innymi pomocami szkolnymi.

— W Domu Nocy nie ma zamykanych szafek, jak w większości zwykłych szkół. To nasza macierzysta klasa, dlatego tutaj mamy nasze szafki. Sala zawsze jest otwarta, tak że o każdej porze można tu przyjść po książki czy cokolwiek, czego stąd potrzebujesz, tak samo jakbyś szła do zamykanej szafki gdzie indziej. Masz tu podręcznik do socjologii.

Podał mi gruby tom oprawiony w skórę, z wytłoczoną na okładce sylwetką bogini oraz wykonanym złotymi literami tytułem: *Socjologia wampirów 101.* Wzięłam też zeszyt i kilka długopisów. Kiedy zamykałam drzwiczki, zawahałam się przez chwilę.

— Nie ma tu żadnego zamka czy innego zamknięcia?

— Nie. — Damien zniżył głos do szeptu. — Tutaj zamki są niepotrzebne. Gdyby ktoś coś ukradł, wampiry by się o tym dowiedziały. Wolę nawet nie myśleć, co by się stało z tym, kto byłby na tyle głupi, żeby się czegoś takiego dopuścić.

Kiedy wróciliśmy na miejsca, zaraz zaczęłam pisać to, co wiedziałam o Amazonkach: że należały do wojujących kobiet, którym mężczyźni nie bardzo byli potrzebni, ale jakoś nie mogłam się skupić. Cały czas absorbowała mnie myśl, dlaczego Damien, Stevie Rae, a nawet Erin i Shaunee tak bardzo obawiają się podpaść. Co do mnie, jestem dobrym dzieckiem — jasne, że nie idealnym, ale mimo wszystko... W każdym razie jak dotąd dopiero raz zasłużyłam na karę, i to nie z własnej winy. Naprawdę. Kiedyś pewien gnojek powiedział, bym mu obciągnęła fujarę. Co miałam zrobić? Śmiać się? Płakać? Zrobić obrażoną minę? Nie, wolałam po prostu dać mu w gębę. I właśnie za to zostałam ukarana. Musiałam zostać godzinę po lekcjach, co wcale nie było takie złe; przez ten czas odrobiłam pracę domową, a potem zaczęłam czytać nowy tom z serii Dziewczęcych Ploteczek. Zapewne kara w Domu Nocy pociągała za sobą coś więcej niż tylko zostanie po lekcjach i siedzenie w pokoju nauczycielskim przez czterdzieści pięć minut. Będę musiała zapytać o to Stevie Rae...

— Po pierwsze, jaki fragment tradycji związanej z Amazonkami kultywujemy tutaj, w Domu Nocy? — zadała pytanie Neferet, sprowadzając moją uwagę z powrotem do tematu lekcji.

Damien podniósł rękę do góry.

— Ukłon oznaczający szacunek, kiedy trzymamy zwiniętą dłoń na piersi, pochodzi od Amazonek. Podobnie jak powitanie, kiedy wymieniamy uścisk przedramion.

— Dobrze, Damien.

Aha. To wyjaśnia ten zabawny dla mnie na pierwszy rzut oka powitalny uścisk.

— Dalej, jakie pierwsze skojarzenia nasuwają wam się z Amazonkami jako wojowniczkami? — zapytała Neferet, zwracając się do klasy.

Blondynka siedząca po drugiej stronie klasy odpowiedziała:

— Amazonki praktykowały matriarchat, podobnie jest w społeczeństwie wampirów.

O rany, ta dziewczyna musi być niegłupia.

— To prawda, Elizabeth, ale kiedy ludzie rozprawiają o Amazonkach, dodają zazwyczaj coś jeszcze. Co mam na myśli?

— Ludzie chyba uważają, że Amazonki nienawidziły mężczyzn — odpowiedział Damien.

— Otóż to. My wiemy, choćby dlatego, że jesteśmy społeczeństwem matriarchalnym, że nie oznacza to automatycznie wrogości wobec mężczyzn. Nawet Nyks ma małżonka, boga Erebusa, któremu jest bardzo oddana. Amazonki wampirzyce były wyjątkowe w tym, że postanowiły same siebie bronić, nawet zbrojnie. Jak większość z was już wie, nasze społeczeństwo również praktykuje matriarchat, ale uznajemy też i szanujemy Synów Ciemności, których uważamy za swoich obrońców i małżonków. A teraz otwórzcie podręczniki na rozdziale trzecim, gdzie zapoznacie się z najznakomitszą z Amazonek, Pentesileą. Tylko pamiętajcie, by nie pomieszać legendy o niej z historyczną prawdą.

Neferet rozpoczęła wykład, który był najciekawszy ze wszystkich, jakie kiedykolwiek zdarzyło mi się słyszeć. Nawet nie zauważyłam, kiedy minęła godzina, dzwonek na koniec lekcji całkowicie mnie zaskoczył. A kiedy chowałam z powrotem podręcznik i zeszyt do swojej skrytki, usłyszałam, jak Neferet woła mnie po imieniu. Chwyciłam zeszyt i pióro i popędziłam do jej biurka.

— Jak się czujesz? — zapytała, uśmiechając się do mnie ciepło.

— Dobrze, w porządku — odpowiedziałam skwapliwie.

Uniosła brwi zdziwiona.

— Jestem może trochę zdenerwowana i zdezorientowana.

— To zrozumiałe. Tyle nowego zdarzyło się w twoim życiu, a zmiana szkoły zawsze jest trudnym doświadczeniem, zwłaszcza że w grę wchodzi również zmiana całego życia. — Zobaczyła za moimi plecami przechodzącego Damiena. — Damien — przywołała go — zaprowadzisz Zoey do pracowni teatralnej?

— Oczywiście — zgodził się Damien.

— Zoey, zobaczymy się wieczorem na obchodach. Aha, czy Afrodyta przysłała ci formalne zaproszenie na równoległe obchody tych samych uroczystości przez Córy Ciemności?

— Tak.

— Wolę się upewnić, czy rzeczywiście masz ochotę tam pójść. Jeśli odmówisz, zrozumiem, ale namawiałabym cię do wzięcia udziału w ich prywatnych obchodach. Chciałabym, żebyś korzystała z każdej nadarzającej się okazji i brała udział w naszym życiu, a Córy Ciemności to elitarna organizacja. Powinno ci pochlebiać, że już zwróciły na ciebie uwagę i chcą cię zwerbować.

— Nie mam nic przeciwko temu, żeby tam iść — odpowiedziałam, zmuszając się do swobodnego uśmiechu. Było oczywiste, iż Neferet życzy sobie, bym wzięła udział w uroczystości, a ja z pewnością nie chciałam jej zawieść. Poza tym za nic nie dałabym Afrodycie powodu do myślenia, że stchórzyłam.

— Brawo — pochwaliła mnie Neferet, najwyraźniej zadowolona. Ścisnęła mnie za ramię, ja z kolei uśmiechnęłam się do niej. — Gdybym ci była potrzebna, mój gabinet znajduje się po tej samej stronie co szpitalik. — Popatrzyła uważnie na moje czoło. — Widzę, że szwy prawie całkowicie się rozpuściły. Świetnie. Czy głowa cię jeszcze boli?

Odruchowo dotknęłam skroni. Namacałam najwyżej jeden lub dwa szwy, podczas gdy wczoraj wyczuwałam, że jest ich co najmniej dziesięć. Dziwne, bardzo dziwne. A co jeszcze dziwniejsze, od rana ani razu nie pomyślałam o tym skaleczeniu.

Uświadomiłam też sobie, że nie pomyślałam ani razu o Mamie, a nawet o Babci Redbird. Heatha też nie wspomniałam...

— Nie — odpowiedziałam pospiesznie, widząc, że Neferet i Damien nadal czekają na moją odpowiedź. — Nie, w ogóle mnie już nie boli.

— To dobrze! A teraz idźcie już, bo się spóźnicie. Wiem, że lekcje z dramatu ci się spodobają. Profesor Nolan właśnie zaczęła omawiać monologi.

Byłam już w połowie drogi, usiłując dotrzymać kroku Damienowi, kiedy coś mnie zastanowiło.

— Zaraz, skąd ona wiedziała, że wybrałam dramat? Przecież dopiero rano podjęłam taką decyzję.

— Czasami dorosłe wampiry wiedzą stanowczo za dużo — szepnął Damien. — Wróć, chciałem powiedzieć, że dorosłe wampiry zawsze wiedzą za dużo, zwłaszcza jeśli ten dorosły wampir jest starszą kapłanką.

Zważywszy, co przemilczałam przed Neferet, wolałam dłużej się nad tym nie zastanawiać.

— Hej, wy! — Podbiegła do nas Stevie Rae. — No i jak ci się podobała socjologia wampirów? Zaczęliście od Amazonek?

— Fajnie było — odrzekłam zadowolona, że możemy zmienić temat i przestać rozmawiać o wszystkowiedzących wampirach. — Nie miałam pojęcia, że one rzeczywiście odcinały sobie prawą pierś, by pozostać poza konkurencją.

— Nie musiałyby tego robić, gdyby były tak płaskie jak ja — skonstatowała Stevie Rae, patrząc wymownie na swoją klatkę piersiową.

— Albo ja — westchnął komicznie Damien.

Jeszcze chichotałam, kiedy stanęliśmy pod drzwiami pracowni teatralnej.

Profesor Nolan nie miała takiej charyzmy jak Neferet. Kipiała za to energią. Miała mocną gruszkowatą sylwetkę, czarne długie włosy i — o czym już wspominała Stevie Rae — silny teksański akcent.

— Witaj, Zoey. Siadaj, gdzie ci się podoba.

Powiedziałam „cześć" i usiadłam obok Elizabeth, którą poznałam na lekcji socjologii wampirów. Wyglądała sympatycznie, a wiedziałam już, że jest inteligentna. Nigdy nie zaszkodzi usiąść obok mądrego ucznia.

— Przystępujemy teraz do monologów. Każdy z was wybierze sobie jakiś fragment i przedstawi go na zajęciach w przyszłym tygodniu. Najpierw jednak zobaczycie, jak monolog powinien być podany. Poprosiłam jednego ze zdolniejszych słuchaczy piątego formatowania, by do nas zajrzał i zaprezentował słynny monolog z *Otella*, sztuki napisanej przez znanego dramaturga, a jednocześnie wampira, Szekspira. — Profesor Nolan przerwała, by wyjrzeć przez okno. — Otóż i on — powiedziała.

Drzwi się otwarły i zobaczyłam... Jezu kochany... serce stanęło mi z wrażenia. Jestem pewna, że szczęka mi opadła niczym u jakiegoś idioty. To był najprzystojniejszy chłopak, jakiego zdarzyło mi się widzieć w całym moim życiu. Wysoki, o ciemnych kręconych włosach, dokładnie takich, jakie ma Superman. Oczy cudnie szafirowe...

Do diabła! To ten chłopak z holu!

— Wejdź, Eriku. Jak zawsze pojawiasz się w najodpowiedniejszym momencie. My już jesteśmy gotowi słuchać monologu w twoim wydaniu. — Odwróciła się do klasy. — Większość z was zna Erika Nighta, studenta piątego formatowania. Pamiętamy też, że to on zajął pierwsze miejsce w konkursie na monolog zorganizowanym dla wszystkich Domów Nocy na świecie, którego finał odbył się w ubiegłym roku w Londynie. W Hollywood i na Broadwayu zrobił się też wokół niego szumek, kiedy zagrał Tony'ego w naszej inscenizacji West Side Story. Wszyscy cię słuchamy, Eriku. — Profesor Nolan promieniała.

Niczym automat klaskałam wraz z całą klasą. Zadowolony i uśmiechnięty Erik wszedł na niewielką scenę z przodu wielkiej, przestronnej klasy.

— Cześć. Jak się macie?

Mówił to do mnie. Naprawdę słowa te skierował wyłącznie do mnie. Czułam, jak robi mi się gorąco.

— Monolog na ogół onieśmiela aktorów, ale musicie odnieść się do tekstu tak, jakbyście go odgrywali przy pełnej obsadzie aktorskiej. Spróbujcie wmówić sobie, że nie jesteście na scenie sami, o, tak...

Rozpoczął monolog z *Otella*. Niewiele wiem o tej sztuce, tyle że napisał ją Szekspir, ale i tak gra Erika była wspaniała. Chłopak jest wysoki, ma pewnie z sześć stóp, lecz kiedy zaczął mówić, od razu wydał się wyższy, doroślejszy, władczy. W jego głębokim głosie pobrzmiewał akcent, którego nie potrafiłam zidentyfikować. Jego niesamowite oczy pociemniały i zwęziły się w szparki, a gdy wymówił imię Desdemony, brzmiało to jak modlitwa. Było oczywiste, że ją kocha, jeszcze zanim wypowiedział ostatnie wersy:

Ona mnie pokochała za przebyte
Niebezpieczeństwa, a jam ją pokochał
Za okazane nad nimi współczucie.

Kiedy wymawiał ostatnie słowa, jego oczy spotkały się z moimi, jak zahipnotyzowani nie mogliśmy oderwać od siebie wzroku, jakbyśmy byli sami w tej sali, tylko my i nikt inny. Poczułam przeszywający mnie dreszcz podobny do dwóch takich doznań, jakie zdarzyły mi się, odkąd Tracker mnie Naznaczył, kiedy poczułam zapach krwi. Tym razem jednak ani kropli nie było w całym pomieszczeniu. Tylko Erik. Uśmiechnął się, przytknął palec do ust i posłał mi na odległość pocałunek, po czym ukłonił się. Rozległy się frenetyczne oklaski, ja też klaskałam, nie mogłam się powstrzymać.

— No właśnie, tak to powinno się robić — powiedziała profesor Nolan. — Z tyłu klasy na czerwonych półkach znajdziecie egzemplarze tekstów monologów. Niech każdy z was weźmie po kilka książeczek i je przejrzy. Szukajcie takiej sceny, która będzie coś ważnego dla was znaczyła, coś w was poruszy. Będę krążyła po klasie gotowa odpowiedzieć na pytania, jakie mogą się wam nasunąć przy lekturze tych monologów. Kiedy już wybierzecie odpowiedni dla siebie tekst, pomogę wam we wszystkich etapach przygotowania prezentacji. — Z uśmiechem, który dodawał nam energii, ruchem głowy skierowała nas do półek z niezliczonymi książkami, z których mogliśmy wybrać odpowiednie monologi.

Nadal zaczerwieniona i bez tchu ruszyłam jednak z całą klasą w stronę półek, choć nie mogłam się powstrzymać, by nie zerkać przez ramię na Erika. Niestety właśnie opuszczał klasę, ale gdy się odwrócił, napotkał moje spojrzenie. Przyłapana na gapieniu się na niego, zaczerwieniłam się jeszcze bardziej, a on uśmiechnął się do mnie i dopiero wtedy wyszedł z klasy.

— Ależ on jest cholernie seksowny — ktoś szepnął mi do ucha. To Elizabeth, ta idealna uczennica, też się gapiła na niego. Wachlowała się pracowicie dla ostudzenia żaru, jaki w niej wywołał.

— Czy on nie ma swojej dziewczyny? — zapytałam jak kretynka.

— Tylko w moich marzeniach. Chociaż mówi się, że on i Afrodyta chodzili ze sobą, ale od kiedy tu jestem, czyli od dwóch miesięcy, już się ich razem nie widuje. Masz — wyciągnęła w moją stronę kilka egzemplarzy skryptów z monologami. — Jestem Elizabeth, bez nazwiska.

Musiałam mieć wypisane na twarzy niepomierne zdziwienie pomieszane z niezrozumieniem, bo Elizabeth westchnęła i wyjaśniła:

— Moje nazwisko brzmiało Titworth. Wyobrażasz sobie? Kiedy przyjęto mnie tutaj przed kilkoma tygodniami, mentorka powiedziała, że mogę wybrać sobie nowe nazwisko, takie, jakie mi się podoba. Nie miałam wątpliwości, że chcę pozbyć się tej Titworth, ale wymyślenie nowego nazwiska nieoczekiwanie zaczęło mnie stresować. Postanowiłam więc zostawić imię i nie zawracać sobie głowy nazwiskiem. — Elizabeth Bez Nazwiska wzruszyła ramionami.

— No to cześć — powitałam ją. Rzeczywiście sporo oryginałów tu trafiło.

— Wiesz co? — powiedziała, kiedy już wracałyśmy do ławek. — Erik patrzył na ciebie.

— Na wszystkich patrzył — sprostowałam, czując, że znów się czerwienię i oblewa mnie żar.

— Tak, ale na ciebie w szczególności. — Uśmiechnęła się i dodała: — Uważam, że twój kolorowy Znak jest bombowy.

— Dzięki — odrzekłam. Pewnie wyglądał idiotycznie na zaczerwienionej jak burak twarzy.

— Masz jakieś pytania, Zoey, w związku z wyborem monologu? — zapytała profesor Nolan, a ja zaskoczona zerwałam się na równe nogi.

— Nie, pani profesor — odpowiedziałam. — W poprzedniej szkole przerabialiśmy monologi.

— Świetnie. Powiedz, jeśli będziesz potrzebowała jakichś wskazówek co do scenografii czy charakteru postaci. — Poklepała mnie po ramieniu i dalej ruszyła w obchód po sali.

Otworzyłam pierwszą z brzegu książkę i zaczęłam bezmyślnie przewracać kartki, próbując — bezskutecznie — zapomnieć o Eriku i skupić się na monologach.

On rzeczywiście patrzył na mnie. Ale dlaczego? Musi wiedzieć, że to ja byłam wtedy w holu. Co go więc we mnie mogło zainteresować? A ja? Czy chcę mieć do czynienia z chłopakiem, któremu znienawidzona Afrodyta robiła loda? Zapewne nie powinnam. To znaczy, nie zamierzałam brać tego, co skapnie z łaski Afrodyty. A może tak jak wszyscy ciekaw był tylko mojego wypełnionego kolorem Znaku?

Ale chyba nie. Wyglądało na to, że patrzył na mnie dla mnie. I to mi się podobało.

Spojrzałam na książkę, która dotychczas nie przyciągnęła mojej uwagi. Była otwarta na rozdziale „Monologi teatralne dla kobiet". Na pierwszej stronie widniał monolog z *Always Ridiculous* Joségo Echegaraya.

Do diabła, to musi być omen.

)

ROZDZIAŁ TRZYNASTY

Sama znalazłam drogę do pracowni literatury. Znajdowała się z drugiej strony gabinetu Neferet. Poczułam się pewniejsza, gdy nie musiałam jak zagubiona pierwszoklasistka pytać o drogę.

— Zoey! Trzymam dla ciebie miejsce! — zawołała Stevie Rae, gdy tylko weszłam do klasy. Siedziała obok Damiena i podekscytowana wręcz podskakiwała na krześle. Uśmiechnęłam się na jej widok, który znów nasunął mi skojarzenie z radosnym szczeniaczkiem. Naprawdę ucieszyłam się, że ją widzę.

— Opowiadaj! Szybko! Jak było na zajęciach z dramatu? Podobały ci się? A profesor Nolan? Polubiłaś ją? Prawda, że jej tatuaż jest odlotowy? Mnie przypomina coś w rodzaju maski.

Damien potrząsnął Stevie Rae za ramię.

— Spoko. Daj jej odpowiedzieć.

— Przepraszam — bąknęła lekko speszona.

— Faktycznie, tatuaże ma niezłe.

— Niezłe?

— Wiesz, byłam trochę rozkojarzona i specjalnie im się nie przyglądałam.

— Co ty mówisz? — Oczy jej się zwęziły. — Czy ktoś ci robił jakieś uwagi na temat twojego Znaku? Słowo daję, ludzie są czasem strasznie niewychowani.

— Nie, nie o to chodzi. A co do Znaku, to Elizabeth Bez Nazwiska powiedziała, że jest bombowy. Czułam się rozkojarzona, ponieważ... — Znów oblałam się gorącym rumieńcem. Chciałam ich wypytać o Erika, ale kiedy już przyszło co do czego, nabrałam wątpliwości, czy powinnam im cokolwiek mówić, na przykład o tym, co widziałam w holu.

Damien nadstawił uszu.

— Oho, domyślam się, że zaraz usłyszę smakowite nowinki. No, dalej, Zoey, byłaś rozkojarzona, boooo... — Ostatni wyraz wymówił tak, że przypominał wielki znak zapytania.

— No dobrze, już powiem. Właściwie to się sprowadza do dwóch słów: Erik Night.

Stevie Rae opadła szczęka, a Damien wykonał głęboki ukłon, ale natychmiast się wyprostował, bo do sali weszła zamaszystym krokiem profesor Pentesilea.

— Później nam dokończysz — szepnęła Stevie Rae.

— Koniecznie — poparł ją niemal bezgłośnie Damien.

Uśmiechnęłam się z niewinną minką. Byłam pewna, że przez najbliższą godzinę będą umierali z ciekawości.

Lekcja literatury okazała się ciekawym doświadczeniem. Po pierwsze — klasa wyglądała zupełnie inaczej niż wszystkie, jakie znałam dotychczas. Na ścianach wisiały najprzeróżniejsze plakaty i obrazki, które wyglądały na prawdziwe dzieła sztuki pokrywające każdy centymetr wolnej powierzchni. Z sufitu natomiast zwieszały się wietrzne dzwoneczki i całe mnóstwo kryształków. Nazwisko profesor Pentesilei, na którą wszyscy mówili: profesor P, poznałam na lekcji socjologii wampirów jako imię jednej z najbardziej znaczących Amazonek. Przypominała mi filmową postać (oczywiście z filmów nadawanych na kanale z filmami naukowymi). Miała długie czerwonorude włosy, duże oczy w kolorze orzechów laskowych i zgrabną sylwetkę, na której widok zapewne ślinili się wszyscy chłopcy bez wyjątku, o co nietrudno, jeśli jest się pryszczatym wyrostkiem. Tatuaż w celtyckie wzory, wykonany cienką linią, okalał jej twarz i kości policzkowe, które przez to wydawały się bardziej wydatne. Czarne spodnie, które miała na sobie, robiły wrażenie dość kosztownych, a jedwabny bliźniak w kolorze mchu ozdobiony był haftem przedstawiającym tę samą postać bogini, jaką miała na swojej bluzce Neferet. Kiedy o tym pomyślałam, odrywając myśli od Erika, zdałam sobie sprawę, że profesor Nolan miała taki sam wizerunek bogini na kieszonce na piersiach. Zastanawiające...

— Urodziłam się w kwietniu 1902 roku — powiedziała profesor Pentesilea, wyznaniem tym od razu skupiając na sobie uwagę. Bo wyglądała najwyżej na trzydzieści lat. — A zatem w roku 1912 miałam już dziesięć lat, pamiętam więc bardzo dobrze tę tragedię. Czy ktoś wie, o czym mówię?

Wiedziałam dokładnie, o czym ona mówi, ale ja miałam fioła na punkcie historii. A to dlatego, że parę lat temu wydawało mi się, że jestem beznadziejnie zakochana w Leonardzie DiCaprio, więc mama dała mi cały komplet filmów na DVD z jego udziałem. A ten film oglądałam tyle razy, że znam go niemal na pamięć i za każdym razem zalewałam się łzami, kiedy on ześlizgiwał się do morza jak wspaniała figurka lodowa.

Rozejrzałam się wokół. Odniosłam wrażenie, że nikt prócz mnie nie zna odpowiedzi na pytanie profesor Pentesilei, więc westchnęłam i podniosłam do góry rękę.

Profesor Pentesilea uśmiechnęła się i wywołała mnie do odpowiedzi.

— Proszę, panno Redbird.

— W kwietniu 1912 roku zatonął *Titanic.* Czternastego późnym wieczorem zderzył się z górą lodową, a piętnastego, w kilka godzin później, poszedł na dno.

Usłyszałam, jak Damien wciąga ze świstem powietrze, a Stevie Rae westchnęła. O rany, czyżbym dotąd rzeczywiście zachowywała się jak przygłup, że teraz doznają szoku, gdy uda mi się udzielić poprawnej odpowiedzi?

— Uwielbiam, jak adept, który dopiero do nas przychodzi, coś już wie — powiedziała profesor Pentesilea. — Bardzo dobrze, panno Redbird. Kiedy wydarzyła się ta tragedia, mieszkałam w Chicago. Nigdy nie zapomnę, jak na rogach ulic gazeciarze wykrzykiwali nagłówki gazet donoszących o tym strasznym wypadku. Tym straszniejszym, że można było uniknąć tylu ofiar. Przepowiadano koniec pewnej ery i początek następnej, a także wprowadzenie niezbędnych zmian w prawie morskim. O tym wszystkim będziemy się teraz uczyli, a także o zdarzeniach tej nocy opisanych melodramatycznie w innej bardzo poczytnej powieści Waltera Lorda *A Night to Remember*. Mimo że Lord nie był wampirem — a wielka szkoda, dodała pod nosem — pozostaję pod nieustannym urokiem tej książki, jego stylu, atmosfery, jaką potrafił oddać. W takim razie: zaczynamy! Proszę osoby, które siedzą na końcu, żeby przyniosły książki dla swojego rzędu. Znajdą je na długim regale pod ścianą z tyłu klasy.

Ekstra! To znacznie ciekawsze niż lektura takiego na przykład Dickensa (kogo w rzeczywistości obchodzą jego bohaterowie?). Usadowiłam się wygodnie z książką na kolanach i zeszytem, gotowa robić notatki. Profesor P zaczęła nam głośno czytać rozdział pierwszy, a muszę przyznać, że była bardzo dobrą lektorką. Mijała właśnie trzecia lekcja na nowym miejscu i każda mi się podobała. Czyżby szkoła wampirów miała być czymś więcej niż nudnym miejscem, do którego chodzi się codziennie z musu i po to, żeby spotkać się z koleżankami? W mojej starej szkole może nie wszystkie lekcje były strasznie nudne, ale na pewno nie uczono tam o Amazonkach ani też nie było lekcji o Titanicu, w dodatku prowadzonej przez nauczycielkę, która żyła w tamtych czasach!

Popatrzyłam po twarzach pozostałych uczniów słuchających lektury. Było nas chyba około piętnastu osób, czyli tyle co na poprzednich lekcjach, wszyscy trzymali na kolanach rozłożone książki i uważnie słuchali.

W pewnej chwili spostrzegłam czyjś rudy kudłaty łeb w ostatnim rzędzie. A więc nie wszyscy uważnie słuchali, pospieszyłam się z tą oceną. Chłopak złożył głowę na rękach splecionych na blacie i spał, posapując. Widziałam to, ponieważ jego blada, usiana piegami twarz zwrócona była w moją stronę. Miał otwarte usta, chyba nawet strużka śliny ściekała mu na brodę. Zastanawiałam się, jak profesor P potraktuje takiego ucznia. Nie wyglądała na nauczycielkę, która pozwoli, by jakiś matoł ucinał sobie drzemkę na jej lekcji, ale czytała dalej, przerywając lekturę jedynie na wtrącenie ciekawych informacji dotyczących realiów życia na początku wieku, co ja akurat uwielbiam. Fascynuje mnie zwłaszcza to, co dotyczy *flappers*, młodych wyzwolonych kobiet lat dwudziestych (gdybym żyła w tamtych czasach, na pewno byłabym jedną z nich). Dopiero gdy zbliżał się koniec lekcji, tuż przed dzwonkiem, profesor P zadała nam lekturę następnego rozdziału jako pracę domową i pozwoliła rozmawiać ze sobą przyciszonymi głosami. Zachowywała się, jakby właśnie zauważyła śpiącego chłopaka. On tymczasem przebudził się, ukazując twarz z odciśniętym czerwonym kółkiem na czole. Zupełnie nie pasował do tego miejsca, jedynie jego Znak dowodził, że jest nasz.

— Elliott, muszę z tobą porozmawiać — powiedziała zza biurka profesor P.

— Tak?

— Elliott, wiesz, że z literatury będziesz miał niedostateczny. Co gorsza, nie zdasz swojego życiowego egzaminu. Wampiry mężczyźni mają być silni, ambitni, wyjątkowi. Przez całe pokolenia byli wojownikami stającymi w naszej obronie. Jak ty sobie wyobrażasz, że przejdziesz Przemianę, która cię uczyni dzielniejszym od ludzkich mężczyzn, skoro nawet nie stać cię na to, żeby uważać na lekcji, tylko ją przesypiasz?

Wzruszył ramionami, które bynajmniej nie wydawały się silne.

Jej spojrzenie stwardniało.

— Dam ci ostatnią szansę odrobienia pały, którą dostajesz za swoje zachowanie na dzisiejszej lekcji. Napiszesz wypracowanie na temat jakiegoś wydarzenia, które na początku lat dwudziestych okazało się dla Ameryki ważne. Masz termin do jutra.

Bez słowa chłopak odwrócił się i zamierzał wrócić na miejsce.

— Elliott. — Głos profesor P teraz brzmiał złowrogo, niepodobny do tonu, jakim czytała nam tekst. Czuło się bijącą od niej siłę, tak że zaczęłam się zastanawiać, czy ona w ogóle potrzebuje jakiejkolwiek męskiej opieki. Dzieciak zatrzymał się i odwrócił do niej. — Jeszcze nie pozwoliłam ci odejść. Co postanowiłeś w kwestii napisania na jutro wypracowania, by odrobić dzisiejszą ocenę niedostateczną?

Chłopak stał i nie odzywał się.

— Oczekuję odpowiedzi, Elliott. I to niezwłocznej! — Jej rozkazujący ton przeszył powietrze, aż poczułam, jak przechodzą mnie ciarki.

Ale na nim najwyraźniej nie wywarło to najmniejszego wrażenia, bo znów wzruszył ramionami i odpowiedział:

— Pewnie tego nie zrobię.

— Taką odpowiedzią sam wystawiasz sobie świadectwo, i to złe świadectwo. Sprawiasz też zawód swojemu mentorowi.

Chłopak znów wzruszył ramionami, zaczął bezmyślnie dłubać w nosie i odpowiedział niedbale:

— Smok wie, że ja już taki jestem.

Rozległ się dźwięk dzwonka i profesor P z nieskrywanym niesmakiem na twarzy wskazała mu ruchem głowy, że może odejść. Damien, Stevie Rae i ja wstaliśmy i ruszyliśmy do wyjścia, kiedy Elliott nagle przepchał się obok nas, poruszając się nawet dość szybko jak na takiego ślimaka. Odepchnął Damiena, który wysforował się przed nas. Damien jęknął i zaczął trochę kuleć.

— Spadaj, pierdolony pedale — warknął chłopak, odpychając go, by wyjść pierwszy.

— Powinno się nieźle wpieprzyć temu dupkowi, toby miał nauczkę — zaperzyła się Stevie Rae, doganiając Damiena.

Potrząsnął głową.

— Daj spokój. On ma inne, znacznie większe zmartwienia.

— Na przykład takie, że ma kaku pod sufitem — powiedziałam, widząc, jak już przepchał się na koniec korytarza. Nawet włosy miał nieładne.

— Kaku pod sufitem? — zaśmiał się Damien, biorąc pod rękę mnie z jednej strony, a z drugiej Stevie Rae i prowadząc nas niczym postaci z *Czarnoksiężnika ze Szmaragdowego Grodu*. — To mi się podoba u naszej Zoey — powiedział. — Jej podejście do wulgaryzmów.

— Kaku nie jest wulgarnym określeniem — zaczęłam się bronić.

— On to właśnie ma na myśli, koteczku — roześmiała się Stevie Rae.

— Aha — zawtórowałam jej rozluźniona, bo naprawdę bardzo, ale to bardzo mi się podobało, że Damien powiedział o mnie „nasza Zoey". To znaczy, że tu jest moje miejsce, tu jest mój dom.

ROZDZIAŁ CZTERNASTY

Zajęcia z szermierki ku memu zdziwieniu też były fajne. Lekcja odbywała się w wielkiej sali w części sportowej, która przypominała studio taneczne ze ścianami wyłożonymi lustrami od podłogi do sufitu. Z jednej strony sufitu zwieszały się naturalnej wielkości dziwne manekiny, które kojarzyły mi się z tarczami strzelniczymi. Profesora Lankforda wszyscy nazywali Smok Lankford albo po prostu Smok. Nietrudno było się domyślić, skąd ta ksywka. Tatuaż Lankforda przedstawiał dwa splecione ze sobą smoki, które okalały jego żuchwę. Głowy smoków znajdowały się nad jego brwiami, a ich otwarte paszcze ziały ogniem w stronę półksiężyca. Ten oryginalny rysunek przykuwał wzrok. Ponadto Smok był pierwszym dorosłym wampirem, którego widziałam z bliska. Początkowo mnie onieśmielał. Chyba dorosłego wampira wyobrażałam sobie zupełnie inaczej. Utrwalił mi się w głowie stereotyp wampira lansowany przez filmy — powinien być wysoki, przystojny i groźny. Wiecie, taki jak Vin Diesel. Smok natomiast był niski, miał jasne długie włosy ściągnięte z tyłu w kucyk i mimo groźnie wyglądających smoków z tatuażu, rysy sympatyczne, a uśmiech ciepły.

Kiedy jednak rozpoczął z nami ćwiczenia na rozgrzewkę, zaczęłam zdawać sobie sprawę z jego władzy. Od momentu, w którym uniósł w powitalnym geście swoją szablę (wkrótce się dowiedziałam, że to nie szabla, tylko épée), stał się jakby kimś innym, kimś, kto się porusza niebywale szybko i zręcznie. Zamarkował cios, a zaraz potem wykonał szybkie pchnięcie i tak bez trudu fechtował się ze wszystkimi po kolei. Dzieciaki, które wydawały się całkiem zręczne, jak na przykład Damien, przy nim wyglądały jak kanciaste marionetki. Po skończonej rozgrzewce Smok połączył nas w pary, byśmy razem wykonali ćwiczenie, które nazwał „standardami". Doznałam ulgi, gdy za partnera wyznaczył mi Damiena.

— Dobrze, że jesteś z nami w Domu Nocy — powiedział Smok, potrząsając moją ręką tak, jak robiły to Amazonki. — Damien wyjaśni ci znaczenie poszczególnych części naszego stroju, a ja dam ci broszurkę na ten temat, byś sobie poczytała w najbliższych dniach. Domyślam się, że jeszcze nie miałaś do czynienia z tą dziedziną sportu?

— Nie — odpowiedziałam i zaraz dodałam: — Ale chciałabym się tego uczyć. Podoba mi się pomysł posługiwania się szablą.

— Floretem — poprawił mnie. — Nauczysz się posługiwać floretem. To najlżejszy z trzech typów broni, jakie tu mamy. Najodpowiedniejszy dla kobiet. Czy wiesz, że szermierka to jedyna dziedzina sportu, w której kobiety i mężczyźni mogą walczyć ze sobą jak równy z równym?

— Nie — odpowiedziałam zachwycona tym, co usłyszałam. Bomba! Móc dokopać chłopakowi w sportowej walce!

— A to dlatego, że inteligentny i skoncentrowany florecista może z powodzeniem zrekompensować pewne swoje niedostatki, jak mniejsza siła lub zasięg ramion, i nawet przemienić je w walory. Inaczej mówiąc, możesz nie być tak silna czy szybka jak twój przeciwnik, ale możesz okazać większą inteligencję, umieć się lepiej skoncentrować, co podnosi twoje szanse. Prawda, Damien?

Damien wyszczerzył zęby w szerokim uśmiechu.

— Prawda.

— Damien jak nikt potrafi się skupić na walce. Od wielu lat jestem trenerem i mówię odpowiedzialnie: z niego jest groźny przeciwnik.

Kątem oka zauważyłam, jak Damien, dumny i szczęśliwy, oblewa się mocnym rumieńcem.

— Poproszę Damiena, by poćwiczył z tobą w przyszłym tygodniu niektóre początkowe manewry. Musisz też pamiętać, że szermierka wymaga doskonałego opanowania umiejętności, które następują po sobie. Jeśli jednej nie opanujesz, następna stanie się trudna do osiągnięcia, a wtedy szermierz będzie stale w trudniejszym położeniu.

— Dobrze, zapamiętam to sobie — obiecałam. Smok obdarzył mnie ciepłym uśmiechem, po czym zajął się kolejno poszczególnymi parami.

— Chodziło mu o to, byś się nie zniechęcała, jak będę ci kazał powtarzać do znudzenia te same ćwiczenia — uprzedził mnie Damien.

— Chcesz przez to powiedzieć, że będziesz kazał mi powtarzać do znudzenia to samo, ale że kryje się za tym cel, który mamy osiągnąć?

— Aha. I jednym z takich celów jest rozruszanie tej twojej kształtnej dupki — powiedział prowokująco i poklepał mnie protekcjonalnie swoim floretem.

Trzepnęłam go w rewanżu, ale po dwudziestu minutach powtarzania wypadów, pchnięć i powrotów do pozycji wyjściowej zdążyłam się przekonać, że miał rację. Jutro moja dupka będzie obolała.

Po lekcji wzięliśmy szybki prysznic. Na szczęście kabiny prysznicowe znajdujące się po stronie szatni dziewcząt były oddzielone od siebie plastikowymi zasłonami, tak że nie musiałyśmy się czuć jak więźniarki, które w barbarzyńskich warunkach myją się we wspólnym otwartym pomieszczeniu. Potem wraz z innymi pospieszyłam do stołówki, na którą mówiło się „sala jadalna". „Pospieszyłam" to właściwe słowo, bo byłam już głodna jak wilk.

Lunch komponowało się samemu, wybierając, na co się miało ochotę, z obfitego bufetu, gdzie można było wziąć na przykład sałatkę z tuńczyka (fuj!) albo malutkie kukurydze, które nawet nie przypominały smakiem normalnego ziarna z dużych kolb. (Właściwie czym one były? Niedorosłymi kolbkami? Mutantami? Miniaturkami?). Nałożyłam sobie na talerz górę jedzenia, wzięłam też pajdę chleba wyglądającego na świeżo upieczony i wślizgnęłam się do boksu, w którym siedziała już Stevie Rae, a za mną podążał Damien. Erin i Shaunee już tam były, kłócąc się o to, czyje wypracowanie na zajęciach z literatury było lepsze, choć obie dostały jednakową liczbę punktów.

— To teraz, Zoey, opowiadaj. Co z Erikiem Nightem? — zapytała Stevie Rae, gdy tylko pierwszy kęs sałatki uniosłam do ust. Na jej słowa Bliźniaczki natychmiast zamilkły i wszyscy zgromadzeni przy stole skupili uwagę wyłącznie na tym, co powiem.

Zastanawiałam się wcześniej, co mam im powiedzieć na temat Erika, i uznałam, że nie należy jeszcze mówić nikomu o tej nieszczęsnej scenie z obciąganiem. Powiedziałam więc tylko:

— Patrzył na mnie.

Kiedy przyglądali mi się ze zmarszczonymi brwiami, zorientowałam się, że mówiłam z pełnymi ustami, a oni po prostu nie zrozumieli moich słów. Przełknęłam więc jedzenie i powtórzyłam:

— Cały czas na mnie patrzył. Na zajęciach z teatru. Czułam się... bo ja wiem?... trochę zmieszana.

— Co rozumiesz przez to, że patrzył na ciebie? — domagał się uściślenia Damien.

— Przyglądał mi się od samego początku, jak tylko wszedł do klasy, ale było to szczególnie wyraźne, kiedy zaczął monolog. Mówił ten kawałek z *Otella*, a gdy doszedł do fragmentu o miłości i tak dalej, patrzył mi prosto w oczy. Mogłabym pomyśleć, że to przypadek czy coś w tym rodzaju, ale przecież przyglądał mi się, zanim jeszcze zaczął mówić monolog, i potem, kiedy już wychodził z sali. — Westchnęłam i poruszyłam się niespokojnie na miejscu, bo poczułam się niezręcznie pod ich przeszywającymi spojrzeniami. — Nieważne. Może to należało do jego roli.

— Erik Night to najseksowniejsza sztuka w całej tej cholernej szkole — skonstatowała Shaunee.

— Nieprawda. To najseksowniejsza sztuka na całej kuli ziemskiej — poprawiła ją Erin.

— Nie jest bardziej seksowny od Kenny'ego Chesneya — wtrąciła szybko Stevie Rae.

— Och, daj spokój z tą swoją obsesją na punkcie country — zgromiła ją Shaunee, ale zaraz zwróciła się do mnie: — Nie pozwól, by okazja przeszła ci koło nosa.

— Właśnie — zawtórowała Erin. — Nie dopuść do tego.

— Żeby mi przeszła koło nosa? A co ja mam niby zrobić? Przecież on się nawet do mnie nie odezwał.

— Ojej, Zoey, czy ty się chociaż uśmiechnęłaś do niego w odpowiedzi? — zapytał Damien.

Zamrugałam. Czy się uśmiechnęłam? Cholera! Założę się, że nie. Na pewno siedziałam jak mumia i tylko się na niego gapiłam z otwartą gębą. No, może nie z otwartą gębą, ale mimo wszystko.

— Nie wiem — odpowiedziałam wykrętnie, co jednak nie zwiodło Damiena.

— Na drugi raz — prychnął — nie zapomnij się do niego uśmiechnąć.

— Możesz mu też powiedzieć „cześć" — dorzuciła Stevie Rae.

— Sadzę, że Erik to po prostu ładny chłopak — powiedziała Shaunee.

— I zgrabny — dodała Erin.

— Tak uważałam, zanim nie rzucił Afrodyty — ciągnęła Shaunee. — Ale kiedy to zrobił, pomyślałam, że coś się tam na górze może dziać.

— Wiemy, że coś się działo tu, na dole — nachmurzyła się Erin.

— No, no — cmoknęła Shaunee i oblizała wargi, jakby delektowała się czekoladą.

— Jesteście wulgarne — stwierdził Damien.

— Chciałyśmy tylko powiedzieć, że to najzgrabniejszy zadek w całym mieście — odrzekła Shaunee.

— A ty tego nie zauważyłeś, co? — przekomarzała się Erin.

— Gdybyś się odezwała do Erika, Afrodyta by się wkurzyła — powiedziała Stevie Rae.

Wszyscy odwrócili się do Stevie Rae i utkwili w niej wzrok, jakby przekroczyła Rubikon albo coś w tym rodzaju.

— To prawda — odezwał się Damien.

— I tylko prawda — zgodziła się Shaunee, a Erin pokiwała potakująco głową.

— Więc mówią, że on chodził z Afrodytą? — chciałam się upewnić.

— Aha — mruknęła Erin.

— Plotka jest śmieszna, ale prawdziwa — powiedziała Shaunee. — A teraz, kiedy ty mu się podobasz, nabiera to dodatkowego smaczku.

— Może patrzył tylko na mój nietypowy Znak — wtrąciłam.

— A może nie. Ty jesteś naprawdę fajna — uznała Stevie Rae ze słodkim uśmiechem.

— A może najpierw chciał popatrzyć na Znak, a potem zauważył, że jesteś fajna, więc dalej ci się przyglądał — domyślał się Damien.

— Tak czy owak Afrodyta na pewno będzie wkurzona — przepowiedziała Shaunee.

— I bardzo dobrze — ucieszyła się Erin.

Stevie Rae lekceważąco machnęła ręką na ich komentarze.

— Dajcie spokój ze Znakiem i Afrodytą, i podobnymi głupstwami. Ale następnym razem, kiedy on się do ciebie uśmiechnie, powiedz mu „cześć". I tyle.

— Łatwe — powiedziała Shaunee.

— I proste — uzupełniła Erin.

— Okay — mruknęłam, wracając do swojej sałatki i życząc sobie w duchu, by cała sprawa z Erikiem Nightem była tak łatwa i prosta, jak im się wydaje.

Jedyna rzecz wspólna dla wszystkich szkolnych stołówek, w jakich dotychczas jadłam, to że posiłek zbyt szybko się kończy. Lekcja hiszpańskiego, która po nim nastąpiła, minęła jak z bicza strzelił. Profesor Garmy była jak trąba powietrzna. Od razu ją polubiłam. Jej tatuaż przypominał trochę upierzenie, kojarzyła mi się więc z hiszpańskim ptaszkiem. Biegała po klasie, mówiąc bez przerwy po hiszpańsku. Tu muszę wspomnieć, że od ósmej klasy nie miałam do czynienia z hiszpańskim, i przyznaję bez bicia, że nie bardzo wtedy się przykładałam. Teraz nie nadążałam za tokiem lekcji, ale zapisałam pracę domową i postanowiłam sobie powtórzyć słówka, bo bardzo nie lubię odstawać od reszty.

Zajęcia początkowe z jeździectwa odbywały się w hali sportowej. Był to długi, niski murowany budynek, usytuowany przy południowym murze, z wielką areną jeździecką znajdującą się pod dachem. Wszędzie pachniało stajnią, końmi, trocinami, co pomieszane z zapachem skóry dawało przyjemne wrażenie, mimo że jednym ze składników owej przyjemności było końskie łajno.

Staliśmy z innymi w korralu, gdzie kazał nam czekać starszy uczeń z poważną, a nawet surową miną. Było nas zaledwie dziesięcioro, wszyscy z trzeciego formatowania. Ojej, ten rudzielec też był wśród nas, stał zgarbiony pod ścianą i zawzięcie kopał w trociny, tak że stojąca obok niego dziewczyna zaczęła kichać. Rzuciła mu gniewne spojrzenie i odsunęła się od niego parę kroków. O rany, czy on musi wszystkim działać na nerwy? I dlaczego nie zrobi czegoś z tą wiechą włosów? Mógłby je chociaż uczesać.

Odgłos kopyt końskich odwrócił moją uwagę od Elliotta, a kiedy podniosłam głowę, zobaczyłam, jak wspaniała czarna klacz galopuje wprost na arenę. Zatrzymała się gwałtownie, ryjąc kopytami tuż obok nas. Każdy gapił się na nią z rozdziawionymi ustami, a tymczasem jeźdźczyni z gracją zsunęła się z końskiego grzbietu. Miała długie włosy sięgające do pasa, tak jasne, że aż prawie białe, i szaroniebieskie oczy. Stanęła wyprostowana, a jej nieduża sylwetka i sposób, w jaki się trzymała, przypominał mi dziewczyny, które miały bzika na punkcie tańca, zawsze w pozycji wyjściowej stały tak, jakby ktoś im wetknął kijek w pupę. Jej twarz okalał tatuaż przedstawiający wymyślną plątaninę wzorów, wśród których można się było dopatrzyć motywu galopujących koni.

— Dobry wieczór, jestem Lenobia, a t o — wskazała na klacz, obrzucając nas pogardliwym spojrzeniem — to jest koń. — Jej głos odbijał się od ścian. Czarna klacz parsknęła jakby dla podkreślenia jej słów. — Wy jesteście moją nową grupą z trzeciego formatowania. Wybrano właśnie was do mojej grupy, ponieważ wydaje nam się, że może ujawnicie zdolności do jazdy konnej. Prawdą jednak jest, że mniej niż połowa dotrwa do końca semestru, a z nich znów mniej niż połowa nauczy się przyzwoicie jeździć na koniu. Czy są pytania? — Przerwała na tak krótką chwilę, że nikt nawet by nie zdążył zadać pytania. — Dobrze. W takim razie zaczynamy. Proszę za mną. — Odwróciła się i skierowała w stronę stajni. Poszliśmy za nią.

Miałam ochotę zapytać, co to za „my", którzy oceniali, czy mogą z nas być jeźdźcy, ale bałam się odezwać i tak jak inni potruchtałam za nią. Zatrzymała się przed szeregiem pustych boksów. Przed nimi stały widły i taczki. Lenobia odwróciła się do nas.

— Konie to nie są duże psy. I nie mają też nic wspólnego z romantycznym dziewczyńskim wyobrażeniem o idealnej przyjaźni ze zwierzęciem, które zawsze będzie was rozumiało.

Dwie stojące obok mnie dziewczyny zaczęły się wiercić niespokojnie, Lenobia jednak przeszyła je zimnym spojrzeniem swoich stalowych oczu.

— Konie wymagają od nas pracy. Potrzebują naszego poświęcenia, inteligencji oraz czasu. My zaczniemy od pracy. Tam gdzie trzymamy uprząż, znajdziecie również kalosze. Szybko wybierzcie sobie odpowiednią parę, a my przyniesiemy rękawice. Potem każdy z was zajmie się przydzielonym boksem i tam popracuje.

— Profesor Lenobio... — zaczęła pucołowata dziewczyna z miłą buzią, podnosząc do góry rękę.

— Wystarczy Lenobia. Imię starożytnej królowej wampirów, które sobie wybrałam, nie wymaga dodatkowych tytułów.

Nie miałam pojęcia, kim była Lenobia, więc zakarbowałam sobie w pamięci, by gdzieś to sprawdzić.

— Śmiało. Chciałaś o coś zapytać, Amando?

— Eee, tak.

Lenobia uniosła ostrzegawczo brew.

Amanda z widoczną trudnością przełknęła ślinę.

— „Tam popracuje", to właściwie co znaczy, pro... chciałam powiedzieć: Lenobio?

— Oczywiście chodzi o wyczyszczenie boksów. Nawóz ładuje się na taczki. Kiedy taczki będą już pełne, wywieziecie je na kompost, który zbieramy pod murem stajni. W magazynie znajdziecie świeże trociny, zaraz koło pomieszczenia z uprzężą. Macie pięćdziesiąt minut. Za trzy kwadranse przyjdę sprawdzić wasze boksy.

Patrzyliśmy na nią osłupiali.

— Możecie już zaczynać. Teraz.

Więc zaczęliśmy.

Może to zabrzmi dziwnie, ale naprawdę nie miałam nic przeciwko temu, żeby sprzątnąć boks. Końskie łajno nie jest takie znowu obrzydliwe. Zwłaszcza że widać było, iż boksy sprzątano codziennie, a nawet częściej. Złapałam kalosze, które były strasznie brzydkie, ale przynajmniej zakrywały mi dżinsy do kolan, parę rękawic roboczych i zabrałam się do pracy. Z głośników naprawdę doskonałej jakości płynęła muzyka. Idę o zakład, że były to melodie z najnowszej płyty Enyi (moja mama lubiła jej słuchać, zanim wyszła za Johna, ale przestała, kiedy on uznał, że to pogańska muzyka, więc ja zaczęłam jej namiętnie słuchać). Słuchałam zatem tej niesamowitej śpiewanej poezji gaelickiej i przerzucałam widłami końskie łajno. Nawet nie wiedziałam, kiedy zapełniły się całe taczki, które opróżniłam, by następnie wrzucić do nich czyste trociny. Właśnie je rozgarniałam równo po całej powierzchni boksu, kiedy poczułam, że ktoś mnie obserwuje.

— Dobra robota, Zoey.

Podskoczyłam na te słowa i zobaczyłam, że tuż przy wejściu do boksu stoi Lenobia. W jednej ręce trzymała wielkie miękkie zgrzebło, w drugiej — lejce dereszowatej klaczy o łagodnym sarnim spojrzeniu.

— Już to przedtem robiłaś — domyśliła się Lenobia.

— Moja babcia miała siwego wałacha, to było słodkie stworzenie, nazwałam go Królik — powiedziałam i zaraz sobie uprzytomniłam, że musiało to strasznie głupio zabrzmieć. Z wypiekami na twarzy zaczęłam się tłumaczyć:
— Miałam wtedy dziesięć lat, a jego maść kojarzyła mi się

z Królikiem Bugsem, więc tak go zaczęłam nazywać i tak już zostało.

Kąciki ust Lenobii uniosły się odrobinę, zapowiadając nikły cień uśmiechu.

— I czyściłaś boks Królika, tak? — zapytała.

— Tak. Lubiłam na nim jeździć, ale Babcia powiedziała, że jak się chce jeździć na koniu, trzeba po nim sprzątać. — Wzruszyłam ramionami. — No więc sprzątałam po nim.

— Twoja babcia to mądra kobieta.

Kiwnęłam głową na znak zgody.

— Nie miałaś nic przeciwko temu, żeby sprzątać po Króliku?

— Nie. Naprawdę nie.

— To dobrze. Poznaj Persefonę. — Lenobia ruchem głowy wskazała stojącą za nią klacz. — Właśnie wysprzątałaś jej boks.

Klacz weszła do boksu, idąc prosto do mnie: przysunęła łeb do mojej twarzy, delikatnie dmuchając przez nozdrza, co mnie zaczęło łaskotać, więc zachichotałam. Bezwiednie pogłaskałam ją po nosie i pocałowałam w aksamitny pysk.

— Jak się masz, Persefono? Śliczna z ciebie dziewczynka.

Lenobia skinęła głową z aprobatą, widząc, jak zawieramy z klaczą znajomość.

— Do dzwonka zostało jeszcze pięć minut i nie ma potrzeby, żebyś zostawała do końca lekcji, ale jeśli chcesz, możesz wyszczotkować Persefonę, zasłużyłaś na ten przywilej.

Zdziwiona spojrzałam na nią znad końskiej grzywy i usłyszałam swój głos wypowiadający słowa:

— Nie ma sprawy, mogę zostać.

— Świetnie. Kiedy skończysz, zostaw zgrzebło w pomieszczeniu z uprzężą. Zobaczymy się jutro, Zoey. — Lenobia wręczyła mi zgrzebło, poklepała klacz i zostawiła nas obie w boksie.

Persefona wetknęła łeb do metalowego koszyka, gdzie czekało na nią świeże siano, i zabrała się do jedzenia, a ja do wyczesywania jej. Nie pamiętałam już, jak uspokajająco działa oporządzanie konia. Królik bowiem umarł przed dwoma laty na atak serca, a Babcia zbyt była tym wstrząśnięta, by wziąć sobie innego konia. Powiedziała, że Królika (tak go zawsze nazywała) nie da się zastąpić. Tak więc od dwóch lat nie miałam do czynienia z końmi, ale wszystko natychmiast sobie przypomniałam: zapach, ciepło, uspokajający odgłos żucia, szelest zgrzebła przesuwanego po końskiej sierści...

Zaabsorbowana wspomnieniami ledwo rejestrowałam gniewny głos Lenobii, która mieszała z błotem ucznia, jak się domyślałam, zapewne rudowłosego chłopaka.

Zerknęłam spoza karku Persefony w stronę końca rzędu boksów. Oczywiście przed jednym z nich stał rudzielec niedbale oparty o ścianę, a przed nim Lenobia z rękami na biodrach. Nawet z daleka widziałam, że jest zła na niego jak diabli. Czy misją tego dzieciaka było wkurzać każdego nauczyciela? I jego mentorem miałby być Smok? Owszem, facet wyglądał łagodnie, dopóki nie dobył szabli — pardon, floretu — ale wtedy przedzierzgał się z łagodnego miłego faceta w śmiertelnie niebezpiecznego wampira wojownika.

— Temu rudemu dzieciakowi życie chyba jest niemiłe — wyznałam Persefonie, kiedy powróciłam do czesania. Klacz zastrzygła uchem w moją stronę i leciutko prychnęła. — Widzisz, że się ze mną zgadzasz? Chcesz wiedzieć, jaką mam teorię na temat wykurzenia z Ameryki wyłącznie przez moje pokolenie fajtłap i różnych niedojd?

Wyglądało na to, że Persefona słucha ze zrozumieniem, więc już zaczęłam rozwijać wątek ze swojej przemowy na temat: nie rozmnażaj się z frajerami...

— Zoey! Gdzie jesteś?

— O rany! Stevie Rae! Aleś mnie wystraszyła! — Poklepywałam uspokajająco Persefonę, która się trochę spłoszyła, słysząc mój pisk.

— Co ty, do licha, tu robisz?

Pomachałam w jej stronę zgrzebłem.

— A jak myślisz? Pedikiur?

— Przestań się wygłupiać. Obchody Pełni Księżyca zaczną się za parę minut!

— O do diabła! — Raz jeszcze klepnęłam Persefonę i pobiegłam do pomieszczenia z uprzężą.

— Zapomniałaś o tym czy co? — zapytała Stevie Rae, trzymając mnie za rękę, bym nie straciła równowagi, gdy migiem zrzucałam kalosze i wkładałam baleriny.

— Nie — skłamałam.

Wtedy uświadomiłam sobie, że całkiem zapomniałam również o obchodach urządzanych przez Córy Ciemności.

A niech to, do diabła!

)

ROZDZIAŁ PIĘTNASTY

Byłyśmy już w połowie drogi do świątyni Nyks, kiedy zauważyłam, że Stevie Rae jest wyjątkowo spokojna. Spojrzałam na nią z ukosa. Czyżby nawet pobladła? Ścierpła mi skóra.

— Stevie Rae, czy stało się coś złego?

— Tak, to smutne i właściwie przerażające.

— O co chodzi? O obchody Pełni Księżyca? — Z nerwów zaczął mnie boleć brzuch.

— Nie, obchody ci się spodobają, przynajmniej ta pierwsza część. — Wiedziałam, co miała na myśli: w porównaniu z obchodami w wydaniu Cór Nocy, na które miałam pójść później, ale jakoś nie chciałam o tym rozmawiać. To co Stevie Rae powiedziała mi po chwili, sprawiło, że kwestia Cór Nocy wydała się w ogóle nieważna. — Przed godziną umarła jedna dziewczyna.

— Co? W jaki sposób?

— Tak jak się zawsze tutaj umiera. Nie przeszła Przemiany, więc jej organizm po prostu... — Przerwała, trzęsąc się z emocji. — To się stało pod koniec zajęć taekwondo. Na początku rozgrzewki zaczęła kaszleć, jakby jej brakowało tchu. Niczego w ogóle nie podejrzewałam. Albo może coś mi się wydawało, tylko odsuwałam od siebie takie myśli.

Uśmiechnęła się do mnie ze smutkiem, wyglądało na to, że jest jej wstyd.

— Czy można w jakiś sposób uratować takiego dzieciaka? Wiesz, po tym jak zaczną... — Nie dokończyłam, wykonałam tylko nieokreślony gest.

— Nie, nie można. Kiedy twój organizm zacznie odrzucać Przemianę, nic się nie da zrobić.

— W takim razie nie powinnaś mieć wyrzutów sumienia, że wolałaś nie myśleć o dziewczynie, która zaczęła kaszleć. Przecież i tak nie mogłaś jej pomóc.

— Wiem, ale... to okropne. A Elizabeth była taka miła.

Poczułam ukłucie w sercu.

— Elizabeth Bez Nazwiska? To ona umarła?

Stevie Rae kiwnęła głową i szybko zaczęła mrugać, starając się nie rozpłakać.

— Straszne — powiedziałam cicho, niemal szeptem. Przypomniało mi się, jaka była taktowna w sprawie mojego Znaku i co mówiła o tym, jak Erik na mnie patrzył. — Widziałam ją na zajęciach teatralnych. Nic jej wtedy jeszcze nie było.

— Bo to tak jest. W jednej minucie ktoś, kto siedzi obok ciebie, wygląda najzupełniej normalnie, a za chwilę... — Stevie Rae wzdrygnęła się.

— A potem wszystko wraca do normy? Nawet jeśli ktoś ze szkoły umiera? — Pamiętałam, że jak w zeszłym roku grupa drugoklasistów z naszej szkoły podczas weekendu miała wypadek samochodowy i dwoje z nich zginęło, już w poniedziałek do szkoły sprowadzono grupę dodatkowych terapeutów, a wszystkie zajęcia sportowe zostały odwołane na cały tydzień.

— Wszystko dalej normalnie się odbywa. Powinniśmy się oswoić z myślą, że to może się przytrafić każdemu z nas. Przekonasz się. Każdy będzie udawał, że nic się nie stało, zwłaszcza uczniowie starszych klas. Tylko koleżanki Elizabeth z trzeciego formatowania i jej bliższe przyjaciółki, czyli my, jej współmieszkanki, okazujemy cokolwiek. Od nas, z trzeciego formatowania, wymaga się, byśmy zachowywały się odpowiednio i przeszły nad tym do porządku dziennego. Wiesz, czasem wydaje mi się, że dorosłe wampiry nie uważają nas za czujące istoty, dopóki nie przejdziemy Przemiany.

To mnie zastanowiło. Nie sądzę, by Neferet traktowała mnie jak istotę przejściową — powiedziała mi nawet, jak to dobrze, że mam swój Znak już wypełniony kolorami. Sprawiała wrażenie kogoś, kto nie wątpi w moją przyszłość, w przeciwieństwie do mnie samej. Nie miałam jednak zamiaru powiedzieć czegokolwiek, co by mogło świadczyć o tym, że Neferet traktuje mnie wyjątkowo. Nie chciałam być odmieńcem. Chciałam tylko, żeby Stevie Rae została moją przyjaciółką, chciałam też poczuć się w tym środowisku jak we własnym domu.

— To naprawdę straszne — powiedziałam tylko.

— Tak, a jak się zdarza, to nie trwa długo.

Jakaś cząstka mnie chciała poznać więcej szczegółów, ale inna cząstka bała się je usłyszeć. Na szczęście zanim mogłam zapytać o to, czego bałam się w odpowiedzi usłyszeć, Shaunee zawołała do nas ze schodów świątyni:

— Co tak długo? Erin i Damien są już w środku i trzymają dla was miejsce, ale jak obchody się rozpoczną, nikogo więcej nie wpuszczą. Pospieszcie się!

Wbiegłyśmy na schody i pospieszyłyśmy za Shaunee, która torowała nam drogę. Gdy tylko znalazłam się wewnątrz mrocznego przedsionka świątyni Nyks, otoczył mnie zapach dymu. Cofnęłam się bezwiednie. Stevie Rae i Shaunee natychmiast mnie uspokoiły.

— Nie ma powodu do obaw. — Stevie Rae napotkała mój wzrok i dodała: — Przynajmniej tutaj.

— Uroczystości obchodów Pełni Księżyca są świetne. Zobaczysz, spodoba ci się. Aha, kiedy wampirzyca nakreśli pentagram na twoim czole i powie: „Bądź pozdrowiona”, trzeba jej odpowiedzieć: „Bądź pozdrowiona” — wyjaśniła Shaunee. — Następnie idź za nami do naszego miejsca w kręgu. — Uśmiechnęła się, chcąc dodać mi otuchy, i pospiesznie przeszła do rozjarzonego światłem wnętrza świątyni.

— Zaczekaj — złapałam Stevie Rae za rękaw. — Może to głupie pytanie, ale co to jest pentagram? Znak szatana czy coś w tym rodzaju?

— Też tak na początku myślałam. Ale wszystkie te dyrdymały o szatanie to wymysł Ludzi Wiary, którzy chcą, by wszyscy w to wierzyli, żeby... A tam — machnęła ręką. — Nawet nie wiem, dlaczego ludziom zależy tak bardzo, by inni wierzyli w diabelskie moce i znaki. A prawda jest taka, że od kwadryliona lat pentagram oznaczał mądrość, doskonałość, opiekę. Symbolem jest pięcioramienna gwiazda. Cztery ramiona oznaczają cztery żywioły. Piąte, znajdujące się na samej górze, oznacza ducha. I to wszystko. Żadnych czarnoksiężników.

— Kontrola — mruknęłam zadowolona, że mam pretekst do rozmowy na inny temat niż śmierć Elizabeth.

— Co?

— Ludzie Wiary chcą sprawować nad wszystkim kontrolę, a jednym ze sposobów osiągnięcia tego jest to, że każdy musi wierzyć w to samo. Dlatego chcą, żeby ludzie uważali pentagram za coś złego. — Zdegustowana potrząsnęłam głową. — Nieważne. Wchodźmy już. Jestem gotowa, bardziej nawet, niż przypuszczałam.

Weszłyśmy dalej, gdzie usłyszałam odgłos spływającej wody. Minęłyśmy piękną fontannę, za nią trochę na ukos znajdowało się łukowate wejście. W arkadowym wejściu wykutym w grubych kamiennych murach stała wampirzyca, której jeszcze nie znałam. Ubrana była całkiem na czarno — w długą spódnicę i obszerną jedwabną bluzkę z szerokimi jak dzwon rękawami. Jedyną ozdobę stanowiła wyhaftowana z przodu srebrną nicią postać bogini. Włosy miała długie i jasne, o pszenicznym odcieniu. Z szafirowego półksiężyca na czole spływały spirale okalające jej twarz o idealnych rysach.

— To Anastasia. Prowadzi zajęcia z zaklęć i obrzędów. Jest też żoną Smoka. — Stevie Rae zdążyła udzielić mi szeptem informacji, zanim podeszła do wampirzycy i przykładając do piersi zwiniętą dłoń, złożyła jej ukłon pełen szacunku.

Anastasia uśmiechnęła się i zanurzyła palce w kamiennej misie, którą trzymała w dłoni. Następnie nakreśliła na czole Stevie Rae pięcioramienną gwiazdę.

— Bądź pozdrowiona, Stevie Rae — powiedziała.

— Bądź pozdrowiona — odpowiedziała Stevie Rae. Spojrzała na mnie uspokajająco i zniknęła w pełnym dymu pomieszczeniu usytuowanym za wejściem.

Wzięłam głęboki oddech i postanowiłam sobie w myśli, że przestanę dumać nad śmiercią Elizabeth, porzucę wszelkie gdybania, przynajmniej na czas trwania obrzędu. Podeszłam do Anastasii. Naśladując Stevie Rae, przyłożyłam rękę do serca.

Wampirzyca umoczyła palce w miseczce wypełnionej, jak teraz zauważyłam, olejem i odezwała się w te słowa:

— Cieszę się, że cię widzę, Zoey Redbird, witaj w Domu Nocy i w swoim nowym życiu. — To mówiąc, nakreśliła pentagram na moim czole nad Znakiem. — Bądź pozdrowiona.

— Bądź pozdrowiona — odpowiedziałam cicho, zaskoczona dreszczem, jaki przeszedł po moim ciele, gdy na czole powstawał wilgotny zarys gwiazdy.

— Wejdź do środka, dołącz do swoich przyjaciół — powiedziała Anastasia serdecznie. — Nie ma co się denerwować, wierzę, że bogini roztoczyła nad tobą pieczę.

— Dziękuję — odparłam, jąkając się, i szybko przeszłam do środka.

Wszędzie paliły się świece. Największe zwieszały się z sufitu w metalowych żyrandolach. Więcej świec rzucało światło ze stojących świeczników ustawionych wzdłuż ścian. Kinkiety tutaj wyglądały jak powinny, paliły się jasnym światłem, a nie mdłym i wątłym jak na szkolnych korytarzach. Wiedziałam, że kiedyś był tu kościół pod wezwaniem świętego Augustyna wykorzystywany przez Ludzi Wiary, teraz jednak nie przypominał kościoła. Po pierwsze, jego wnętrze oświetlały jedynie świece, a po drugie, nie było tu ławek. (A propos, nie lubię ławek kościelnych, chyba nie ma nic bardziej niewygodnego). Jedynym sprzętem, jaki mogłam dostrzec, był stylowy duży stół umieszczony na środku sali i podobny do tego z jadalni, tyle że inaczej nakryty. Tu oprócz obfitości jedzenia i picia na środku blatu umieszczona była statuetka bogini z uniesionymi ramionami, przypominająca swoje haftowane odwzorowanie na bluzkach wampirzyc. Na stole stał też ogromny kandelabr z białymi świecami rzucającymi jasne światło, a także kilka żarzących się kadzidełek.

Nagle zauważyłam wielki ogień palący się w zagłębieniu kamiennej posadzki. Jego żółte rozdokazywane płomienie sięgały na wysokość co najmniej metra. Ogień wyglądał fascynująco i trochę nawet groźnie, przyciągał mnie i wabił. Na szczęście, zanim wiedziona impulsem zdążyłam ruszyć w stronę ognia, uwagę moją zwróciła Stevie Rae, która zaczęła przyzywać mnie naglącymi gestami. Dopiero wtedy spostrzegłam, dziwiąc się jednocześnie, jak mogłam od razu tego nie zauważyć, tłum ludzi, uczniów i dorosłych wampirów stojących półkolem pod ścianami. Oszołomiona tym wszystkim podeszłam jak automat, czując, że nogi same mnie niosą, i zajęłam miejsce w kręgu koło Stevie Rae.

— Nareszcie — westchnął z ulgą Damien.

— Przepraszam za spóźnienie — powiedziałam.

— Zostaw ją w spokoju — napomniała go Stevie Rae. — Widzisz przecież, że się denerwuje.

— Ćśś — syknęła Shaunee. — Już się zaczyna.

Z czterech pogrążonych w mroku rogów sali wyłoniły się cztery kształty, które zmaterializowały się jako kobiety zdążające w stronę kręgu, jakby wiedzione wskazaniami igły kompasu, by zająć miejsca wśród zebranych. Dwie kolejne postacie weszły drzwiami, przez które i ja dostałam się do środka. Z tych dwóch kształtów jeden okazał się wysokim mężczyzną — wróć, wampirem płci męskiej (wszyscy dorośli tutaj to wampiry) — niesamowicie przystojnym. Wzorzec wspaniałego młodego wampira, w dodatku miałam go tuż przed sobą, na wyciągnięcie ręki. Mierzył chyba ponad sześć stóp wzrostu, a wyglądał jak gwiazdor filmowy.

— I tylko z tego powodu wybrałam poezję jako dodatkowy przedmiot — szepnęła Shaunee.

— Popieram cię, Bliźniaczko — rozmarzonym głosem powiedziała Erin.

— Kto to jest? — zapytałam Stevie Rae.

— Loren Blake, naczelny poeta wampirów, od dwustu lat pierwszy poeta, a nie poetka — odpowiedziała szeptem. — A ma zaledwie dwadzieścia parę lat, naprawdę, nie tylko z wyglądu.

Zanim zdążyłam się odezwać, zaczął recytować, a ja mogłam już tylko słuchać z otwartą buzią jego niebiańskiego głosu.

Gdy stąpa, piękna, jakże przypomina
Gwiaździste niebo bez śladu obłoku...

Kiedy wypowiadał te słowa, zbliżał się jednocześnie do kręgu. I jakby jego głos był muzyką, kobieta, która wraz z nim weszła, zaczęła najpierw się kołysać, a potem tańczyć wokół żywego kręgu.

Ciemność i jasność — każda z nich zaklina
W nią swój osobny czar, i jest w jej oku...

Tańcząca skupiła na sobie uwagę wszystkich zebranych. Doznałam szoku, gdy rozpoznałam w niej Neferet. Miała na sobie długą czarną suknię z jedwabiu, wyszywaną drobnymi kryształkami, które migotały, gdy z każdym jej ruchem światło wydobywało kolejne błyski, co mogło przypominać rozgwieżdżone niebo. Jej ruchy były ilustracją do dawnego wiersza (w każdym razie mój umysł pracował na tyle dobrze, że rozpoznałam w tych strofach wiersz Byrona „Gdy stąpa, piękna").

To miękkie światło, które zna godzina
Nocy, gdy blaski dnia zagasną w mroku.

Kiedy Loren wypowiedział ostatnie słowa wiersza, Neferet znajdowała się w samym środku kręgu. Wówczas wzięła ze stołu kielich i uniosła go, jakby zapraszając do poczęstunku zebranych.

— Witajcie, dzieci Nyks, na obchodach jej święta Pełni Księżyca!

— Szczęśliwych obchodów — odpowiedzieli chórem dorośli.

Neferet z uśmiechem odstawiła kielich i sięgnęła po już zapaloną długą cienką świeczkę umieszczoną w lichtarzu. Następnie podeszła do stojącej w kręgu wampirzycy, której nie znałam, a od której zapewne liczył się początek kręgu. Wampirzyca pozdrowiła Neferet, składając zwiniętą dłoń na piersi, po czym odwróciła się do pozostałych zgromadzonych.

— Słuchaj — Stevie Rae zwróciła się do mnie szeptem. — Teraz wszyscy będziemy się zwracali w cztery strony świata, kiedy Neferet przywoła po kolei cztery żywioły i utworzy krąg Nyks. Najpierw będzie wschód i żywioł powietrza.

Wszyscy, łącznie ze mną, choć jako nowa wszystko robiłam ostatnia, zwrócili się twarzami na wschód. Kątem oka widziałam, jak Neferet unosi w górę ramiona, i usłyszałam jej głos zwielokrotniony echem odbijającym od kamiennych ścian świątyni.

— Przywołuję powietrze idące ze wschodu i proszę, by obdarzyło ten krąg wiedzą, tak by nasze obchody przepełnione były nauką.

Gdy tylko Neferet zaczęła przyzywać żywioł, poczułam, jak atmosfera się zmienia. Powietrze zawirowało, burząc mi włosy, a uszy napełniając szelestem liści poruszanych przez wiatr. Rozejrzałam się wokół, oczekując, że każdy będzie wyglądał jak w środku minihuraganu, tymczasem u nikogo nie dostrzegłam nawet lekko zwichrzonych włosów. Dziwne.

Wampirzyca stojąca na wschodzie wyciągnęła z fałd swojej szaty grubą świecę, którą Neferet zapaliła. Świecę z migoczącym na wietrze płomieniem uniosła w górę i postawiła u swych stóp.

— Teraz odwróć się na prawo w stronę ognia — podpowiedziała mi szeptem Stevie Rae.

Wszyscy się odwrócili w tę stronę, a Neferet mówiła dalej:

— Przywołuję ogień z południa i proszę, by nas obdarzył siłą woli, ażeby nasze obchody tchnęły mocą.

Teraz wiatr, którego lekki powiew czułam na policzkach, ustąpił wrażeniu gorąca. Nie było to przykre doznanie, przypominało raczej gorący rumieniec, jakim się człowiek oblewa, albo rozchodzące się ciepło przy wchodzeniu do wanny z gorącą wodą. Ciepło było na tyle wyraźne i intensywne, że poczułam się nawet lekko spocona. Spojrzałam na Stevie Rae. Włosy miała odrobinę wzburzone, oczy zamknięte, ale na twarzy ani śladu potu. Nagle poczułam jeszcze większe gorąco, więc wzrok zwróciłam znów na Neferet. Zapalała właśnie wielką czerwoną świecę, którą Pentesilea trzymała w ręce. I kiedy wampirzyca zwrócona na południe skończyła, Pentesilea gestem ofiarnym uniosła w górę świecę, po czym złożyła ją u jej stóp.

Teraz już nie musiałam czekać, aż Stevie Rae mnie szturchnie, by zwrócić się na prawo ku zachodowi. Jakoś domyśliłam się, że nastąpił moment kolejnego zwrotu, gdy żywioł wody zostanie przywołany.

— Przywołuję wodę z zachodu, niech obmyje ten krąg łaską odczuwania litości, by światło pełni księżyca obdarzyło nas darem uzdrawiania i zrozumienia.

Neferet zapaliła świecę trzymaną przez wampirzycę, która zwrócona była ku zachodowi. Ta uniosła ją i zaraz złożyła u stóp kapłanki. Usłyszałam plusk fal i poczułam przesycony solą zapach wody morskiej. Skwapliwie zwróciłam się na północ, wiedząc, że to kolej ogarnięcia żywiołu ziemi.

— Z północy przywołuję żywioł ziemi, którą proszę o dar objawiania, tak by nasze modły i życzenia wyrażane od dziś mogły się spełnić.

Teraz poczułam pod stopami miękkość soczystej trawy na łące, w nozdrzach woń siana, usłyszałam też śpiew ptaków. Zapalono zieloną świecę, która została złożona u stóp „ziemi".

Może moja dziwna reakcja na te zjawiska powinna wzbudzić we mnie lęk, tymczasem przepełniała mnie radość i uczucie lekkości. Do tego stopnia, że gdy Neferet zwróciła się twarzą do ognia, który płonął w środku sali, i reszta zgromadzonych zwróciła się do wewnątrz kręgu, musiałam zatykać sobie usta, by nie śmiać się na cały głos. Po drugiej stronie ognia stał ten niesamowicie przystojny poeta i trzymał w ręce wielką fioletową świecę.

— Na końcu przywołuję ducha, by obdarzył nasz krąg dobrymi związkami, byśmy zaznali pomyślności jako twoje dzieci.

Nie do wiary, ale poczułam, jak rośnie mój dobry nastrój, szybuje na wyżyny, jakby ptaki trzepotały się w mych piersiach, gdy poeta, przytknąwszy świecę do wielkiego płomienia, zapalił ją i postawił na stole. Wtedy Neferet zaczęła obchodzić cały krąg, wymieniając z nami spojrzenia i zagadując do nas.

— To pora pełni księżyca. Wszystko dochodzi do zenitu, po czym niknie. Dotyczy to nawet dzieci Nyks, jej wampirów. Ale podczas takiej nocy siły życiowe, działanie magii, kreatywność mają największą moc, świecą najpełniejszym blaskiem, tak jak księżyc naszej bogini. To pora budowania, działania.

Słuchałam jej słów z bijącym sercem, a po chwili uświadomiłam sobie, że właściwie to co ona mówi, jest swojego rodzaju kazaniem. To było nabożeństwo, oddawanie boskiej czci, ale nigdy jeszcze żadne nabożeństwo nie wywarło na mnie takiego wrażenia jak to, z tworzeniem kręgu i poruszającymi słowami Neferet. Rozejrzałam się wokół siebie. Może cała sceneria tak na mnie działała? W powietrzu unosił się gęsty zapach kadzideł, migocące płomienie świec czyniły nastrój bardziej tajemniczym. Neferet miała wszystkie walory, jakie powinny cechować starszą kapłankę. Jej uroda była płomienna, a głos naładowany magią, która skupiała uwagę wszystkich słuchaczy. Nikt nie osunął się w ławce zmożony snem, nikt nie rozwiązywał po kryjomu sudoku.

— W tym czasie zasłona dzieląca świat ziemski od tajemniczego i pięknego zarazem królestwa bogini staje się bardzo cienka, przejrzysta. W taką noc można bez trudu przekroczyć granice tych dwóch światów i poddać się urokowi i pięknu Nyks.

Czułam na skórze jej słowa, słuchałam ze ściśniętym ze wzruszenia gardłem. Przeszły mnie dreszcze, Znak na moim czole stał się ciepły, nawet gorący. Wtedy poeta przemówił, a jego głos był głęboki i mocny.

— To jest czas, w którym to co eteryczne i ulotne nabiera realnych kształtów, kiedy czas i przestrzeń splatają się w dziele Stworzenia. Życie bowiem to krąg, ale także tajemnica. Posiadła ją nasza bogini, jak też Erebus, jej małżonek.

Jego słowa trochę mnie pocieszyły po śmierci Elizabeth. Nagle jej śmierć przestała być czymś strasznym, przerażającym. Zaczęła się jawić jako naturalny składnik tego świata; świata, w którym każdy z nas miał swoje miejsce.

— Światło... ciemność... dzień... noc... śmierć... życie... wszystko to jest ze sobą powiązane, łączy je duch i dotknięcie bogini. Jeśli uda nam się zachować równowagę i wejrzeć w boginię, możemy nauczyć się łączyć czar i magię pełni księżyca i wpleść je w materię utkaną z naszej wyobraźni, która będzie nam towarzyszyć do końca naszych dni.

— Zamknijcie oczy, Dzieci Nyks — powiedziała Neferet — i prześlijcie bogini swoje najskrytsze marzenia. Tej nocy, gdy zasłona dzieląca oba światy jest szczególnie cienka, kiedy magia ogarnia świat zewnętrzny, może Nyks obdarzy was spełnieniem życzeń, oplecie pajęczynką zrealizowanych marzeń.

Magia! Przecież to było wołanie o czary. Czy to może się ziścić? Czy na tym świecie w ogóle istnieje magia? Przypomniałam sobie, jak mogłam za sprawą ducha zobaczyć słowa, jak bogini przyzywała mnie swoim widocznym dla mnie głosem do swojej jaskini, jak pocałowała mnie w czoło, zmieniając na zawsze moje życie. I znowu teraz, przed chwilą, poczułam moc Neferet, gdy przyzywała cztery żywioły. Przecież nie było to — nie mogło być! wytworem mojej wyobraźni, to działo się naprawdę.

Zamknęłam oczy i pomyślałam o magii, która zdawała się mnie otaczać, i wtedy wypowiedziałam w przestrzeń nocy swoje życzenia. „Moim skrytym marzeniem jest czuć, że gdzieś przynależę... że w końcu znalazłam swój dom, swoje miejsce, z którego nikt mnie nie może zabrać”.

Mimo niezwykłego ciepła, jakie biło z mego Znaku, głowę miałam lekką, czułam się szczęśliwa, gdy Neferet kazała nam otworzyć oczy. Swym ciepłym, a jednocześnie władczym głosem, w którym słychać było zarówno kobietę, jak i wojownika, prowadziła dalej uroczystość.

— To czas niewidzialnych podróży w pełni księżyca. Czas na słuchanie muzyki, której nie stworzył człowiek ani wampir. To czas na zjednoczenie się z wiatrem, który nas pieści — tu Neferet skłoniła lekko głowę na wschód — z piorunem, który przypomina o pojawieniu się życia — skłoniła głowę na południe. — To czas skąpania się w wiecznym morzu i ciepłym deszczu, który przynosi nam ukojenie, w nieskończonej zieloności ziemi, która nas otacza i wśród której żyjemy. — Tu po kolei złożyła ukłon na zachód i północ.

Za każdym razem kiedy Neferet wymieniała żywioły, czułam, jak prąd przebiega przez moje ciało.

Cztery kobiety uosabiające żywioły podeszły jak na komendę do stołu. Wraz z Neferet i Lorenem uniosły w górę kielichy.

— Bądź pozdrowiona, bogini Nocy i pełni księżyca! — powiedziała Neferet. — Bądź pozdrowiona, Nocy, z której płyną nasze błogosławieństwa. Dziś składamy ci dzięki.

Z kielichami w dłoniach cztery kobiety rozeszły się w cztery strony.

— Za wszechwładną Nyks — powiedziała Neferet.

— I za Erebusa — dodał poeta.

— Z głębi naszego kręgu prosimy cię, byś obdarzyła nas umiejętnością porozumiewania się językiem dzikich zwierząt, bujania w przestworzach swobodnie jak ptaki, życia niezależnego i pełnego wdzięku wzorem kotów, znajdowania radości i zachwytu nad życiem, które poruszy nas do głębi. Bądź pozdrowiona!

Nie mogłam się powstrzymać od szerokiego uśmiechu. Nigdy nie słyszałam podobnych słów w żadnym kościele i nigdy też żaden kościół nie napełnił mnie taką energią jak tu.

Neferet upiła łyk z kielicha, po czym podała go Lorenowi, który też z niego upił łyk i powiedział:

— Bądź pozdrowiona!

Powtarzając każdy ich gest, cztery kobiety przeszły szybko wokół całego kręgu, dając się napić z kielicha każdemu, dorosłemu bądź dziecku. Kiedy nadeszła moja kolej, ucieszyłam się, że z rąk Pentesilei otrzymuję napój i błogosławieństwo. To było czerwone wino, spodziewałam się, że będzie cierpkie, jak cabernet, który ukradkiem podpiłam kiedyś Mamie i który wcale mi nie smakował. To jednak smakowało zupełnie inaczej: było słodkie i korzenne. Po jego wypiciu moja głowa stała się jeszcze lżejsza.

Kiedy każdy już napił się wina, kielichy odstawiono na stół.

— Chcę, by dzisiejszej nocy każdy z was poświęcił chwilę lub dwie na skąpanie się w świetle księżyca w pełni. Niech jego blask was oświeci i sprawi, że nie zapomnicie, jak bardzo jesteście niezwykli... albo staniecie się niezwykli.. — Uśmiechnęła się do kilku adeptów, w tym również do mnie. — Możecie się pławić we własnej wyjątkowości. Napawać własną siłą. Nie przystajemy do świata ze względu na niezwykłe cechy, jakimi zostaliśmy obdarzeni. Nie zapominajcie o tym, bo — tego możecie być pewni — świat o tym nie zapomni. A teraz zamknijmy nasz krąg i otwórzmy się na noc.

W odwrotnej niż na początku kolejności Neferet złożyła podziękowania czterem żywiołom i pożegnała się z nimi, gdy tylko płomień świecy został zdmuchnięty. Poczułam lekki smutek, jakbym żegnała się z przyjaciółmi. Neferet zakończyła uroczystość słowami:

— Obchody dobiegły końca. Do następnego szczęśliwego spotkania, pomyślnego rozstania i pomyślnego powrotu.

Wszyscy powtórzyli chórem:

— Pomyślnego rozstania i pomyślnego powrotu!

Tak się zakończył mój pierwszy obrzęd poświęcony bogini.

Krąg zaraz się rozsypał, szybciej, niż się spodziewałam. Wolałabym zostać tam trochę dłużej i zastanowić się nad dziwnymi doznaniami, które stały się moim udziałem, zwłaszcza podczas przywoływania żywiołów, ale okazało się to niemożliwe. Porwał mnie tłum rozgadanych uczestników. Nawet się ucieszyłam, widząc, że każdy jest zajęty rozmową, bo mogłam liczyć, że nikt nie zauważy mego niezwykłego spokoju; nie wiem, jak bym im wytłumaczyła, co się ze mną działo. Kurczę, nawet sobie nie potrafiłam tego wyjaśnić.

— Jak wam się wydaje, czy dadzą nam znów to świetne chińskie jedzenie? Strasznie mi smakowało podczas ostatnich obchodów, kiedy na koniec podali tego pysznego kurczaka z grzybami mun — powiedziała Shaunee. — Że nie wspomnę o ciasteczkach z wróżbą, która dla mnie brzmiała: „Zdobędziesz sławę". To było coś!

— Padam z głodu, więc jest mi obojętne, co nam dadzą do jedzenia, byle w ogóle coś dali — oświadczyła Erin.

— Ja też — dodała Stevie Rae.

— Choć raz całkowicie zgadzamy się ze sobą — powiedział Damien, oplatając ramionami mnie i Stevie Rae. — Chodźmy jeść.

Nagle przypomniałam sobie.

— Nie mogę iść z wami. — Prysło przyjemne uczucie po uroczystości. — Muszę...

— Ale z nas idiotki! — Stevie Rae pacnęła się otwartą dłonią w czoło. — Na śmierć zapomniałam.

— O cholera — wykrzyknęła Shaunee.

— Wiedźmy z piekła rodem — powiedziała Erin.

— Chcesz, żebym zostawił ci coś do jedzenia? — zapytał Damien słodziutkim głosem.

— Nie. Afrodyta mówiła, że mnie tam nakarmią.

— Pewnie surowym mięsem — domyśliła się Shaunee.

— Aha, jakiegoś biedaka, którego udało im się złapać w swoje sidła.

— I w swoje łapy — uściśliła Shaunee.

— Przestańcie. Wystraszycie Zoey do imentu — powiedziała Stevie Rae, popychając mnie jednocześnie do wyjścia. — Pokażę jej, gdzie jest aula, a potem wracam do was.

Gdy byłyśmy już na zewnątrz, zwróciłam się do niej:

— Powiedz, czy oni żartowali, mówiąc o surowym mięsie?

— Czy żartowali? — powtórzyła Stevie Rae niepewnie.

— Świetnie. Ja nie lubię nawet niewysmażonego befsztyka. Co mam zrobić, jeśli rzeczywiście dadzą mi do jedzenia surowe mięso? — Odsunęłam od siebie myśl, jakie by to mogło być mięso i z czego.

— Chyba mam przy sobie trochę tumsów. Chcesz?

— Aha — skinęłam głową, czując, że robi mi się niedobrze.

)

ROZDZIAŁ SZESNASTY

— To tu — powiedziała Stevie Rae z niepewną miną, zatrzymując się przed schodami wiodącymi do okrągłego, zbudowanego z cegieł domu, który wychodził na wschodnią część murów okalających szkołę. Ogromne dęby jeszcze pogłębiały ciemność skrywającą budynek, tak że ledwo dostrzegłam migotliwe i skąpe światło rzucane albo przez gazowe latarnie, albo przez świece, które miały oświetlać wejście. Okna natomiast, wysokie i łukowato wyprofilowane u góry, pozostawały całkowicie ciemne, wydawało się, że oszklone są witrażami.

— W porządku, dziękuję za tumsy. — Starałam się, by mój głos nie zdradzał zdenerwowania. — Trzymajcie dla mnie miejsce. To na pewno długo nie potrwa. Chyba zdążę tu pobyć i jeszcze do was wrócić.

— Naprawdę nie musisz się spieszyć. Może poznasz kogoś, kto ci się spodoba i będziesz chciała zostać tam dłużej. W każdym razie nie martw się, jak nie zdążysz. Nie będę się wściekała, a Damienowi i Bliźniaczkom powiem, że dokonujesz rozpoznania terenu.

— Stevie Rae, ja nie zamierzam zostać jedną z Cór Nocy.

— Wierzę — powiedziała, ale oczy miała okrągłe i szeroko otwarte.

— To na razie.

— Okay, na razie — odpowiedziała i zaczęła się oddalać w stronę głównego budynku.

Nie chciałam odprowadzać jej wzrokiem, wyglądała na zagubioną i mocno wystraszoną. Weszłam po schodach i zaczęłam sobie powtarzać, że to nic wielkiego, nie może być nic gorszego niż wtedy, gdy uległam prośbom swojej siostry, bym z nią pojechała na zgrupowanie cheerleaderek (nie mam pojęcia, co mnie podkusiło, by ją posłuchać). Przynajmniej to fiasko nie będzie trwało tydzień jak tamto. Tutaj zapewne utworzą podobny krąg, co właściwie mi się podobało, odmówią oryginalne modły jak Neferet, a potem nastąpi przerwa na kolację. Wtedy ja zręcznie i z uśmiechem się wymknę. Łatwe i proste.

Pochodnie umieszczone po obu stronach wielkich drzwi zasilane były gazem, a nie naturalnym płomieniem świec jak w świątyni Nyks. Wyciągnęłam rękę w stronę ciężkiej żelaznej kołatki, ale drzwi otwarły się zadziwiająco lekko, wydając odgłos podobny do westchnienia, pod samym dotykiem moich palców.

— Witaj i bądź pozdrowiona, Zoey.

O matko!... To był Erik. Cały w czerni, z tymi swoimi kręconymi włosami i niesamowicie błękitnymi oczami przypominał mi Clarka Kenta, choć oczywiście bez tych jego idiotycznych okularków i przylizanej fryzury... W gruncie rzeczy przypominał mi (znów) Supermena, oczywiście nie miał na sobie czarnej pelerynki ani obcisłych trykotów z wielką literą S...

Głupie myśli ustąpiły natychmiast, gdy umoczonym w oleju palcem starannie nakreślił na moim czole pentagram.

— Bądź pozdrowiona — powitał mnie.

— Bądź pozdrowiony — odpowiedziałam szczęśliwa, że głos mi się w tym momencie nie załamał, nie zachrypiał ani nie zaskrzeczał. O rany, jak on bosko pachniał, ale nie potrafiłam odgadnąć czym. W niczym to nie przypominało żadnej z wód kolońskich, jakimi obficie zlewają się chłopaki. Pachniał... czym on pachniał?... Może lasem po wieczornym deszczu, czymś płynącym z ziemi, czymś czystym...

— Możesz wejść — powiedział do mnie.

— A, dziękuję — odpowiedziałam mało błyskotliwie i weszłam do środka. Zaraz się jednak zatrzymałam. Pomieszczenie było wielką salą. Czarny aksamit pokrywał owalne ściany, szczelnie zasłaniając okna i blask księżyca. Pod ciężką materią zasłon rysowały się dziwne kształty, które najpierw przejęły mnie strachem, dopóki nie uświadomiłam sobie, że to przecież sala rekreacyjna, więc gdzieś trzeba było odsunąć telewizor i różne gry, a przykryte wyglądały bardziej niesamowicie. Uwagę moją jednak przykuł przede wszystkim sam krąg. Został utworzony na środku sali ze świec wetkniętych w wysokie pojemniki z czerwonego szkła, przypominających modlitewne świece, jakie kupuje się w sklepach z meksykańskim jedzeniem, gdzie unosi się woń róż i starych kobiet. Tych świec musiało być więcej niż sto, rzucały światło na dzieciaki stojące za nimi w swobodnym kręgu, rozgadane, roześmiane, z czerwoną poświatą na policzkach. Wszystkie ubrane były na czarno, ale żadne nie miało haftowanych emblematów oznaczających stopień, miały natomiast zawieszone na szyi srebrne łańcuchy z jakimś dziwnym symbolem. Składał się z odwróconych od siebie dwóch półksiężyców na tle księżyca w pełni.

— O, jesteś, Zoey!

Głos Afrodyty dosięgnął mnie najpierw, zanim ona sama się pojawiła w polu widzenia. Miała na sobie długą czarną suknię wyszywaną koralikami z onyksu, dziwnie przypominającą mi piękną suknię Neferet. Na szyi miała naszyjnik podobny do tych, jakie nosiły pozostałe dziewczyny, tyle że większy i obwiedziony kamieniami szlachetnymi, zdaje się, że były to granaty. Rozpuszczone włosy spadały jej na ramiona, sprawiając wrażenie, że ma na głowie złocisty welon. Zdecydowanie była zbyt ładna.

— Dziękuję ci, Eriku, za powitanie Zoey. Teraz ja się nią zajmę. — Starała się, by jej głos brzmiał zwyczajnie, wymanikiurowanymi dłońmi dotknęła jego ramienia gestem niby tylko przyjacielskim, ale jej twarz zdradzała faktyczne uczucia. Miała zaciętą minę, wzrok zimny, a oczy ciskały błyskawice.

Erik ledwie na nią spojrzał i zdecydowanie odsunął rękę, by go nie dotykała. Uśmiechnął się do mnie i wyszedł, nie spojrzawszy powtórnie na Afrodytę.

Świetnie. Tylko tego było mi trzeba: wmieszać się w konflikt rozstającej się pary. Nie mogłam jednak się powstrzymać, by nie odprowadzić go spojrzeniem do drzwi.

Głupia jestem. Znów popełniam te same błędy. Ach.

Afrodyta odchrząknęła i usiłowała przybrać minę kogoś, kto złapany na gorącym uczynku udaje, że nic nie zrobił. Jej wredny uśmieszek nie pozostawiał żadnych wątpliwości co do tego, że zauważyła moje zainteresowanie Erikiem (i jego mną). I tym razem zadałam sobie pytanie, czy ona wie, że to ja zobaczyłam ich w holu poprzedniego dnia.

Jasne, że nie mogłam jej o to zapytać.

— Musisz się pospieszyć, ale przyniosłam ci coś, w co się będziesz mogła przebrać. — Afrodyta mówiła szybko, jednocześnie gestem wskazując mi drogę do łazienki dla dziewcząt. Rzuciła mi przez ramię krytyczne spojrzenie. — Nie przychodzi się na obchody urządzane przez Córy Ciemności w takim ubraniu. — W łazience rzuciła mi sukienkę, która wisiała w jednej z przegródek, i niemal popchnęła mnie do kabiny. — Swoje ubranie możesz powiesić tu, na wieszaku, i potem zanieść je do swojej sypialni.

Mówiła tonem nieznoszącym sprzeciwu, a ja i bez tego czułam się tu dość obco. Byłam inaczej ubrana niż wszystkie i czułam się, jakbym przyszła na zabawę przebrana za kaczuszkę, nie wiedząc, że to nie bal przebierańców i że wszyscy występują w dżinsach.

Szybko zrzuciłam z siebie ubranie i włożyłam przez głowę czarną suknię, wzdychając z ulgą, bo to był mój rozmiar. Sukienka prosta, ale gustowna, uszyta z miękkiego, niemnącego się materiału, miała długie rękawy i okrągły dekolt, który w dużym stopniu odsłaniał moje ramiona (jak dobrze, że włożyłam czarny biustonosz!). Wokół dekoltu, zakończenia rękawów i u dołu suknia została ozdobiona szlakiem czerwonych błyszczących koralików. Naprawdę była ładna. Stopy wsunęłam z powrotem w swoje czarne baleriny, uważając, że można je nosić do wszystkiego, po czym wyszłam z kabiny.

— Przynajmniej pasuje na mnie — powiedziałam.

Spostrzegłam jednak, że Afrodyta wcale nie patrzy na moje ubranie, tylko na mój Znak, co mnie wkurzyło. Dobra, mam Znak wypełniony kolorem, i co z tego? Mimo to się nie odezwałam. W końcu to impreza Afrodyty, a ja jestem tu tylko gościem. Czyli: pozostaję w zdecydowanej mniejszości, więc powinnam cicho siedzieć.

— Ponieważ ja prowadzę cały obrzęd, nie będę miała czasu, by cię bez przerwy prowadzić za rączkę.

Może i powinnam trzymać buzię na kłódkę, ale nie wytrzymałam:

— Słuchaj, Afrodyto, wcale nie musisz prowadzić mnie za rączkę.

Popatrzyła na mnie spod zmrużonych powiek, a ja przygotowałam się na kolejną scenę zazdrośnicy. Ona jednak uśmiechnęła się nieprzyjemnie, co bardziej przypominało obnażenie kłów przez rozwścieczonego psa. Nie nazwałam jej jeszcze suką, ale skojarzenie samo się nasuwało.

— Jasne, że nie muszę. Po prostu prześlizgniesz się przez te obchody tak samo, jak prześlizgnęłaś się przez wszystko inne. W końcu jesteś nową pupilką Neferet.

Świetnie, nie ma co. Nie dość, że była zazdrosna o Erika i zaniepokojona moim niezwykłym Znakiem, to jeszcze zazdrościła mi tego, że Neferet jest moją mentorką.

— Wiesz, Afrodyto, nie sądzę, bym była nową pupilką Neferet. Po prostu jestem tu nowa. — Starałam się przemawiać do niej rozsądnie, nawet się uśmiechnęłam.

— Mniejsza o to. Gotowa jesteś?

Zrezygnowałam z pomysłu przeprowadzenia z nią rzeczowej rozmowy, marząc, by jak najszybciej odbył się i zakończył ten nieszczęsny rytuał.

— Chodźmy. — Przeszła ze mną przez resztę sali i poprowadziła mnie do kręgu. Dwie dziewczyny, do których podeszłyśmy, rozpoznałam jako „wiedźmy z piekła rodem" towarzyszące jej w stołówce. Tyle że teraz nie miały miny, jakby zjadły kwaśną cytrynę, ale uśmiechały się do mnie ciepło.

To mnie nie zwiodło. Mimo wszystko też się do nich uśmiechnęłam. Kiedy jest się na terytorium nieprzyjaciela, najlepiej wtopić się w otoczenie, niczym się nie wyróżniać i udawać głupka.

— Cześć, jestem Enyo — powiedziała jedna z nich, ta wyższa. Oczywiście była blondynką, ale jej długie włosy przypominały bardziej łan zboża niż złoto, choć w wątłym blasku świec trudno było orzec, które z tych banalnych określeń jest trafniejsze. Ponadto nie wydawało mi się, by Enyo była naturalną blondynką.

— Cześć — odpowiedziałam.

— A ja jestem Dejno — odezwała się ta druga. Na pewno była mieszańcem dwu ras, jej cera przypominała kawę mocno rozbieloną śmietanką, włosy miała wspaniałe, gęste i kręcone, pewnie takie, które nie dają się rozprostować ani na chwilę bez względu na wilgotność powietrza.

Obie były na swój sposób idealne.

— Cześć — powtórzyłam. Czując się klaustrofobicznie, stanęłam miedzy jedną a drugą, gdyż zrobiły mi miejsce w kręgu obok siebie.

— Życzę wam trzem przyjemnych obchodów — powiedziała Afrodyta.

— Na pewno będzie przyjemnie — obie odpowiedziały chórem i wymieniły między sobą tak znaczące spojrzenia, że skóra mi ścierpła. Starałam się zwrócić uwagę na coś innego, bym wiedziona impulsem, a nie dumą, nie wyparowała z tej sali.

Teraz z wnętrza kręgu lepiej mogłam widzieć resztę sali: wyglądała podobnie jak świątynia Nyks, z tą tylko różnicą, że przy stole dostawione było krzesło, na którym ktoś siedział w niedbałej pozie. Siedział, to może za dużo powiedziane. Wciśnięty w krzesło albo rzucony na nie — on lub ona — w kapturze zasłaniającym głowę.

No cóż...

Stół nakryty był taką samą aksamitną materią w czarnym kolorze, która pokrywała ściany, a na blacie stał posążek bogini, misa z owocami, chlebem, kilka kielichów i dzbanek. Oraz nóż. Przetarłam oczy, by mieć pewność, że dobrze widzę. Tak, to był nóż, z kościanym trzonkiem, długim zakrzywionym ostrzem, stanowczo zbyt ostrym jak na nóż, którym bezpiecznie można kroić owoce czy chleb. Dziewczyna, którą chyba widziałam już w internacie, zapalała grube trociczki wetknięte w ozdobne kadzielniczki ustawione na stole, całkowicie ignorując tego kogoś na krześle. O rany, czy ten dzieciak zasnął?

Natychmiast całe wnętrze zaczęło się wypełniać dymem — zielonkawym, wijącym się, przybierającym niesamowite kształty duchów. Spodziewałam się, że będzie miał słodkawą woń, jak kadzidełka w świątyni Nyks, ale gdy dotarła do mnie smuga dymu, zaskoczył mnie jego gorzki zapach. Wydał mi się jakoś znajomy, zmarszczyłam brwi, starając się ze wszystkich sił przypomnieć sobie, skąd go znam. Trochę przypominał mi liście laurowe, trochę goździki. (Muszę pamiętać, by podziękować Babci, że mnie nauczyła rozpoznawać zapachy różnych przypraw i ziół). Wciągnęłam raz jeszcze w nozdrza intrygujący zapach i poczułam, że trochę mi się zakręciło w głowie. Dziwne. Miałam wrażenie, że zapach się zmienia, w miarę jak rozchodzi się po sali, tak jak niektóre drogie perfumy, które na każdym inaczej pachną. Niuchnęłam raz jeszcze. Tak. Liście laurowe i goździki. Ale coś jeszcze. Coś, co sprawiało, że całość ostatecznie pachniała gorzko i ostro. Zapach ciemny, tajemniczy, pociągający jak zakazany owoc

Zakazany owoc? Tak, teraz już wiem.

Do diabła! Pokój wypełniał zapach dymu ziół zmieszanych z marihuaną. Nie do wiary! To ja broniłam się zawsze przed spróbowaniem skręta (przecież to jest niehigieniczne, a poza tym dlaczego miałabym brać coś, po czym dostaje się dzikiego apetytu na tuczące fast foody?), odrzucałam nawet delikatnie czynione propozycje na różnych imprezach, by zobaczyć, jak to jest, a tymczasem teraz stoję tutaj w kłębach dymu marychy?! Kayla by nigdy w to nie uwierzyła.

Ogarnięta paranoidalnym strachem (może to efekt uboczny działania marihuany), rozejrzałam się po całym kręgu pewna, że zaraz zobaczę jakiegoś profesora, który natychmiast wkroczy i... coś zrobi... bo ja wiem co... na przykład ześle nas do karnego obozu, do jakich zsyła się sprawiających kłopoty nastolatków.

Na szczęście tutaj (w przeciwieństwie do świątyni Nyks) nie było dorosłych, jedynie około dwadzieściorga nastolatków. Rozmawiali normalnie, jakby to była pestka: serwować marihuanę, która przecież jest całkowicie zakazana. Starając się oddychać jak najpłycej, zwróciłam się do dziewczyny stojącej po mojej prawej stronie. Kiedy czujesz się niepewnie (albo panikujesz), utnij sobie małą rozmówkę.

— Powiedz mi, Dejno... masz niezwykłe imię. Czy ono ma jakieś szczególne znaczenie?

— Dejno znaczy: straszna — odpowiedziała z niewinnym uśmieszkiem.

Wysoka blondynka stojąca po lewej stronie wtrąciła promiennie:

— Enyo znaczy: wojownicza.

— Aha — odpowiedziałam grzecznie.

— A imię Pefredo, tej, która zapala właśnie kadzidełka, znaczy: osa. Swoje imiona wzięłyśmy z mitologii greckiej. To imiona trzech sióstr gorgon i Scylli. Według mitu były to czarownice, które miały jedno wspólne oko, ale naszym zdaniem to męska propaganda szerzona przez mężczyzn niebędących wampirami, a chcących upokorzyć silne kobiety.

— Naprawdę? — zapytałam, nie wiedząc, co powiedzieć. Naprawdę.

— No pewnie — odrzekła Dejno. — Ludzcy faceci są beznadziejni.

— Powinni wszyscy wyginąć — dodała Enyo.

Tę złotą myśl zagłuszyła (na szczęście) muzyka, więc nie sposób było dalej rozmawiać.

Muzyka rzeczywiście rozpraszała. Bębnienie było zarówno tradycyjne, jak i nowoczesne. Tak jakby ktoś wymieszał pościelowe piosenki z plemiennymi tańcami zalotników. W tym momencie, ku mojemu zdumieniu, Afrodyta zaczęła tańczyć. Owszem, można powiedzieć, że była seksowna. To znaczy: była zgrabna i poruszała się tak jak Catherine Zeta-Jones w filmie „Chicago". Ale na mnie to jakoś nie robiło wrażenia. Nie dlatego, że nie jestem lesbijką, raczej dlatego, że była to nędzna imitacja tańca Neferet do „Gdy stąpa, piękna". W tamtej muzyce była poezja, a jeśli w tej także miała być, to raczej do słów: „Ktoś jej się dobiera do tyłka".

Oczywiście każdy się gapił na Afrodytę, kiedy tak zarzucała dupskiem, a ja w tym czasie mogłam rozejrzeć się po kręgu, udając, że wcale nie szukam wzrokiem Erika, gdy go jednak znalazłam, i to vis-à-vis mnie, spostrzegłam, że jest jedyną osobą, która nie patrzy na Afrodytę. Bo on patrzył na mnie. Zanim zdążyłam zdecydować, czy powinnam uciec wzrokiem, uśmiechnąć się do niego, pomachać mu albo zrobić jeszcze coś innego (Damien radził mi uśmiechnąć się, a on jest znawcą — to nic, że samozwańczym — chłopaków), muzyka umilkła, a ja przeniosłam wzrok z Erika na Afrodytę. Zatrzymała się na środku kręgu, naprzeciwko stołu. Wzięła do jednej ręki świecę, do drugiej nóż. Świeca była zapalona, więc Afrodyta niosła ją przed sobą ostrożnie jak kaganek do miejsca w kręgu, gdzie pośród czerwonych świec tkwiła jedna żółta. Nie potrzebowałam ponaglającego szturchnięcia ze strony Wojowniczej czy Strasznej, by zwrócić się na wschód. Gdy wiatr zmierzwił mi włosy, zobaczyłam kątem oka, jak Afrodyta zapala żółtą świecę, unosi w górę nóż i kreśli nim w powietrzu pentagram, mówiąc:

O, wietrze niosący burze, przyzywam cię w imieniu Nyks,
Spełnij me życzenia, które zanoszę do ciebie
I niechaj zapanuje tu magia!

Muszę przyznać, że była w tym dobra. Chociaż nie emanowała taką mocą jak Neferet, to jednak widoczna praktyka sprawiła, że panowała nad głosem i jego barwą, która stała się aksamitna. Kiedy zwróciliśmy się na południe, sięgnęła po kolumnową czerwoną świecę stojącą wśród mniejszych czerwonych, a wtedy oblało mnie znajome już uczucie gorąca na całym ciele.

Ogniu błyskawicy, przyzywam cię w imieniu Nyks,
Ty, który wzniecasz burze, nadajesz moc czarom,
Proszę cię, wspomóż mnie w zaklęciach, bym mogła działać!

Odwróciliśmy się raz jeszcze za Afrodytą, znów oblałam się gorącym rumieńcem i tym razem nieoczekiwanie jakaś moc ciągnęła mnie w stronę niebieskiej świecy tkwiącej między czerwonymi. Wystraszona powstrzymywałam się ze wszystkich sił, by nie wystąpić z kręgu i nie dołączyć do Afrodyty, by razem z nią przywołać wodę.

Nawałnico deszczu, przywołuję cię w imieniu Nyks.
Bądź przy mnie ze swoją mocą wciągania w głąb
W tym wszechogarniającym rytuale!

Co, do licha, mi się stało? Spociłam się i było mi strasznie gorąco, a nie przyjemnie ciepło jak przy poprzednich obchodach. Znak na czole wprost palił mnie, a w uszach (mogłabym przysiąc) słyszałam ryk oceanów. Bezwiednie zwróciłam się jeszcze raz w prawą stronę.

Ziemio, szeroka i głęboka, przywołuję cię w imieniu Nyks.
Niech poczuję, jak się ruszasz z posad, gdy ogłoszą potęgę,
Co nastąpi, jeśli wspomożesz mnie w odprawianiu tego obrzędu!

Afrodyta ponownie przecięła powietrze nożem, a ja poczułam ciężar trzonka w dłoni. Poczułam też zapach trawy i posłyszałam krzyk lelka, jakby gnieździł się gdzieś w pobliżu, niewidzialny, ale bliski. Afrodyta wróciła teraz do kręgu. Stawiając z powrotem palącą się jeszcze czerwoną świecę na środek stołu, dokończyła zaklęć:

Duchu, dziki i wolny, w imieniu Nyks przyzywam cię, przybądź do mnie!
Odpowiedz! Zostań ze mną podczas tego potężnego obrzędu
I obdarz mnie swoją potęgą!

Jakoś się domyśliłam, co ona teraz zrobi. Niemal słyszałam w głowie, a nawet w duszy jej słowa. Kiedy uniosła kielich i zaczęła obchodzić wokół krąg, to mimo że nie było w niej gracji i autorytetu Neferet, słowa przez nią wypowiadane rozpalały się we mnie, tak jakbym sama miała ogień wewnętrzny, który promieniował na zewnątrz.

— Nadeszła pora pełni księżyca naszej bogini. Jest coś wzniosłego w tej nocy. Starożytni znali jej tajemnice, wykorzystywali je do wzmocnienia siebie... do zerwania cienkiej zasłony dzielącej oba światy, by przeżyć przygody, o których my dzisiaj możemy tylko marzyć. Tajemnice... zagadki... czary... prawdziwe piękno i moc przyobleczone w wampirze formy — nieskażone ludzkimi zasadami czy prawami. Bo my nie jesteśmy ludźmi! — Tu jej głos nabrał siły i odbił się echem od ścian, tak jak przedtem głos Neferet. — My, Córy i Synowie Ciemności, zanosimy dziś do ciebie te same prośby, które zanosiliśmy podczas każdej pełni księżyca przez ostatni rok: wyzwól w nas siłę, która sprawi, że nabierzemy kociej zręczności i gibkości powszechnej w świecie dzikiej przyrody wśród naszych braci mniejszych, byśmy nie tkwili jak oni w klatkach zniewolenia, w okowach łańcuchów nakładanych przez słabych i ograniczonych ludzi.

Kiedy Afrodyta skończyła, stanęła dokładnie naprzeciw mnie. Oddech miała przyspieszony, policzki pałające, tak samo jak ja. Wzniosła kielich, po czym mi go podała.

— Wypij to, Zoey Redbird, i dołącz się do naszych próśb o to, co się nam z natury należy, bo zaświadczone jest naszą krwią, ciałem i Znakiem zapowiadającym Przemianę, Znakiem, którym i ty zostałaś naznaczona.

Wiem, powinnam powiedzieć: „nie". Ale jak? Zresztą o dziwo, nie miałam ochoty odmówić. Z pewnością nie lubiłam Afrodyty ani jej nie ufałam, czy jednak to, co mówiła, nie było prawdą? Przypomniałam sobie reakcję mojej matki i ojczyma na mój Znak, przestrach Kayli, obrzydzenie Drew i Dustina. Oraz przykry fakt, że ani razu do mnie nie zadzwonili, nie przysłali żadnej wiadomości, od kiedy wyszłam z domu. Spisali mnie na straty, zostawili samej sobie, bym bez niczyjej pomocy zmagała się z nowym życiem.

Zrobiło mi się smutno, chociaż ta myśl w sumie bardziej mnie chyba zeźliła, niż zasmuciła.

Wzięłam kielich od Afrodyty i upiłam spory łyk. To było wino, ale nie smakowało jak wino pite podczas wcześniejszego obrzędu. Ono również było słodkawe, miało przy tym aromat, jakiego nigdy przedtem jeszcze nie próbowałam. Ostry, słodko-gorzki smak rozlał się w moich ustach, spłynął po gardle i napełnił mnie szalonym pragnieniem, by napić się go więcej, jak najwięcej.

— Bądź pozdrowiona — syknęła Afrodyta i wyrwała mi kielich z dłoni tak gwałtownie, że kilka kropel czerwonego płynu wylało mi się na palce. Uśmiechnęła się do mnie triumfująco.

— Bądź pozdrowiona — odpowiedziałam machinalnie, czując zawrót głowy z powodu wypitego wina.

Afrodyta stanęła teraz przed Enyo, podając jej kielich, a ja nie mogąc się opanować, zlizałam z palców ostatnie krople, by posmakować jeszcze tego wspaniałego smaku rozlanego wina. Było niewypowiedzianie smakowite... I ten aromat... trochę jakby znajomy... ale w głowie mi szumiało i nie mogłam się dostatecznie skupić, by przypomnieć sobie, z czym mi się ten smak kojarzy.

Nie zauważyłam, kiedy Afrodyta skończyła obchód całego kręgu, dając wszystkim po kolei upić łyk z kielicha. Pilnie ją śledziłam, mając nadzieję, że gdy wróci do stołu, dostanę jeszcze jeden łyk. Afrodyta uniosła w górę kielich.

— Wielka, tajemnicza bogini Nocy i pełni księżyca, ty, która rządzisz piorunami i burzami, która prowadzisz duchy i starszyznę, o, piękna i zadziwiająca, której słucha nawet starszyzna sprzed wieków, wesprzyj nas w tym, o co cię prosimy. Tchnij w nas swą moc, magię i siłę.

Następnie przechyliła kielich i opróżniła jego zawartość do ostatka, czemu przyglądałam się z zazdrością. Kiedy skończyła pić, muzyka znów zaczęła grać. W tym czasie Afrodyta obeszła krąg w drugą stronę, śmiejąc się i tańcząc, zdmuchując po kolei wszystkie świece, a na koniec żegnając się z żywiołami. Teraz patrząc na nią, inaczej ją postrzegałam, jej obraz najpierw się zamazał i zmienił, tak że w końcu w Afrodycie widziałam Neferet, tyle że jakby młodszą wersję starszej kapłanki.

— Do pomyślnego następnego spotkania — powiedziała na koniec. Wszyscy wygłosiliśmy chórem rytualne słowa pożegnania. Zamrugałam, a wtedy wizja Afrodyty jako młodej Neferet zbladła i Znak przestał mnie palić. Nadal jednak czułam na języku smak wypitego wina. Dziwne. Nie lubię przecież alkoholu. Naprawdę, po prostu nie odpowiada mi jego smak. Ale w tym winie było coś innego, coś znacznie lepszego nawet niż smak czekoladowych trufli (wiem, że trudno w to uwierzyć). I nadal nie mogłam sobie przypomnieć, co w nim było znajomego.

Krąg rozsypał się i wszyscy zaczęli się śmiać i mówić jednocześnie. Nad naszymi głowami pozapalały się gazowe lampy, zaczęliśmy mrugać, w pierwszej chwili oślepieni ich blaskiem. Spojrzałam dalej, poza krąg, chcąc sprawdzić, czy czasem Erik mnie nie obserwuje, ale jakieś poruszenie zwróciło moją uwagę. Osobnik wciśnięty w krzesło i pozostający bez ruchu przez całą ceremonię wreszcie zaczął się ruszać. Jakby się szarpnął, z trudem próbując dźwignąć się do pozycji siedzącej. Kaptur ciemnej peleryny zsunął mu się na plecy, ukazując płomiennorudą mierzwę włosów i bledszą niż zazwyczaj pucołowatą i usianą piegami twarz.

To ten nieznośny mały Elliott! Dziwne, że tu trafił. Co Córy i Synowie Ciemności mogli chcieć od niego? Raz jeszcze rozejrzałam się po sali. Tak jak podejrzewałam, wszyscy pozostali byli urodziwi, on jeden był brzydki i niepasujący do reszty. Nie mógł należeć do tego grona.

Przetarł oczy, zaczął mrugać, ziewać, wyglądało na to, że zanadto nawdychał się kadzideł i trawki. Podniósł rękę, by sięgnąć do nosa (pewnie chciał w nim podłubać) i wtedy zobaczyłam, że ma zabandażowane przeguby. Co do...?

Straszne podejrzenie zjeżyło mi włosy na głowie. Niedaleko mnie stały Enyo i Dejno, rozmawiając z ożywieniem z dziewczyną zwaną Pefredo. Podeszłam do nich i zaczekałam, aż zrobią przerwę w konwersacji. Ukrywając fakt, że żołądek skręca mi ból, uśmiechnęłam się do nich i machnąwszy nonszalancko w stronę Elliotta, zapytałam niedbale:

— Co ten dzieciak tu robi?

Enyo spojrzała we wskazanym kierunku i wzniosła oczy ku górze.

— Ach, on... — powiedziała lekceważąco. — W zasadzie nic. Służył nam dziś za lodówkę.

— Straszny frajer — dodała Dejno z szyderczym uśmiechem.

— Praktycznie to *człowiek* — dodała z niesmakiem Pefredo. — Nic dziwnego, że nadaje się tylko na bar przekąskowy.

Mój żołądek dał znać, że za chwilę wywróci się całkiem na lewą stronę.

— Czekajcie, bo nie chwytam. Lodówka?... Bar przekąskowy?...

Dejno, czyli Straszna, obrzuciła mnie wyniosłym spojrzeniem swych czekoladowych oczu.

— Tak właśnie nazywamy ludzi: lodówka, bar przekąskowy. No wiesz, śniadanie, obiad, kolacja...

— Albo coś jeszcze w przerwach między jednym a drugim posiłkiem — prychnęła Enyo, Wojownicza.

— Nadal nie... — zaczęłam, ale Dejno mi przerwała.

— Och, daj spokój. Nie udawaj, że się nie domyśliłaś, co jest dodane do wina, i że nie uwielbiasz tego smaku.

— Tak, nie wypieraj się, Zoey. Przecież widzieliśmy. Byłabyś wszystko wypiła, nawet więcej niż my. Zauważyłam, jak oblizywałaś palce — powiedziała Enyo, przysuwając się do mnie blisko, by pogapić się na mój Znak. — Czułaś się jak ćpunka, no nie? Trochę adeptka, a trochę wampir, dwa w jednym. Przyznaj, wypiłabyś więcej krwi tego dzieciaka.

— Krwi?... — powtórzyłam nieswoim głosem. Słowo „ćpunka" dźwięczało mi w głowie.

— Tak, k r w i — powtórzyła z naciskiem Straszna.

Zrobiło mi się gorąco i zaraz zimno, odwróciłam się od nich, by nie patrzeć na ich domyślne miny, i natychmiast zobaczyłam Afrodytę. Stojąc po drugiej stronie sali, rozmawiała z Erikiem. Nasze spojrzenia się spotkały, a wtedy jej twarz stopniowo rozjaśniał złośliwy uśmiech. Znów trzymała w ręku kielich, uniosła go w górę, jakby chciała mnie pozdrowić w ten sposób, po czym upiła łyk i odwróciła się, wybuchając śmiechem rozbawiona czymś, co powiedział Erik.

Chcąc trzymać się mimo wszystko, użyłam jakiejś błahej wymówki i wyszłam powoli z tej sali. Gdy tylko zamknęłam za sobą ciężkie drewniane drzwi, puściłam się pędem przed siebie, gnając na oślep. Nie wiedziałam, dokąd biegnę, wiedziałam tylko, że chcę stamtąd uciec jak najdalej.

Napiłam się krwi — w dodatku krwi tego okropnego Elliotta — a co gorsza, smakowała mi! Teraz wiedziałam, skąd znam ten zapach — tak pachniał Heath, kiedy miał skaleczoną rękę. Nie nowa woda kolońska wydała mi się atrakcyjna i upojna, tylko jego krew. Potem raz jeszcze poczułam jej zapach w holu, gdzie Afrodyta zadrasnęła udo Erika; ja też miałam ochotę ją zlizywać.

Byłam ćpunką.

Wreszcie zabrakło mi tchu, więc oparłam się o chłodny kamień muru okalającego teren szkoły i tam zaczęłam wymiotować.

ROZDZIAŁ SIEDEMNASTY

Rozdygotana otarłam usta wierzchem dłoni i potykając się, odeszłam z miejsca, gdzie zrobiło mi się niedobrze (wolałam się nie zastanawiać, czym wymiotowałam i jak to wygląda). Zatrzymałam się dopiero przy ogromnym dębie, który rósł tuż przy murze i którego potężne konary przewieszały się również na zewnątrz. Oparta o pień starałam się ze wszystkich sił powstrzymać od dalszych wymiotów.

Co mi się stało? Co ja zrobiłam?

W tym momencie usłyszałam miauczenie dochodzące z wyżej położonych gałęzi. Takie zrzędliwe, przeciągłe miauczenie.

Spojrzałam w górę. Na konarze wspierającym się o mur siedziała mała jasnoruda kotka. Wpatrywała się we mnie wielkimi oczami i najwyraźniej nie była za mnie zadowolona.

— Jak się tam dostałaś?

— Miau — odpowiedziała, prychając, i zaczęła ostrożnie posuwać się po gałęzi, chcąc widocznie podejść do mnie bliżej.

— Chodź, kici, kici — wabiłam ją.

— Miiiaaaauuuu — pisnęła ponownie, posuwając się naprzód o długość połowy swej małej łapki.

— Dobrze, chodź dalej, maleńka — zachęcałam ją. Odsunęłam od siebie posępne myśli o swoim uzależnieniu i zwróciłam je na bezpieczniejsze tory ratowania kotka. Prawdę mówiąc, po prostu nie mogłam myśleć o tym, co zaszło. W każdym razie jeszcze nie teraz. Za wcześnie. Za świeże. Kicia pojawiła się w samą porę. W dodatku wydała mi się jakoś znajoma. — No chodź, malutka, chodź do mnie — przemawiałam do niej cały czas, a jednocześnie zaparłam się noskiem baleriny o mur, łapiąc za najniżej położoną gałąź, którą potraktowałam jak linę, by móc wspiąć się nieco wyżej i dosięgnąć kotki czyniącej mi nieustannie wyrzuty.

W końcu kotka znalazła się w zasięgu ręki. Patrzyłyśmy na siebie przez dłuższą chwilę, tak że zaczęłam się zastanawiać, czy my się czasem już nie znamy. Może ona wie, że właśnie skosztowałam krwi i że mi bardzo posmakowała? Czy mój oddech zdradza treść wymiotów? Czy mój wygląd się zmienił? Czy wyrosły mi kły? (To ostatnie pytanie może jest głupie, bo przecież dorosłe wampiry też nie mają kłów, no ale zawsze...).

Kocina znów miauknęła i spróbowała przysunąć się jeszcze bliżej. Wyciągnęłam rękę i mogłam już podrapać ją po łebku; kotka położyła uszy, zamknęła oczy i zaczęła mruczeć z zadowoleniem.

— Wyglądasz jak małe lwiątko — powiedziałam jej. — Widzisz, o ile jesteś milsza, kiedy nie marudzisz? — Nagle przetarłam oczy zdumiona. Już wiedziałam, dlaczego wydała mi się znajoma. — Ukazałaś mi się we śnie — przypomniałam jej, a odrobina szczęścia znalazła do mnie dostęp przez moje mdłości i lęki. — Jesteś moją kotką!

Kotka otworzyła oczy, ziewnęła szeroko i znów prychnęła, jakby komentując to, że tyle czasu zabrało mi dochodzenie do tego odkrycia. Z pewnym wysiłkiem wdrapałam się na szeroki parapet muru, gdzie mogłam się wygodnie usadowić i skąd było blisko do gałęzi, na której siedziała kotka.

A ona z kocim westchnieniem oderwała się od gałęzi i skoczyła na mur, po czym przeszła na swych małych łapkach do mnie i zaraz umościła się na moich kolanach. Nie pozostawało mi nic innego, jak tylko znów zacząć drapać ją po łepku, na co reagowała głośnym mruczeniem. Głaskałam kotkę i jednocześnie próbowałam uspokoić zamęt, jaki panował w mojej głowie. Powietrze pachniało zbliżającym się deszczem, choć noc była wyjątkowo ciepła jak na koniec października. Odrzuciłam do tyłu głowę, zaczerpnęłam powietrza głęboko do płuc i wystawiłam się na zbawienne działanie poświaty księżycowej, która nawet zza chmur miała mnie uspokoić.

Spojrzałam na kotkę.

— Wiesz, Neferet mówiła, że powinno się wysiadywać w świetle księżyca. — Rzuciłam okiem na niebo. — Lepiej by było, gdyby te głupie chmury odpłynęły sobie, ale i tak...

Gdy tylko wymówiłam te słowa, powiew nagłego wiatru, który zerwał się koło mnie, odegnał chmury przesłaniające księżyc.

— O, dziękuję — zawołałam w przestrzeń, nie zwracając się do nikogo konkretnego. — Co za sprzyjający wiatr. — Kotka zamruczała niecierpliwie, zwracając mi uwagę, że przestałam ją drapać za uszami. — Chyba cię nazwę Nala, ponieważ jesteś jak mała lwiczka — powiedziałam, wznawiając drapanie. — Wiesz, kiciu, taka jestem zadowolona, że cię dzisiaj znalazłam. Po takiej nocy należało mi się coś dobrego. Nie uwierzyłabyś...

Poczułam bardzo dziwny zapach, który mnie zaintrygował do tego stopnia, że urwałam w pół słowa. Co to może być? Ze zmarszczonym nosem zaczęłam węszyć. To był zapach starzyzny, jak po otwarciu domu zamkniętego przez dłuższy czas, może zapach piwniczny. Nie był przyjemny, ale też nie taki okropny, żeby zapierał dech. Po prostu nietypowy i niewłaściwy. Zupełnie niepasujący do nocy na otwartej przestrzeni.

Coś jeszcze zwróciło moją uwagę. Wyjrzałam poza falisty długi mur. I wtedy zobaczyłam postać dziewczyny, lekko ode mnie odwróconej, jakby niepewnej, dokąd ma pójść. Przydała mi się moja świeżo nabyta zdolność dobrego widzenia nawet w nocy, zwłaszcza że ta część muru pozostawała nieoświetlona. Poczułam rosnące napięcie. Czyżby jedna z Cór Ciemności przyszła mnie śledzić? Stanowczo nie chciałam już mieć z nimi do czynienia, jak na dzisiejszą noc wystarczy.

Musiałam wydać z siebie jakiś artykułowany jęk, choć wydawało mi się, że jęknęłam tylko w myśli, bo dziewczyna podniosła głowę i popatrzyła dokładnie w to miejsce na murze, gdzie siedziałam. Wydałam stłumiony okrzyk, poczułam, jak strach łapie mnie za gardło.

To była Elizabeth! Ta sama Elizabeth Bez Nazwiska, która podobno umarła. Kiedy mnie zobaczyła, jej oczy, upiornie czerwone, otworzyły się jeszcze szerzej, krzyknęła niesamowitym głosem, zakręciła się na miejscu i z niebywałą prędkością poszybowała w ciemności nocy.

Nala wygięła w łuk grzbiet i syknęła z taką wściekłością, jakiej trudno by się spodziewać po takim małym zwierzątku.

— No już dobrze, w porządku — uspokajałam ją, chcąc jednocześnie i siebie uspokoić. Obie trzęsłyśmy się ze strachu, a Nala jeszcze wydawała niski gardłowy pomruk. — To nie mógł być duch. Nie, niemożliwe. To było jakieś dziwne... dziecko. Pewnie je wystraszyłam i...

— Zoey! Zoey! Czy to ty?

Wzdrygnęłam się i omal nie spadłam z muru. Tego już było za wiele dla Nali. Znów przejmująco syknęła, po czym zgrabnie zeskoczyła z moich kolan wprost na ziemię. Spanikowana do granic wytrzymałości złapałam się za gałąź, by całkiem nie stracić równowagi, i wytężyłam wzrok, wpatrując się w ciemności.

— Kto tam? Kto tam? — wołałam, a serce tłukło mi się w piersiach jak szalone. Nagle oślepiły mnie strugi światła dwóch latarek skierowane wprost na mnie.

— Jasne, że to ona! Co, ja bym nie rozpoznała głosu swojej najlepszej przyjaciółki? Przecież znikła nie tak znowu dawno!

— Kayla? — zapytałam, osłaniając drżącą ręką oczy przed rażącym światłem latarek.

— A nie mówiłem, że ją znajdziemy? — odezwał się chłopak. — Zawsze chcesz się poddać przed czasem.

— Heath? — Czyżbym śniła?

— Aha! Hurra! Znaleźliśmy cię, mała! — wrzasnął Heath. Nawet w oślepiającym świetle latarki mogłam dostrzec, jak z małpią zręcznością wspina się po murze.

Z nieopisaną ulgą, że to on, a nie jakieś kolejne monstrum, zawołałam do niego:

— Uważaj, Heath, bo możesz spaść i coś sobie złamać.
— Może nic mu nie będzie, chyba żeby upadł na głowę.

— Coś ty! Ja? W życiu! — odkrzyknął i podciągnął się na rękach, tak że po chwili siedział obok mnie na murze. — Możesz sprawdzić, Zoey, widzisz? Jestem mistrzem świata! — znów wrzasnął, wyrzucając w górę ręce gestem zwycięzcy i szczerząc się jak głupi, rozsiewając wokół siebie zapach alkoholu.

Nie dziwota, że nie chciałam się z nim dłużej spotykać.

— Daj spokój, przestań. Czy zawsze się będziesz nabijał ze mnie z powodu mojego niefortunnego zauroczenia Leonardem? — Wpatrywałam się w niego, czując się bardziej dawną Zoye niż w ciągu ostatnich godzin. — Chodzi raczej o moje niefortunne i byłe zauroczenie tobą. Na szczęście nie trwało długo, a poza tym nie nakręciłeś fajnych filmów.

— No co ty, chyba nie wściekasz się już na mnie z powodu Dustina i Drew, co? Zapomnij o nich, to palanty — powiedział Heath, rzucając mi spojrzenie jak zrzucony z kolan szczeniak, co dodawało mu wdzięku, kiedy był w ósmej klasie, ale co już nie działało przynajmniej od dwóch lat. — W każdym razie przyszliśmy tu, żeby cię stąd wyciągnąć.

— Co? — potrząsnęłam z niedowierzaniem głową i zmrużyłam oczy. — Zgaście najpierw te latarki, bo nic nie widzę.

— Jak je zgasimy, to my nie będziemy nic widzieli — odpowiedział Heath.

— Dobrze, w takim razie skieruj światło gdzie indziej.

Heath skierował snop światła przed siebie i tak samo zrobiła Kayla. Teraz mogłam już odjąć dłoń od oczu. Z zadowoleniem spostrzegłam, że ręce przestały mi drżeć. Mogłam też już nie mrużyć oczu. Heath natomiast otworzył szeroko oczy ze zdumienia, kiedy zobaczył mój Znak.

— Patrz! Jest już całkiem wypełniony kolorami! O rany! Wygląda jak w telewizorze albo jeszcze lepiej!

Przyjemnie było się przekonać, że pewne rzeczy pozostają niezmienne. Heath był jak to Heath — milutki, ale nie najbystrzejszy egzemplarz w całej paczce.

— A ja? Ja też tu jestem! Widzisz mnie? — zawołała Kayla. — Niech mi ktoś pomoże wdrapać się na górę, tylko ostrożnie... zaraz, muszę odłożyć swoją nową torebkę. Może lepiej zdejmę buty? Zoey, nie masz pojęcia, co straciłaś! Taką wyprzedaż u Bakersa! Najniższe ceny na wszystkie letnie sandały! Naprawdę! Siedemdziesiąt procent zniżki. Ja kupiłam pięć par za...

— Pomóż jej wejść — poleciłam Heathowi. — Tylko to ją może powstrzymać od gadania.

Właśnie. Niektóre rzeczy pozostają niezmienne.

Heath położył się płasko na murze i wyciągnął ręce do Kayli. Chichocząc, pozwoliła mu się wciągnąć na samą górę.

A kiedy tak chichotała podczas wciągania na górę, pomyślałam, a raczej nabrałam absolutnej pewności (takiej jak ta, że nigdy nie będę matematyczką), że Kayli Heath się podoba. I to jak!

Nagle uwagi Heatha na temat jego zachowania na imprezie, na której mnie nie było, nabrały sensu.

— Jak się ma Jared? — zapytałam, bezceremonialnie przerywając jej paplanie.

— Jared? Chyba dobrze — odpowiedziała, nie patrząc mi w oczy.

— Chyba?

Wzruszyła ramionami i wtedy spostrzegłam, że pod skórzaną kurtką ma skąpą koronkową bluzeczkę z wielkim dekoltem w cielistym kolorze, co sprawiało wrażenie, że odsłania więcej niż w rzeczywistości.

— A czy ja wiem?... Właściwie tośmy się nie widzieli od jakichś kilku dni.

Nadal nie patrzyła na mnie, za to patrzyła na Heatha, którego wzrok specjalnie niczego nie wyrażał, ale on zawsze miał takie bezmyślne spojrzenie. Jednym słowem: moja najlepsza przyjaciółka latała za moim chłopakiem. Wkurzyło mnie to, nagle pożałowałam, że noc jest taka ciepła, wolałabym, żeby było zimno, toby Kayla odmroziła sobie te swoje przerośnięte cycki.

Nieoczekiwanie zerwał się północny wiatr, który zaczął smagać lodowatymi podmuchami.

Z niewinną minką Kayla zapięła szczelnie kurteczkę i znów zachichotała, tyle że już nie zalotnie, ale nerwowo. Zaleciało od niej piwskiem i czymś jeszcze. Czymś, na co moje zmysły były szczególnie ostatnio wyczulone, tak że zdziwiłam się, że od razu od niej tego nie poczułam.

— Kayla, ty piłaś i paliłaś?!

Wstrząsnęła się i zamrugała, robiąc minę głupiutkiego króliczka.

— Tylko parę. To znaczy, parę piw. No i... tego... Heath miał malutkiego skręta, a że naprawdę umierałam ze strachu przed przyjściem tutaj, wzięłam na odwagę parę sztachów.

— Musiała wziąć coś na wzmocnienie — poparł ją Heath. Język mu się plątał jak zwykle, gdy wypowiadał zdanie dłuższe niż dwuwyrazowe.

— Od kiedy palisz trawkę? — zapytałam Heatha.

Wyszczerzył się w bezmyślnym uśmiechu.

— Wielkie rzeczy, Zo. Tylko raz na jakiś czas funduję sobie skręta. Są bezpieczniejsze od papierosów.

Nie znoszę, jak nazywa mnie Zo.

— Heath — starałam się nie tracić cierpliwości. — Nie są bezpieczniejsze od papierosów. A jeśli nawet, to co to znaczy? Papierosy są obrzydliwe i palenie zabija. Poza tym trawkę palą najwięksi frajerzy w budzie. Nie mówiąc już o tym, że nie możesz sobie pozwolić na to, żeby mieć jeszcze mniej szarych komórek. — Chciałam dodać: „i plemników", ale nie posunęłam się tak daleko. Heath z pewnością opacznie by zrozumiał moją aluzję do jego męskości.

— A tam!... — powiedziała Kayla.

— Co mówisz, Kayla?

Nadal otulała się kurteczką. Teraz jej spojrzenie uległo zmianie, nie było to już spojrzenie naiwnego króliczka, ale chytrego rozzłoszczonego kota, który zamiatał nerwowo ogonem. Znałam to. Taką minę demonstrowała wobec tych, którzy nie należeli do grona jej bliskich koleżanek. Doprowadzało mnie to do szału i nieraz krzyczałam na nią, żeby nie była taka wredna. I teraz ona mnie częstuje tym gównem?!

— Powiedziałam: „a tam", bo nie tylko frajerzy palą trawkę, w każdym razie nie tylko od czasu do czasu. Znasz tych dwóch biegaczy, którzy grają w Union, Chrisa Forda i Brada Higeonsa? To nie są żadni frajerzy, tylko naprawdę seksowni, ekstra goście. Widziałam, jak palili na imprezie u Katie.

— Ej, oni wcale nie są tacy seksowni — zaprotestował Heath.

Kayla nie zwróciła na niego uwagi i dalej mówiła.

— A Morgan też czasami sięga po trawkę.

— Nie mów!... Morgan? — Owszem, byłam wkurzona na Kay, ale smakowita ploteczka to smakowita ploteczka.

— No... Wiesz, że przekłuła sobie na kolczyk nie tylko język, ale i... — wymówiła bezgłośnie słowo „wargi sromowe". — Masz pojęcie, jak to musiało boleć?

— Co? Co ona sobie przekłuła? — dopytywał się Heath.

— Nic — odpowiedziałyśmy jednocześnie i przez chwilę mogłyśmy jak kiedyś poczuć się niczym dwie najlepsze przyjaciółki.

— Kayla, jak zwykle zaczynasz mówić nie na temat. Gracze z Union zawsze mieli pociąg do narkotyków. Już zapomniałaś, że brali sterydy, przez co od szesnastu lat nie mogliśmy ich pokonać?

— Naprzód, Tigersi! Prawda, dokopaliśmy Unionom! — przypomniał Heath.

Zgromiłam go spojrzeniem.

— A Morgan po prostu zgłupiała, czego najlepszym dowodem jest to, że przekłuła sobie... — Popatrzyłam na Heatha i zmieniałam zdanie: — ...różne miejsca i zaczęła palić. Bo nikt normalny nie pali.

Kay zastanowiła się chwilę.

— A ja? — zapytała.

Westchnęłam zrezygnowana.

— Słuchaj, po prostu nie uważam, żeby to było rozsądne.

— No cóż, może nie wiesz wszystkiego najlepiej. — Błysk pogardy znów zamigotał w jej oczach.

Popatrzyłam na nią, potem na Heatha, a potem znów na nią.

— Może masz rację. Ja rzeczywiście chyba nie wiem wszystkiego.

Złe błyski w jej oczach zgasły na chwilę, by zaraz powrócić. Nie mogłam powstrzymać się od porównania jej ze Stevie Rae, która (tego byłam absolutnie pewna, mimo że znałam ją tak krótko) nigdy, przenigdy nie zaczęłaby latać za moim chłopakiem, aktualnym czy byłym. Nie myślę też, by uciekła na mój widok, nawet gdybym zaczęła wyglądać jak potwór, właśnie wtedy, gdy potrzebowałam jej najbardziej.

— Chyba powinniście już wracać — powiedziałam do Kayli.

— Jak chcesz.

— Heath, pomóż jej zejść na dół.

Heath na ogół nie miał kłopotów z wykonywaniem prostych poleceń, więc i tym razem pomógł jej zejść. Kayla złapała latarkę i popatrzyła na nas z dołu.

— Pospiesz się, Heath. Jest mi naprawdę zimno. — Obróciła się na pięcie i zaczęła iść w stronę drogi.

— Wiesz co... — zaczął Heath trochę niezręcznie. — Rzeczywiście zrobiło się nagle zimno.

— Zaraz przestanie — powiedziałam lekko i prawie nie zauważyłam, jak zimny wiatr zaraz ucichł.

— Tego... Zo... Ja tu przyszedłem, żeby cię stąd wyrwać.

— Nie trzeba.

— Co? — zapytał Heath.

— Heath, spójrz na moje czoło.

— No widzę. Masz taki półksiężyc. I cały jest wypełniony kolorem, nie tak jak przedtem.

— Ale teraz jest. Słuchaj uważnie, Heath. Zostałam Naznaczona. A zatem moje ciało przechodzi Przemianę, po której stanę się wampirem.

Wzrok Heatha zaczął wędrować od Znaku w dół, po całym moim ciele. Zatrzymał się chwilę na moich cyckach i potem wędrował dalej, po nogach, które — co dopiero teraz sobie uprzytomniłam — były całkiem odsłonięte, bo przy włażeniu na mur zadarła mi się spódniczka.

— Zo, wszystko jedno, co się stanie z twoim ciałem, mnie się i tak podobasz. Zawsze byłaś bardzo ładna, ale teraz wyglądasz jak bogini. — Uśmiechnął się i pogładził mnie po policzku, co mi natychmiast uświadomiło, dlaczego lubiłam go przez tyle czasu. Mimo swoich wad Heath potrafił być naprawdę miły, przy nim zawsze czułam się jak skończona piękność.

— Heath — powiedziałam łagodnie — sporo się zmieniło.

— U mnie się nic nie zmieniło. — Przysunął się bliżej, przeciągnął mi ręką po nodze od kolana w górę i pocałował, czego się absolutnie nie spodziewałam.

Strąciłam jego rękę i zaraz mu się wyrwałam.

— Heath, próbuję ci coś powiedzieć!

— Można mówić i całować się jednocześnie — szepnął.

Znów zaczęłam go przekonywać, żeby przestał, i wtedy poczułam t o.

Jego puls pod moimi palcami.

Szybki, wyraźny. Wydawało mi się, że nawet go słyszę. A kiedy przysunął się, by mnie pocałować, spostrzegłam na jego szyi nabrzmiałą pulsującą żyłę, bo krew w nim krążyła w przyspieszonym tempie. A gdy jego wargi dotknęły moich ust, przypomniałam sobie smak krwi obecny w kielichu. Tamta krew była zimna i zmieszana z winem, poza tym pochodziła od chłopaka, który nic dla mnie nie znaczył. Krew Heatha, gorąca... słodka... byłaby lepsza od krwi Elliotta Lodówki.

— O rany, Zoey, skaleczyłaś mnie! — Wyrwał rękę z moich objęć. — Cholera, krew leci. Jeśli nie chciałaś, żebym cię całował, mogłaś mi to powiedzieć.

Podniósł rękę do ust i zaczął zlizywać czerwoną kropelkę, która się pojawiła na jego przegubie. Potem spojrzał na mnie i znieruchomiał. Na ustach miał ślad krwi. Czułam jej zapach, pachniała trochę jak wino, ale o niebo lepsze. Nic innego nie czułam, tylko ten zapach i dreszcz, który zjeżył mi włoski na skórze.

Musiałam jej spróbować. Niczego tak bardzo nie pragnęłam jak właśnie tego.

— Chcę... — usłyszałam siebie, jak mówię zmienionym głosem.

— Tak... — odpowiedział Heath jak w transie. — Co tylko zechcesz. Zrobię wszystko, co tylko zechcesz.

Teraz to ja przysunęłam się do niego, a gdy dotknęłam językiem jego warg, poczułam nieznaną dotychczas dziką przyjemność, ogarnął mnie ogień pożądania...

— Jeszcze... — szepnęłam.

Heath, jakby stracił nagle mowę, tylko skinął głową i podsunął mi swój przegub. Skaleczenie niemal już nie krwawiło, a kiedy polizałam cienką czerwoną kreskę, Heath jęknął. Dotknięcie moim językiem musiało wywołać jakąś reakcję, bo ranka zaczęła mocniej krwawić, kropla po kropli, coraz więcej, coraz szybciej... Drżącymi dłońmi uniosłam jego rękę i przycisnęłam ją do ust. Dygotałam, jęczałam z rozkoszy...

— O Boże! Co ty mu robisz? — Ostry głos Kayli przebił się przez zamglony rozkoszą mój umysł.

Puściłam rękę Heatha, jakby zaczęła mnie palić.

— Odwal się od niego! — wrzasnęła Kayla. — Zostaw go!

Heath nawet się nie poruszył.

— Idź — powiedziałam do niego. — Idź i nie wracaj.

— Nie — odrzekł nieoczekiwanie przytomnie.

— Tak. Idź stąd.

— Puść go! — wrzasnęła znów Kayla.

— Kayla, ty krowo, jeśli natychmiast się nie zamkniesz, zaraz tam zlecę na dół i wytoczę z ciebie krew do ostatniej kropli! — wybuchłam.

Usłyszałam jej zduszony krzyk i zobaczyłam, jak wreszcie odchodzi.

— Ty też musisz iść.

— Zo, ja się ciebie nie boję.

— Heath, ja się boję samej siebie, i to za nas dwoje.

— Ale mnie nie przeszkadza, co robisz. Kocham cię, Zoey, kocham cię bardziej niż przedtem.

— Przestań! — Nie miałam zamiaru krzyczeć na niego, z przykrością zobaczyłam, że kuli się pod wpływem mojego ostrego tonu. Przełknęłam ślinę i zniżyłam głos. — Proszę cię. Odejdź. — I szukając sposobu, by skłonić go do odejścia, dodałam: — Kayla na pewno będzie chciała sprowadzić gliny, a tego chyba żadne z nas nie chce.

— Dobrze. Pójdę. Ale nie na zawsze. — Pocałował mnie mocno i szybko. Poczułam następny przypływ rozkoszy, smakując krew na jego wargach, lecz on już zeskoczył zgrabnie z muru i zniknął w ciemnościach. Jeszcze przez chwilę widziałam kropkę światła z jego latarki, wkrótce jednak i ona znikła.

Wolałam nie myśleć o tym, co się stało. Jeszcze nie. Zsunęłam się po murze jak automat, dla równowagi trzymając się gałęzi. Kolana trzęsły mi się tak bardzo, że mogłam przejść jedynie do drzewa, pod którym usiadłam i dla bezpieczeństwa oparłam się o jego starożytny pień. Nagle objawiła się Nala, wskoczyła mi na kolana, jakby była moim kotem nie od kilkunastu minut, tylko od lat, a kiedy zaczęłam płakać, wspięła mi się na piersi i przycisnęła ciepły łepek do moich policzków.

Dość długo musiałam płakać, a gdy szloch przeszedł w czkawkę, pożałowałam, że wybiegając z sali rekreacyjnej, zostawiłam tam torebkę. Przydałyby mi się teraz chusteczki higieniczne.

— Masz. Wygląda na to, że są ci potrzebne.

Nali nie spodobało się, kiedy gwałtownie podskoczyłam na dźwięk tego głosu. Przez łzy zobaczyłam, że ktoś podaje mi chusteczki.

— Dziękuję — wyjąkałam, biorąc je, by natychmiast wytrzeć nos.

— Nie ma za co — odpowiedział Erik Night.

)

ROZDZIAŁ OSIEMNASTY

— Nic ci nie jest?

— Nie. Dobrze się czuję. Naprawdę — skłamałam.

— Nie wyglądasz, jakbyś się dobrze czuła — zauważył Erik. — Mogę usiąść?

— Jasne. Siadaj — powiedziałam apatycznie. Wiedziałam, że mam czerwony nos. Na pewno byłam usmarkana, kiedy do mnie podszedł. Miałam też niejasne przeczucie, że był świadkiem przynajmniej części sceny, jaka się rozegrała pomiędzy mną a Heathem. Ta noc stawała się coraz gorsza. Spojrzałam na niego i pomyślałam: „Co tam, w takim razie niech będzie jeszcze gorzej", więc powiedziałam: — Gdybyś się nie domyślał, wiedz, że to byłam ja wczoraj w holu i widziałam tam ciebie z Afrodytą.

Nie wyglądał na zaskoczonego.

— Wiem i żałuję, że to widziałaś. Wolałbym, żebyś nie wyrobiła sobie o mnie niewłaściwego sądu.

— A jaki sąd powinnam mieć?

— Że nic mnie nie łączy z Afrodytą.

— Nie moja sprawa.

Wzruszył ramionami.

— Po prostu chciałbym, abyś wiedziała, że już nie chodzimy ze sobą.

Już miałam na końcu języka, że zapewne Afrodyta o tym nie wie, ale przypomniałam sobie, co przed chwilą zaszło między mną a Heathem, i pomyślałam, co mnie samą zaskoczyło, że może nie powinnam być zbyt surowa wobec Erika.

— W porządku, nie chodzicie już ze sobą — zgodziłam się.

Siedział przez chwilę bez ruchu obok mnie, a kiedy znów się odezwał, w jego głosie dała się słyszeć nuta złości.

— Afrodyta nie uprzedziła cię, że w winie jest krew.

Jego ton nie był pytający, mimo to odpowiedziałam:

— Nie.

Potrząsnął głową, zauważyłam, jak zacisnął gniewnie zęby.

— Obiecała mi, że ci powie. Miała to zrobić, kiedy się przebierałaś, a gdybyś nie chciała, mogłabyś nie pić tego wina.

— Kłamała.

— Nie dziwię się.

— Tak? — Czułam, jak we mnie też wzbiera gniew. — Ze wszystkim źle się stało. Najpierw pod presją musiałam pójść na obchody organizowane przez Córy Ciemności, a tam podstępem nakłoniono mnie do spróbowania krwi. Po czym spotykam swojego prawie byłego chłopaka, który, tak się składa, jest stuprocentowym przedstawicielem ludzkiego gatunku, ale nikt nie raczył mnie uprzedzić, że najmniejsza kropla jego krwi zrobi ze mnie... potwora. — Zagryzłam wargi, by znów nie wybuchnąć płaczem. Uznałam też, że lepiej nic mu nie mówić o tym, że widziałam ducha Elizabeth; dość wyznań jak na jedną noc.

— Nikt cię nie uprzedził, ponieważ takie reakcje nie zachodzą u osób, które przechodzą trzecie formatowanie — powiedział łagodnie.

— Co? — wybełkotałam.

— Pożądanie krwi nie występuje, zanim nie osiągnie się szóstego formatowania, kiedy proces Przemiany jest niemal zakończony. Czasem słyszy się o osobach z piątego formatowania, u których mogą wystąpić takie reakcje, ale to się nieczęsto zdarza.

— Zaraz, co ty mówisz? — Czułam się, jakby rój pszczół szumiał mi w głowie.

— Na piątym formatowaniu wykłada się przedmiot o pożądaniu krwi i innych rzeczach, z którymi dorosłe wampiry mają do czynienia, a na szóstym, i na to kładzie się największy nacisk, wybiera się i doskonali specjalizację.

— Ale ja jestem na trzecim formatowaniu. — Uświadomiłam sobie, że mówię podniesionym głosem, więc zaczęłam mówić ciszej. — I chciałabym się dowiedzieć, jak przez to wszystko przejść w taki sam sposób jak inni.

— Za późno, Z — powiedział.

— Więc co teraz?

— Myślę, że powinnaś porozmawiać ze swoją mentorką. To Neferet, prawda?

— Tak — odrzekłam przygnębiona.

— Ej, rozchmurz się. Neferet jest wspaniała. Prawie już nie bierze pod swoją opiekę żadnych adeptów, co znaczy, że musi w ciebie mocno wierzyć.

— Wiem. Tylko tak się czuję... — Właściwie co czuję na myśl, że mam opowiedzieć Neferet o wszystkim, co się tej nocy wydarzyło? Wstyd, zakłopotanie... Tak samo jak wtedy, gdy miałam dwanaście lat i musiałam powiedzieć nauczycielowi wuefu, że właśnie dostałam miesiączkę i muszę iść do szatni zmienić szorty. Kątem oka zerknęłam na Erika. Siedział obok mnie, przystojny, troskliwy, idealny. Do diabła. Nie mogłam mu się do tego przyznać. Więc zamiast tego wypaliłam:
— Głupio. Będzie mi głupio. — Właściwie była to prawda, ale oprócz tego i wstydu odczuwałam jeszcze strach. Bałam się, że to mi przeszkodzi we wpasowaniu się w środowisko.

— Niech ci nie będzie głupio. Wyprzedzasz nas pod wieloma względami.

— W takim razie... — Wzięłam głęboki oddech i odważyłam się zapytać: — Powiedz mi, czy smakowała ci krew zmieszana z winem, które piliśmy dzisiaj?

— Wiesz, ze mną było tak: po raz pierwszy brałem udział w obchodach Pełni Księżyca organizowanych przez Córy Ciemności pod koniec trzeciego formatowania. Nie licząc „lodówki", byłem tylko ja z trzeciego formatowania, tak jak ty dzisiaj. — Roześmiał się niewesoło. — Zaprosiły mnie tylko dlatego, że dostałem się do finału konkursu na najlepiej wykonany dialog Szekspirowski i następnego dnia miałem lecieć do Londynu na finał. — Rzucił mi spojrzenie, w którym widać było lekkie zakłopotanie. — Dotychczas nikt z Domu Nocy nie zaszedł tak daleko. Wyjazd do Londynu to była wielka sprawa. Prawdę mówiąc, uważałem, że to ja jestem wielki — dodał z nutką autoironii. — Tak więc Córy Ciemności mnie zaprosiły, a ja tam poszedłem. O krwi wiedziałem. Miałem możliwość odmowy wypicia, ale z niej nie skorzystałem.

— Jak ci smakowało?

Szczerze się roześmiał.

— Wymiotowałem tak bardzo, że myślałem, iż dusza ze mnie uleci. To był najgorszy smak, jaki kiedykolwiek przedtem próbowałem.

Jęknęłam. Spuściłam głowę i ukryłam twarz w dłoniach.

— To dla mnie żadna pociecha.

— Bo tobie smakowało?

— Jeszcze jak! Mówisz, że dla ciebie był to najobrzydliwszy smak, ale dla mnie najznakomitszy, dopóki... — Zawahałam się, wiedząc, co mogłabym wyznać.

— Dopóki nie spróbowałaś świeżej krwi? — podpowiedział mi delikatnie.

Skinęłam głową, bojąc się dalej mówić.

Ujął mnie za przeguby, odciągnął na bok moje ręce i odsłonił mi twarz. Następnie wziął pod brodę i zmusił, bym spojrzała mu w oczy.

— Nie ma się czego wstydzić ani martwić. To normalne.

— Polubić smak krwi — to *nie jest* normalne. Nie dla mnie.

— Owszem, jest. Wszystkie wampiry muszą się liczyć z tym, że będą pożądać krwi — powiedział.

— Ale ja nie jestem wampirem!

— Może nie jesteś, a raczej: *jeszcze* nie. W każdym razie na pewno nie jesteś przeciętną adeptką i nie ma w tym nic złego. Jesteś wyjątkowa, Zoey, a osoby wyjątkowe mogą zadziwiać otoczenie.

Powoli przesunął palec spod mojej brody na czoło i tak jak już raz zrobił, obwiódł nim zarys mojego ciemniejącego Znaku. Miły był jego dotyk — ciepły i trochę szorstki. Podobało mi się też w nim to, że jego bliskość nie wyzwalała we mnie dziwnych reakcji jak w przypadku Heatha. To znaczy, nie czułam jego tętna, nie widziałam pulsującej żyły na szyi. Choć nie miałabym nic przeciwko temu, żeby mnie pocałował.

Cholera! Czyżbym się stała wampirzycą ladacznicą? Co jeszcze mi się zdarzy? Czy żaden przedstawiciel gatunku męskiego (z Damienem włącznie) nie będzie mógł bezpiecznie się czuć w moim towarzystwie? Może powinnam unikać wszystkich chłopaków, zanim nie dowiem się dokładnie, co się ze mną dzieje, i nie zacznę kontrolować swoich reakcji?

Ale zaraz uświadomiłam sobie, że już próbowałam unikać wszystkich i oto dokąd mnie to zaprowadziło.

— Erik, skąd ty się tu wziąłeś?

— Szedłem za tobą — odpowiedział wprost.

— Dlaczego?

— Zdałem sobie sprawę, co Afrodyta zrobiła i jakie to może mieć konsekwencje, a zatem że może potrzebny ci będzie przyjaciel. Mieszkasz w jednym pokoju ze Stevie Rae, prawda?

Kiwnęłam głową.

— Rozważałem, czyby nie przysłać ci jej tutaj, ale nie byłem pewny, czy chcesz, żeby się dowiedziała o... — przerwał i tylko wskazał na salę rekreacyjną.

— Nie, nie! Nie chcę, żeby się dowiedziała. — Znów język zaczął mi się plątać, jak zawsze gdy chcę powiedzieć coś za szybko.

— Tak też myślałem. No i dlatego natknęłaś się na mnie. — Uśmiechnął się trochę zażenowany. — Naprawdę nie chciałem być świadkiem tego, co zaszło między tobą a Heathem. Przepraszam.

Udałam, że jestem pochłonięta głaskaniem Nali. Więc widział, jak Heath mnie pocałował, a następnie całe to krwawe zajście. O rany, jaki wstyd... Nagle uderzyła mnie pewna myśl. Spojrzałam na niego i uśmiechnęłam się ironicznie.

— W takim razie jesteśmy kwita. Ja też nie chciałam słuchać twojej rozmowy z Afrodytą.

— Zgoda — odpowiedział mi z uśmiechem. — Jesteśmy kwita. To mi się podoba.

Jego uśmiech wywołał dziwną reakcję w moim żołądku.

— Tak naprawdę nie mogłabym zlecieć na dół i wyssać krwi z Kayli — wyjąkałam jeszcze.

Roześmiał się. (Miał naprawdę sympatyczny śmiech).

— Wiem. Wampiry nie mogą latać.

— Ale udało mi się ją nastraszyć — powiedziałam.

— Z tego co mogłem zauważyć, zasłużyła sobie na to. — Przerwał na chwilę i potem dodał: — Czy mogę cię o coś zapytać? To będzie osobiste pytanie.

— Widziałeś, jak wypijam z kielicha krew, wymiotuję, całuję się z chłopakiem, zlizuję krew, jakbym była szczenięciem, a potem drę się jak opętana. Z kolei ja widziałam, jak rezygnujesz z minety. Po tym wszystkim mam wrażenie, że mogę odpowiedzieć na osobiste pytanie.

— Czy on był w jakimś transie? Na to mi wyglądało.

Zaczęłam się wiercić, aż Nala przywołała mnie do porządku. Uspokoiłam ją intensywnym głaskaniem.

— Zdaje się, że był — w końcu przyznałam. — Nie wiem, czy to trans czy nie, a już na pewno nie zamierzałam narzucić mu swojej woli, nic z tych rzeczy, ale on zachowywał się inaczej niż zwykle. Nie wiem, co to mogło być. Owszem, coś wypił, palił trawkę. Może po prostu był na haju? — Jak przez mgłę w pamięci usłyszałam jego słowa: „Tak, co tylko zechcesz... Zrobię wszystko, co tylko zechcesz...". I zobaczyłam jego spojrzenie, pełne napięcia. Nawet nie miałam pojęcia, że Sportsmen Heath jest zdolny do tak intensywnych przeżyć (w każdym razie poza boiskiem).

— Czy on zawsze taki był czy dopiero po tym, jak ty... eee... zaczęłaś...

— Wcześniej taki nie był. Dlaczego pytasz?

— Bo jeśli po tym, to wyklucza dwie ewentualne przyczyny jego dziwnego zachowania. Pierwszą: gdyby był na haju, toby zachowywał się dziwnie przez cały czas. I drugą: że był tobą zauroczony; a mógłby się tak zachowywać, ponieważ jesteś naprawdę ładna i już samo to może przyprawiać chłopaka o zawrót głowy.

Jego słowa znów wywołały we mnie reakcje brzuszne — dotąd żaden facet tak na mnie nie działał. Ani Sportsmen Heath, ani Leniwiec Jordan, ani Jonathan z Głupiej Kapeli (lista moich chłopaków może nie jest długa, ale za to barwna).

— Naprawdę? — zapytałam jak kretynka.

— Naprawdę. — Uśmiechnął się bynajmniej nie kretyńsko.

Jak ja mu się mogę podobać? Ja, idiotka chłepcząca krew!

— Ale to też nie wchodzi w rachubę, ponieważ musiał zauważyć, jak pięknie wyglądasz, jeszcze zanim go pocałowałaś, a z tego, co mówisz, wynika, że nie wydawał się zauroczony, dopóki nie włączyła się sprawa krwi.

Powiedział: zauroczony, tak właśnie powiedział!

Szczerzyłam się do niego, podziwiając wyszukane słownictwo, jakim się posługiwał, i niewiele myśląc, dodałam:

— Właściwie to się stało, dopiero gdy usłyszałam jego krew.

— Powtórz, co powiedziałaś — poprosił.

Holender! Nie chciałam tego mówić. Odchrząknęłam nerwowo.

— Heath stał się inny w momencie, w którym usłyszałam pulsowanie krwi w jego żyłach.

— To słyszą tylko dorosłe wampiry. — Zastanowił się chwilę, po czym dodał z uśmiechem: — Jego imię pasuje bardziej do gejowskiego gwiazdora opery mydlanej.

— Ciepło. To gwiazdor drużyny piłkarskiej Broken Arrow, jest w niej rozgrywającym.

Erik wyglądał na rozbawionego.

— A propos. Podoba mi się nazwisko, które przyjąłeś. Night brzmi odlotowo — zauważyłam, chcąc przejąć inicjatywę w rozmowie i powiedzieć coś, co by brzmiało choć trochę refleksyjnie.

Uśmiechnął się jeszcze szerzej.

— Nie zmieniałem nazwiska. Tak się nazywam od urodzenia.

— Aha. W każdym razie mi się podoba. — Och, powinnam się zastrzelić!

— Dzięki.

Spojrzał na zegarek, zobaczyłam, że jest już prawie wpół do siódmej, co i tak wydawało się zwariowaną porą.

— Wkrótce się rozjaśni — powiedział.

Domyśliłam się, że to dla nas sygnał, aby się rozejść, więc zaczęłam się gramolić z Nalą na rękach, podczas gdy Erik podtrzymywał mnie za łokieć, bym nie straciła równowagi. Kiedy stałam już pewnie na nogach, nadal był tak blisko, że ogon kotki dotykał jego czarnego swetra.

— Byłbym cię zapytał, czy nie masz ochoty czegoś zjeść, ale jedynym miejscem, gdzie można o tej porze dostać coś do jedzenia, jest sala rekreacyjna, a domyślam się, że teraz nie miałabyś ochoty tam pójść.

— Och, zdecydowanie nie. Zresztą i tak nie czuję się głodna. — Wkrótce uświadomiłam sobie, że to nieprawda. Na samą wzmiankę o jedzeniu okropnie mi się zachciało jeść.

— W takim razie czy nie masz nic przeciwko temu, bym cię odprowadził do internatu? — zapytał.

— Nie — odpowiedziałam, starając się, by zabrzmiało to nonszalancko.

Stevie Rae, Damien i Bliźniaczki padną z zazdrości, gdy zobaczą mnie z Erikiem.

Po drodze nie odzywaliśmy się do siebie, ale nie było to milczenie wymuszone czy niezręczne. Właściwie było nawet miłe. Co jakiś czas nasze ręce się muskały, a wtedy myślałam sobie, jaki on jest wysoki i przystojny i jak bym chciała, żebyśmy szli, trzymając się za ręce.

— Aha — odezwał się po chwili. — Nie odpowiedziałem do końca na twoje pytanie. Kiedy za pierwszym razem spróbowałem krwi na obchodach u Cór Ciemności, bardzo mi nie smakowała, ale później była coraz lepsza. Nie mogę powiedzieć, że jest wyśmienita, po prostu przyzwyczaiłem się do jej smaku. W każdym razie lubię nastrój, jaki wywołuje.

Popatrzyłam na niego przenikliwie.

— Chodzi ci o szum w głowie? Uczucie miękkości w kolanach? Tak jakbyś był pijany, choć pijany nie jesteś?

— Coś w tym rodzaju. A czy wiesz, że wampiry się nie upijają? — Potrząsnęłam głową. — W taki sposób Przemiana działa na twój metabolizm. Nawet adeptom trudno jest wprawić się w stan upojenia.

— Więc jak wampir chce się urżnąć, to wypija krew?

Wzruszył ramionami.

— Na to wygląda. W każdym razie adeptom nie wolno pić ludzkiej krwi.

— Wobec tego dlaczego nikt nie poinformował nauczycieli o tym, czego dopuszcza się Afrodyta?

— Ona nie pije ludzkiej krwi.

— No wiesz, Erik, przecież ja tam byłam. Na pewno w winie znajdowała się krew, która pochodziła od małego Elliotta. — Wzdrygnęłam się. — Zresztą to okropny wybór.

— On nie jest człowiekiem — powiedział Erik.

— Zaczekaj. Mówisz, że nie wolno pić ludzkiej krwi — powiedziałam, cedząc słowa. Do diabła, a ja właśnie to zrobiłam. — Ale można pić krew adeptów?

— Tylko za obopólną zgodą.

— To nie ma sensu.

— Oczywiście, że ma. To normalne, że gdy przechodzimy Przemianę, w naszych organizmach rozwija się pożądanie krwi, które domaga się jakiegoś zaspokojenia. Adepci szybko się regenerują, więc nie ma niebezpieczeństwa, że któremuś to może zaszkodzić. Poza tym nie ma żadnych następstw, tak samo gdy wampiry żywią się ludzką krwią.

Wszystkie te nowości były dla mnie mocnym uderzeniem, jak obuchem w głowę. Chwyciłam się jednej myśli, która jeszcze dla mnie była niejasna.

— Mówisz o żywych ludziach? — powiedziałam ochrypłym głosem. — Chyba nie w przeciwieństwie do osób nieżywych? — Zaczęło mi się znów zbierać na wymioty.

Erik roześmiał się.

— Nie, miałem na myśli: w przeciwieństwie do picia krwi uzyskanej od dawców rekrutujących się spośród wampirów.

— Nigdy o czymś takim nie słyszałam.

— Większość ludzi tego nie wie. Będziesz się o tym uczyła na piątym formatowaniu.

Coś jeszcze nie dawało mi spokoju.

— Kiedy mówiłeś o następstwach, co właściwie miałeś na myśli?

— Dopiero zaczynamy się o tym uczyć na zajęciach z socjologii wampirów 312. Chyba chodzi o to, że gdy dorosły wampir pije krew pochodzącą od człowieka, tworzy się między nimi silna więź. I to niekoniecznie ze strony wampira, ale to ludzie bardzo łatwo się angażują. Co zresztą stwarza dla nich prawdziwe niebezpieczeństwo. Pomyśl tylko. Już sama utrata krwi nie jest czymś dobrym. A dodaj do tego jeszcze fakt, że my żyjemy dłużej od nich o całe dziesięciolecia, a nierzadko i stulecia. Popatrz na to z punktu widzenia człowieka, to naprawdę wielki problem: kochać kogoś, kto praktycznie się nie starzeje, podczas gdy on sam dostaje zmarszczek, brzydnie i w końcu umiera.

Przypomniałam sobie spojrzenie oszołomionego Heatha, który nie mógł oderwać ode mnie wzroku, i wtedy zrozumiałam, że będę musiała o wszystkim opowiedzieć Neferet, nawet gdyby miało to być bardzo trudne.

— Aha, to musi być przykre — przyznałam słabym głosem.

— No i jesteśmy na miejscu.

Ze zdziwieniem spostrzegłam, że stoimy przed wejściem do internatu dla dziewcząt.

— Dziękuję, że... szedłeś za mną — powiedziałam, uśmiechając się niepewnie.

— Kiedy znów pojawi się jakiś nieproszony gość i potrzebna ci będzie interwencja, jestem do usług.

— Będę o tym pamiętała — obiecałam. — Dzięki. — Posadziłam Nalę na swoim biodrze i zaczęłam otwierać drzwi.

— Ej, Z! — zawołał.

Odwróciłam się.

— Nie oddawaj tej sukni Afrodycie. Przez to, że włączyła cię do kręgu, formalnie zaoferowała ci miejsce w szeregach Cór Ciemności. Istnieje tradycja, że szkolona na starszą kapłankę osoba podczas pierwszej nocy daje nowej członkini prezent. Nie sądzę, byś chciała do nich dołączyć, ale nie tracisz przywileju zatrzymania sukni. Tym bardziej że wyglądasz w niej o wiele lepiej niż Afrodyta. — Pochylił się i ujął moją rękę (tę wolną, bo drugą trzymałam Nalę), odwrócił ją przegubem do góry, po czym palcem poszukał żyły, a gdy ją znalazł, poczułam, jak tętno zaczyna mi galopować.

— Powinnaś też wiedzieć, że kiedy zechcesz raz jeszcze spróbować smaku krwi, jestem pod ręką. Pamiętaj o tym.

Pochylił się i nadal patrząc mi w oczy, popukał leciutko palcem w mój przegub, po czym złożył na nim delikatny pocałunek. Tym razem niepokój odczuwany w brzuchu stał się wyraźniejszy. Poczułam dreszcze na wewnętrznej stronie ud, zaczęłam szybciej oddychać. Z ustami na moim przegubie znów zajrzał mi w oczy, a wtedy dreszcz pożądania przeszył moje ciało. Wiedziałam, że poczuje, jak drżę. Połaskotał mnie językiem, wzmagając dreszcze. Potem uśmiechnął się do mnie i odszedł. Zaczęło świtać.

)

ROZDZIAŁ DZIEWIĘTNASTY

Na przegubie nadal czułam mrowienie od pocałunku Erika i nie byłam pewna, czy jestem w stanie już mówić, więc ulżyło mi, kiedy zobaczyłam, że w holu wejściowym kręci się tylko kilka dziewcząt, które ledwie na mnie spojrzały, zaabsorbowane oglądaniem programu o amerykańskich topmodelkach. Pobiegłam do kuchni, tam zaraz posadziłam Nalę na podłodze, licząc na to, że nie ucieknie, kiedy ja będę sobie przyrządzała kanapkę. Rzeczywiście nie uciekła, chodziła za mną po kuchni niczym pomarańczowy piesek, narzekając na mnie tym swoim dziwnym miaukiem. „Wiem", „rozumiem", powtarzałam co chwila, ponieważ wyobrażałam sobie, że ona beszta mnie za to, że zachowałam się jak idiotka, w czym zresztą miała rację. Po zrobieniu kanapki złapałam jeszcze torebkę precelków (faktycznie, tak jak mówiła Stevie Rae, w żadnej szafce nie znalazłam śmieciowego jedzenia), jakieś brunatne picie (nawet nie wiem, co to było, tyle że brunatne i nie niskosłodzone), kotkę i popędziłam na schody.

— Zoey! Tak się martwiłam o ciebie! Opowiedz mi o wszystkim. — Zwinięta w kłębek na łóżku, z książką w ręku, Stevie Rae najwyraźniej na mnie czekała. Miała na sobie górę od piżamy gęsto zadrukowanej wzorem w kowbojskie kapelusze, do tego bawełniane portki ściągane w pasie tasiemką. Słowo daję, wyglądała na nie więcej niż dwanaście lat.

— Widzisz? — zawołałam wesoło — Wygląda na to, że przybyło nam zwierzątko. — Odwróciłam się bokiem, tak by Stevie Rae mogła zobaczyć Nalę wczepioną w moje biodro. — Pomóż mi, zanim czegoś nie upuszczę. Jak znam koty, ten egzemplarz będzie stale zrzędzić.

— Jaka milutka! — wykrzyknęła Stevie Rae, chcąc ją wziąć ode mnie, ale Nala uczepiła się mnie tak mocno, jakby od tego zależało jej życie. Stevie Rae musiała więc zadowolić się wzięciem jedzenia, które położyła na moim nocnym stoliczku.

— Suknię masz bombową!

— Aha, przebrałam się w nią tuż przed uroczystością. — Wtedy sobie przypomniałam, że powinnam ją oddać Afrodycie. Nie miałam zamiaru zatrzymać tego „prezentu", nawet jeśli Erik był odmiennego zdania. Tak czy owak oddanie sukni stanowiło dobrą okazję do „podziękowania" jej za to, że „zapomniała" powiedzieć mi o krwi. Wiedźma z piekła rodem.

— No więc?... Jak tam było?

Usiadłam na łóżku i dałam Nali precla, którym natychmiast zaczęła się bawić, uganiając się za nim po całej podłodze (przynajmniej przestała burczeć). Odgryzłam kawał kanapki. Owszem, byłam głodna, ale też grałam na zwłokę. Nie miałam pewności, co mogę powiedzieć Stevie Rae, a co powinnam przemilczeć. Wstydziłam się mówić o całej tej historii z krwią, co zresztą było okropne. Co ona sobie o mnie pomyśli? Czy będzie się mnie bała?

Przełknęłam pierwszy kęs i postanowiłam zwrócić rozmowę na bezpieczniejsze tory.

— Erik Night odprowadził mnie do domu — wyznałam.

— Mów szybko! — Zaczęła podskakiwać na łóżku jak diabełek na sprężynie. — Opowiedz wszystko dokładnie!

— Pocałował mnie — dodałam, marszcząc znacząco brew.

— Chyba żartujesz! Jak? Gdzie? Dobrze było?

— Pocałował mnie w rękę. — Postanowiłam nie mówić całej prawdy. Nie chciałam wdać się w zawiłe tłumaczenia na temat przegubu, pulsu, krwi i ugryzienia. — Na dobranoc. Staliśmy tuż przed drzwiami internatu. Owszem, było dobrze! — Posłałam jej uśmiech, choć usta miałam pełne jedzenia.

— Afrodyta musiała się zesrać, widząc, jak ty i Erik wychodzicie razem z sali rekreacyjnej.

— Nie, właściwie ja wyszłam pierwsza, a on potem mnie dogonił. Poszłam się przejść wokół muru, tam zresztą znalazłam Nalę. — Pogłaskałam kotkę po łepku. Zwinęła się obok mnie w kłębuszek, zamknęła oczy i zaczęła mruczeć. — W gruncie rzeczy wydaje mi się, że to ona mnie znalazła. Wdrapałam się na mur, bo myślałam, że ona potrzebuje pomocy, a potem — pewnie mi nie uwierzysz — zobaczyłam coś, co wyglądało na ducha Elizabeth, a jeszcze później mojego byłego chłopaka ze starej szkoły, Heatha, który pojawił się z moją byłą najlepszą przyjaciółką.

— Co?... Kto?... Powoli. Zacznij od ducha Elizabeth.

Potrząsnęłam głową i w zamyśleniu żułam kanapkę. Nadal jedząc, zaczęłam tłumaczyć.

— To było naprawdę niesamowite i bardzo dziwne. Siedziałam na tym murze i głaskałam Nalę i wtedy coś zwróciło moją uwagę. Spojrzałam na dół i zobaczyłam, że niedaleko mnie stoi jakaś dziewczyna. Popatrzyła na mnie, a oczy miała czerwone i błyszczące, przysięgam, że to była Elizabeth.

— Coś ty! Bałaś się?

— Jeszcze jak! A kiedy mnie zobaczyła, wydała z siebie przeraźliwy krzyk i znikła.

— Ja bym umarła ze strachu.

— Ja też, ale nie miałam czasu, bo zaraz zjawił się Heath z Kaylą.

— Jak to? Jak mogli się tu pokazać?

— Nie, nie tu, nie po naszej stronie, tylko na zewnątrz muru. Musieli usłyszeć, jak usiłuję uspokoić Nalę, która oszalała na widok Elizabeth, bo przybiegli do mnie pędem.

— Nala też ją widziała?

Skinęłam głową.

Stevie Rae wzdrygnęła się.

— W takim razie to musiała być naprawdę ona.

— Jesteś pewna, że umarła? — zapytałam, zniżając głos do szeptu. — Czy nie zaszła jakaś pomyłka? Może ona żyje i włóczy się po szkole? — To brzmiało dość nieprawdopodobnie, ale równie nieprawdopodobnie brzmiała wersja z duchem Elizabeth, który mi się ukazał.

Stevie Rae głośno przełknęła ślinę.

— Ona nie żyje. Widziałam, jak umierała. Wszyscy w klasie widzieli.

Stevie Rae była bliska płaczu, a mnie też ogarniał coraz większy niepokój, więc szybko skierowałam rozmowę na mniej niesamowity temat.

— Może się mylę. Może to była jakaś gówniara z takimi oczami i ogólnie do niej podobna. Było ciemno i zaraz pojawili się tam Heath z Kaylą.

— Czego chcieli?

— Heath powiedział, że przyszedł mnie stąd wyciągnąć. — Przewróciłam oczami. — Masz pojęcie?

— Co oni, zgłupieli?

— Widocznie. A poza tym Kayla, dotąd moja najlepsza przyjaciółka, zachowywała się tak, że nie mam już wątpliwości, że lata za Heathem!

Stevie Rae sapnęła z oburzenia.

— A to zdzira!

— Nie żartuję. W każdym razie powiedziałam im, żeby sobie poszli i więcej nie wracali, czym w końcu byłam przygnębiona, i właśnie wtedy znalazł mnie Erik.

— Ojej! Czy był słodki i romantyczny?

— Coś w tym rodzaju. A, i mówił do mnie Z.

— O!... Takie zdrobnienie to dobry znak.

— Też mi się tak wydawało.

— I potem odprowadził cię do internatu?

— Tak, powiedział, że powinnam wziąć sobie coś do jedzenia, tyle że jedyne miejsce, gdzie mogę coś dostać, to sala rekreacyjna, ale pewnie nie będę chciała tam wracać. — O psiakostka! Zagalopowałam się. Nie chciałam aż tyle powiedzieć.

— Córy Ciemności były takie okropne?

Spojrzałam w szeroko otwarte sarnie oczy Stevie Rae i uznałam, że nie mogę jej opowiedzieć całej historii z krwią. Za wcześnie na to.

— Wiesz, jak seksowna, piękna i z klasą była Neferet?

Stevie Rae kiwnęła głową.

— No więc w zasadzie Afrodyta robiła to samo co Neferet, ale wyglądała z tym jak kurwiszon.

— Zawsze uważałam, że jest wredna — powiedziała Stevie Rae, potrząsając głową z niesmakiem.

— Powiedz mi coś więcej na ten temat. — Popatrzyłam na Stevie Rae i nie wytrzymałam. — Wczoraj, zanim Neferet mnie tu przyprowadziła, widziałam, jak Afrodyta próbowała zrobić Erikowi laskę.

— Nie mów! Rany, jakie to obrzydliwe! Zaraz, mówisz, że próbowała? O co tu chodzi?

— Powiedział jej, że nie chce, i ją odepchnął. Potem mówił, że w ogóle już jej nie chce.

Stevie Rae zachichotała.

— Założę się, że musiała stracić resztki rozumu. Pamiętam, jak bardzo jej na nim zależało, nawet wtedy gdy mówił do niej „nie".

— Wiesz, może by mi było jej żal, gdyby nie to, że... że... — Nie wiedziałam, jak to ująć.

— Że taka z niej wiedźma z piekła rodem? — podpowiedziała usłużnie Stevie Rae.

— Tak, chyba o to chodzi. Ona zawsze się zachowuje tak, jakby miała prawo być złośliwa i wredna, i robić to, co jej się podoba, a każdy powinien jej słuchać, nadskakiwać i akceptować ją bez zastrzeżeń.

Stevie Rae potaknęła.

— W dodatku jej przyjaciółki są takie same.

— Tak, poznałam już tę okropną trójkę.

— Wojowniczą, Straszną i Osę?

— Właśnie. Co one sobie myślały, wybierając takie imiona? — zapytałam, opychając się preclami.

— Pewnie dokładnie to samo, co każda po kolei z tego towarzystwa sobie wyobrażała: że są lepsze od pozostałych i nietykalne, bo ich Afrodyta zostanie następną starszą kapłanką.

— Nie sądzę, by Nyks do tego dopuściła — wyrwało mi się, zanim zdążyłam się dobrze zastanowić.

— Co chcesz przez to powiedzieć? One właściwie już się zakwalifikowały, a Afrodyta przewodzi Córom Ciemności, od kiedy na początku piątego formatowania ujawniły się jej zdolności wizjonerskie.

— Znaczy, że co?

— Miewa wizje, na przykład przyszłych tragicznych zdarzeń — wyjawiła Stevie Rae.

— Myślisz, że je sobie wymyśla?

— Nie, skąd! Jest nawet piekielnie dokładna. Ale wydaje mi się, a Damien i Bliźniaczki są tego samego zdania, że ona mówi o tych swoich wizjach tylko wtedy, kiedy wokół niej znajdują się ludzie spoza jej najbliższego otoczenia.

— Zaczekaj, chcesz przez to powiedzieć, że ona wie o jakichś nieszczęściach, które się mają zdarzyć i którym może zapobiec, ale nic nie robi w tym kierunku?

— Właśnie. Tydzień temu podczas lunchu miała wizję, a te jej wiedźmy otoczyły ją wianuszkiem i zaczęły wyprowadzać z jadalni. Gdyby nie to, że Damien był spóźniony, więc biegł do jadalni i wpadł na nie z rozpędu, aż je roztrącił i zobaczył, że Afrodyta jest w transie, nikt by się o niczym nie dowiedział. A wtedy samolot by się rozbił i wszyscy pasażerowie by zginęli.

Precel utkwił mi w gardle. Krztusząc się, zdołałam wyjąkać:

— O do diabła! Samolot pełen ludzi!

— Tak, bo tym razem Damien, widząc, że Afrodyta ma wizję, sprowadził Neferet. Wtedy Afrodyta musiała opowiedzieć swoją wizję, w której samolot spada na ziemię zaraz po starcie. Jej wizje są bardzo wyraźne, opisała ze szczegółami lotnisko i numery samolotu. Neferet zanotowała te wszystkie szczegółowe informacje i skontaktowała się z lotniskiem w Denver. Tam powtórnie sprawdzono samolot i okazało się, że znaleźli jakąś usterkę, której przedtem nie zauważyli. Powiedzieli, że gdyby go w porę nie naprawili, samolot runąłby na ziemię zaraz po starcie. Ale ja wiem cholernie dobrze, że Afrodyta nie pisnęłaby o tym ani słówkiem, gdyby nie została do tego zmuszona. Nie dałam się nabrać na to jej kłamstwo, kiedy później powiedziała, że przyjaciółki wyprowadzały ją z jadalni, ponieważ wiedziały, że chce się widzieć natychmiast z Neferet. Gówno prawda.

Już chciałam powiedzieć, że to niemożliwe, by Afrodyta i jej wiedźmy mogły świadomie dopuścić do śmierci kilkuset osób, ale przypomniałam sobie, co mówiły w nocy: „Ludzcy mężczyźni są beznadziejni... Powinni wszyscy wyginąć..." i zrozumiałam, że nie było to tylko czcze gadanie, one mówiły poważnie.

— W takim razie dlaczego Afrodyta nie okłamała też Neferet? Mogła na przykład podać nazwę innego lotniska czy przekręcić numery samolotu?

— Nie da się okłamać wampirów, zwłaszcza gdy zadają konkretne pytania. I musisz też pamiętać, że Afrodyta ponad wszystko chce zostać starszą kapłanką. Gdyby do Neferet doszło, jaka jest fałszywa, jej plany mogłyby wziąć w łeb.

— Afrodyta nie ma żadnych predyspozycji, żeby zostać starszą kapłanką. To straszna egoistka, pełna nienawiści, takie same są zresztą jej koleżanki.

— No cóż, ale Neferet tak nie uważa, a poza tym była jej mentorką.

Zamrugałam z niedowierzaniem.

— Żartujesz?! I nie przejrzała na oczy? — To chyba niemożliwe, Neferet jest przecież znacznie mądrzejsza.

Stevie Rae wzruszyła ramionami.

— Przy Neferet ona się zachowuje inaczej.

— Mimo wszystko...

— A ponieważ ma wielkie zdolności wizjonerskie, znaczy to, że Nyks ma wobec niej swoje plany.

— Daj spokój, to diablica z piekła rodem! Musiały się w to wdać jakieś nieczyste siły! Ej, czy nikt nie oglądał *Gwiezdnych wojen*? Trudno było uwierzyć, że Ankin Skywalker może wrócić, a jednak... I co się potem stało?

— Ojej, Zoey, to przecież fikcja.

— I co z tego? Wydaje mi się, że to dobre porównanie.

— W takim razie spróbuj przekonać Neferet.

W zamyśleniu żułam kanapkę. Może i powinnam tak zrobić. Neferet jest za mądra na to, aby się nabierać na gierki Afrodyty. Może już się domyśla, że coś jest nie tak z wiedźmami. Może potrzebne jej jeszcze jakieś potwierdzenie.

— Czy ktoś próbował już powiedzieć coś Neferet o Afrodycie?

— O ile wiem, to nie.

— A dlaczego nie?

Stevie Rae zaczęła się niespokojnie wiercić.

— Bo to by chyba wyglądało na plotki. Zresztą co byśmy miały powiedzieć Neferet? Że w y d a j e nam się, że Afrodyta m o ż e ukrywać swoje wizje, ale nie mamy dowodów poza tym, że to straszna małpa? — Stevie Rae potrząsnęła głową. — Nie, nie sądzę, by to coś dało. Poza tym gdyby jakimś cudem dała nam wiarę, co by zrobiła? Przecież nie może jej wyrzucić ze szkoły, by Afrodyta zakaszlała się na śmierć gdzieś pod płotem. Nadal tu zostanie ze swoją bandą wiedźm i chłopakami, którzy zrobią dla niej wszystko, jeśli tylko kiwnie na nich paluszkiem. Nie, myślę, że nie warto tego zaczynać.

Stevie Rae miała swoją rację, ale bardzo mi się to nie podobało.

Wszystko może się zmienić, jeśli jakaś adeptka o większym autorytecie i sile zajmie jej miejsce jako przewodniczącej Cór Ciemności.

Natychmiast dźgnęło mnie poczucie winy, a żeby odwrócić od siebie uwagę, pociągnęłam wielki łyk napoju. Co ja sobie wyobrażam? Przecież nie zależy mi na władzy. Nie zamierzałam zostać starszą kapłanką ani dawać się wciągać w beznadziejną wojnę z Afrodytą i połową szkoły (w dodatku lepszą połową!). Zależało mi tylko na tym, by znaleźć miejsce dla siebie w nowym życiu, miejsce, w którym czułabym się jak w domu, gdzie nie byłabym outsiderem i czułabym się u siebie, tak jak cała reszta.

Przypomniałam sobie dreszcz, jaki mnie przeszywał podczas tworzenia obu kręgów i jak żywioły zdawały się wnikać w moje ciało, a także jak siłą musiałam się powstrzymywać przed tym, by nie dołączyć do Afrodyty podczas kierowania uroczystością w kręgu.

— Stevie Rae, powiedz, czy coś czujesz podczas przedstawienia w kręgu? — zapytałam nieoczekiwanie.

— Co miałabym czuć?

— No, na przykład kiedy przywołuje się ogień. Czy jest ci wtedy gorąco?

— Nie. Wiesz, lubię to całe przedstawienie w kręgu, czasami kiedy Neferet się modli, czuję, że jakaś energia przenika krąg, ale nic poza tym.

— Nigdy nie czułaś powiewu wiatru albo zapachu wody i deszczu, kiedy przywołuje się powietrze czy wodę, albo trawy pod stopami, kiedy przywołuje się ziemię?

— Nie, wcale. Tylko starsze kapłanki z wyjątkową wrażliwością na odczuwanie żywiołów mogą... — Przerwała i popatrzyła na mnie okrągłymi ze zdumienia oczami. — Chcesz powiedzieć, że ty to odczuwałaś? Któryś z żywiołów?

— Może... — odpowiedziałam, skręcając się z zażenowania.

— Może! — pisnęła. — Zoey, czy ty masz pojęcie, co to znaczy?

Potrząsnęłam głową.

— Akurat w zeszłym tygodniu na socjologii uczyłyśmy się o najsławniejszych wampirach, będących starszymi kapłankami. Od stuleci nie było kapłanki, która by odczuwała wszystkie cztery żywioły.

— Pięć — sprostowałam zgnębiona.

— Wszystkie pięć! Czułaś też nadejście ducha?

— Tak, chyba tak.

— Zoey, to niesamowite! Chyba nie było jeszcze starszej kapłanki, która by odczuwała wszystkie pięć żywiołów. — Wskazała na mój Znak. — Popatrz na swój Znak. Mówi, że jesteś inna, i rzeczywiście tak jest.

— Stevie Rae, czy na razie może to zostać między nami? Żeby nawet Damien czy Bliźniaczki o tym nie wiedzieli? Chciałabym sama to sobie przemyśleć. Mam wrażenie, że wszystko dzieje się zbyt szybko.

— Ależ, Zoey, ja...

— Poza tym może się mylę — przerwałam jej. — Co by było, gdyby się okazało, że to tylko moja wyobraźnia i nerwy, ponieważ nigdy przedtem nie brałam udziału w tych obrzędach? Wyobrażasz sobie, jak bym się czuła, gdybym najpierw oświadczyła, że jestem pierwszą w historii adeptką, która odbiera wszystkie żywioły, a potem musiałabym to odwołać, boby wyszło na jaw, że to nerwy?

Stevie Rae przygryzała policzek.

— Bo ja wiem?... — powiedziała wreszcie. — Wydaje mi się, że powinnaś o tym komuś powiedzieć.

— Aha, ale pomyśl, jak by Afrodyta ze swoją zgrają triumfowała, gdyby się okazało, że to była tylko gra mojej wyobraźni.

— O rany, rzeczywiście, masz rację — przyznała pobladła Stevie Rae. — To by było okropne. Nie powiem nikomu, dopóki nie będziesz gotowa. Obiecuję.

Jej reakcja coś mi nasunęła.

— Ej, powiedz, co ci zrobiła Afrodyta?

Stevie Rae spuściła wzrok i skuliła się, jakby ją nagle przejął zimny dreszcz.

— Zaprosiła mnie na obchody. Byłam tu dopiero od miesiąca i jakoś mi imponowało, że wiodąca grupa zaprasza mnie do siebie. — Potrząsnęła głową, nadal nie patrząc mi w oczy. — To głupie z mojej strony, ale jeszcze nikogo dobrze nie znałam, poza tym myślałam, że może się zaprzyjaźnimy, więc poszłam. Ale one nie chciały, żebym była jedną z nich. Byłam im potrzebna tylko jako... dawca krwi na ich uroczystość. Nawet mówiły o mnie „lodówka", tak jakbym nie miała dla nich żadnego znaczenia, jakby chodziło im tylko o moją krew. Kiedy zaczęłam płakać, śmiały się i wyrzuciły mnie stamtąd. Tak spotkałam Damiena, Erin i Shaunee. Trzymali się razem i zobaczyli, jak wybiegam z sali rekreacyjnej, więc poszli za mną i powiedzieli, żebym się nie martwiła. Od tej pory są moimi przyjaciółmi. — Wreszcie spojrzała na mnie.

— Przepraszam, może powinnam przedtem ci to opowiedzieć, ale wiedziałam, że z tobą nie będą tego próbować. Ty jesteś silna, a twój Znak intryguje Afrodytę. Poza tym jesteś wystarczająco piękna, żeby zostać jedną z nich.

— Ty tak samo! — zawołałam przejęta do szpiku kości widokiem, jaki natychmiast zarysował mi się w wyobraźni: Stevie Rae wciśnięta w krzesło jak Elliott, jej krew zmieszana z winem i pita podczas rytualnych obchodów...

— Nie, ja może jestem niebrzydka, ale nie taka jak one.

— Ja też nie jestem taka jak one — wykrzyknęłam tak głośno, że Nala obudziła się i zaczęła prychać niezadowolona.

— Wiem, nie to miałam na myśli. Chciałam tylko powiedzieć, że wiedziałam, że one będą chciały, byś do nich przystąpiła, więc nie będą próbowały cię wykorzystać w taki sposób.

A jednak udało im się wyprowadzić mnie w pole i z równowagi. Pytanie tylko: dlaczego? Zaraz! Już wiem, co one knuły. Erik mówił, że kiedy po raz pierwszy spróbował smaku krwi, była dla niego obrzydliwa do tego stopnia, że wybiegł i natychmiast zwymiotował. Ja byłam tu zaledwie od dwóch dni. Chciały zrobić coś, co by mnie odstraszyło od nich i odstręczyło od ich rytuałów na zawsze.

Wcale nie chciały, żebym należała do Cór Ciemności, ale nie mogły powiedzieć otwarcie Neferet, że mnie nie chcą. Wolały, żebym to ja odmówiła wstąpienia w ich szeregi. Z jakichś nieznanych mi, przypuszczalnie niezbyt szlachetnych powodów apodyktyczna Afrodyta chciała, bym trzymała się z daleka od ich organizacji. Tyrani zawsze mnie brzydzili, co oznaczało, niestety, jedno: wiedziałam, co mam zrobić.

Kurczę, będę musiała wstąpić do zgromadzenia Cór Ciemności.

— Zoey, nie jesteś na mnie zła, co? — zapytała niepewnie Stevie Rae.

Spojrzałam na nią nieprzytomnym wzrokiem, starając się otrząsnąć z natłoku różnych myśli.

— Oczywiście, że nie. Miałaś rację, Afrodyta nie zamierzała namówić mnie do oddania im krwi. — Wetknęłam do ust ostatni kęs kanapki i szybko pogryzłam. — Lecę z nóg. Czy mogłabyś pomóc mi znaleźć dla Nali jakąś skrzynkę, bym mogła położyć się spać?

Stevie Rae rozpromieniona wyskoczyła raźno z łóżka, szczęśliwa, że może coś dla mnie zrobić.

— Zobacz, co mamy! — powiedziała. Dała susa w drugi kąt pokoju, skąd wyciągnęła dużą zieloną paczkę z wielkim napisem: „Felicja — sklep z produktami rolnymi, 2616 S. Harvard, Tulsa". Wytrząsnęła z niej na podłogę kuwetę, miseczki na wodę, suchy pokarm dla kotów z dodatkiem środka przeciw zbijaniu się sierści oraz worek na kocie nieczystości.

— Skąd wiedziałaś?

— Nie wiedziałam. Kiedy wróciłam z kolacji, to już leżało przed naszymi drzwiami. — Sięgnęła jeszcze do wnętrza paczki i wyciągnęła stamtąd kopertę oraz śliczną różową obróżkę ze skóry wysadzaną miniaturowymi srebrnymi guzami.

— Masz, to dla ciebie.

Podała mi kopertę, na której widniało moje imię. Wewnątrz na arkusiku eleganckiej papeterii wypisana ładnym charakterem pisma była tylko jedna linijka:

„Skylar powiedział mi, że ona się pojawi".

U dołu widniał podpis: N.

)

ROZDZIAŁ DWUDZIESTY

Postanowiłam porozmawiać z Neferet. Zastanawiałam się nad tym, kiedy następnego dnia rano pospiesznie jadłyśmy śniadanie ze Stevie Rae. Nie chciałam jeszcze mówić jej o swojej dziwnej reakcji na żywioły, chociaż to, co opowiedziałam Stevie Rae, nie było kłamstwem, ale mogło być grą wyobraźni. Co by było, gdybym zwierzyła się Neferet, a ona poddałaby mnie testowi na wrażliwość (może nawet w szkole), z którego by wynikło, że mam bujną wyobraźnię? Za nic nie chciałabym, żeby coś takiego mnie spotkało. Po prostu nikomu więcej o tym nie pisnę, dopóki sama się nie przekonam, jak to jest. Wolałam też nie opowiadać, że widziałam ducha Elizabeth. Przecież nie chcę, by Neferet pomyślała o mnie, że jestem „psychiczna". Neferet była w porządku, niemniej to przecież dorosła osoba i bardzo prawdopodobne, że na wiadomość, iż zobaczyłam ducha, mogłaby tak zareagować: „Wszystko to sobie wyobraziłaś, zapewne dlatego, że tyle się ostatnio zmieniło w twoim życiu". Muszę jednak porozmawiać z nią na temat mojej żądzy krwi (a skoro taką mam na nią ochotę, dlaczego na samą myśl o tym robi mi się niedobrze?).

— Myślisz, że ona pójdzie z tobą na lekcje? — zapytała Stevie Rae, wskazując na Nalę.

Spojrzałam pod nogi, gdzie Nala leżała zwinięta w kłębek bardzo z siebie zadowolona.

— Będzie mogła? — zapytałam.

— Chodzi ci o to, czy jej pozwolą?

Kiwnęłam głową.

— Jasne, koty mogą wszędzie chodzić.

— Aha — powiedziałam, drapiąc Nalę po łepku. — Pewnie będzie za mną chodziła przez cały dzień.

— W każdym razie cieszę się, że to twoja kotka, a nie moja. Z tego, co widziałam, kiedy budzik zadzwonił, ona rości sobie prawa do całej poduszki.

Roześmiałam się.

— Masz rację. Sama nie wiem, jak to możliwe, żeby taka mała kicia mogła mnie zepchnąć z poduszki. — Podrapałam kicię jeszcze raz. — Idziemy, bo się spóźnimy.

Wstałam od stołu z miseczką w ręce i od razu wpadłam na Afrodytę. Jak zwykle miała obok siebie nieodłączne towarzyszki: Straszną i Wojowniczą. Tylko Osy nigdzie nie było widać (może kiedy rano brała prysznic, rozpuściła się pod wpływem gorącej wody — he, he). Afrodyta swoim wrednym uśmieszkiem przypominała piranię (wiedziałam, jak wygląda pirania, bo przed rokiem poszliśmy całą klasą na lekcję biologii do Jenks Aquarium).

— Cześć, Zoey. Jejku, wczoraj porzuciłaś nas tak niespodziewanie, że nawet nie zdążyłam się z tobą pożegnać. Przykro mi, jeśli niezbyt dobrze się bawiłaś. Niestety nie dla wszystkich Córy Ciemności są odpowiednim towarzystwem. — Spojrzała wymownie na Stevie Rae i zrobiła ryjek.

— Och, prawdę mówiąc, świetnie się wczoraj bawiłam, a suknia, którą dostałam od ciebie, jest wręcz zachwycająca — szczebiotałam. — Dziękuję za zaproszenie mnie do grona Cór Ciemności. Oczywiście je przyjmuję, bez zastrzeżeń.

Uśmiech Afrodyty zgasł.

— Naprawdę?

Wyszczerzyłam się jak skończona kretynka.

— Naprawdę. Kiedy są następne obchody, spotkania czy co tam jeszcze, a może powinnam spytać Neferet? Będę się z nią dzisiaj widziała. Wiem, że z przyjemnością się dowie, jakie mi wczoraj zgotowałaś miłe przyjęcie i że jestem już jedną z Cór Ciemności.

Afrodyta zawahała się na krótką chwilę. Ale zaraz znów się uśmiechnęła i dopasowała do mojego tonu osoby bez pojęcia, która niczego się nie domyśla.

— Tak, na pewno Neferet ucieszy się, że do nas przystąpiłaś, ale ponieważ jestem przełożoną zgromadzenia, znam na pamięć nasze plany, więc nie ma powodu zawracać jej głowy głupimi pytaniami. Jutro obchodzimy święto Samhain. Włóż swoją nową sukienkę — powiedziała, podkreślając słowo: „swoją", na co ja uśmiechnęłam się jeszcze szerzej. — Spotykamy się w sali rekreacyjnej zaraz po kolacji, o czwartej trzydzieści rano. Punktualnie.

— Świetnie. Będę tam.

— Dobrze. Co za miła niespodzianka — odpowiedziała zręcznie, po czym wyszła z kuchni w towarzystwie Strasznej i Wojowniczej, które miały zupełnie zdezorientowane miny.

— Wiedźmy z piekła rodem — mruknęłam pod nosem. Spojrzałam na Stevie Rae, która patrzyła na mnie ze zgrozą.

— Wstępujesz do nich? — zapytała szeptem.

— To nie jest tak, jak myślisz. Chodź, wytłumaczę ci po drodze. — Włożyłam naczynia do zmywarki i wyprowadziłam Stevie Rae, która w milczeniu i apatycznie opuszczała internat. Nala dreptała za nami, od czasu do czasu fukając na mijane koty, które ośmieliły się zbliżyć do mnie. — Chcę zbadać teren, jak sugerowałaś mi wczoraj — zaczęłam.

— To mi się nie podoba — powiedziała zdecydowanie i potrząsnęła głową tak mocno, że jej krótkie kosmyki nastroszyły się i pozostały takie, jakby zjeżone strachem.

— A znasz powiedzenie: „Trzymaj się blisko przyjaciół, a jeszcze bliżej wrogów"?

— Tak, ale...

— Nic innego nie robię. Jak dotąd zbyt wiele rzeczy uchodziło Afrodycie płazem. Jest złośliwa, myśli tylko o sobie. Nie takie cechy powinna mieć starsza kapłanka zgodnie z wymaganiami Nyks.

Stevie Rae zrobiła wielkie oczy.

— Zamierzasz ją powstrzymać?

— Tak, spróbuję to zrobić. — Kiedy wypowiadałam te słowa, poczułam mrowienie na czole w miejscu, gdzie miałam wytatuowany szafirowy półksiężyc.

— Dziękuję za kocie rzeczy dla Nali — powiedziałam.

Neferet, która akurat porządkowała papiery na biurku, uśmiechnęła się do mnie.

— Nala to odpowiednie imię, pasuje do niej. Ale powinnaś raczej podziękować Skylarowi, bo to on mi powiedział, że Nala idzie do ciebie. — Spojrzała na rudą kulkę, która mościła się niecierpliwie na moich kolanach. — Ona rzeczywiście już się do ciebie przywiązała. — Teraz spojrzała na mnie. — Powiedz mi, Zoey, czy zdarzyło ci się słyszeć jej głos w głowie albo czy wiesz dokładnie, gdzie ona się znajduje, nawet gdy nie ma jej w pokoju, w którym przebywasz?

Przetarłam oczy. Czyżby Neferet myślała, że jestem spowinowacona z kotami?

— Nie, nie słyszę jej głosu w głowie. Ale Nala ciągle na mnie narzeka. Poza tym nie miałam okazji się przekonać, czy wiem, gdzie ona jest, skoro nie odstępuje mnie ani na krok.

— Jest urocza — orzekła Neferet i przywołała Nalę palcem. — Chodź do mnie, maleńka.

Nala natychmiast zerwała się i wskoczyła na biurko Neferet, rozrzucając papiery po całym gabinecie.

— Ojej, bardzo przepraszam, Neferet. — Wyciągnęłam rękę, by ucapić Nalę, ale Neferet powstrzymała mnie. Zaczęła drapać Nalę w łepek, a kotka od razu przymknęła oczy i zaczęła mruczeć.

— Koty są zawsze mile widziane, a papiery bez trudu można pozbierać. O czym ze mną chciałaś porozmawiać, ptaszyno?

Kiedy usłyszałam zdrobnienie, którym nazywała mnie Babcia, zatęskniłam za nią ze zdwojoną siłą, tak że łzy stanęły mi w oczach.

— Tęsknisz za swoim dawnym domem? — zapytała łagodnie Neferet.

— Nie, właściwie nie. Może tylko za Babcią, ale tyle się ostatnio działo, że dopiero teraz to poczułam — powiedziałam z poczuciem winy.

— Nie tęsknisz za ojcem ani za matką — bardziej stwierdziła, niż zapytała Neferet, mimo to uznałam, że powinnam odpowiedzieć.

— Nie. Ojca w gruncie rzeczy nie mam. Odszedł od nas, kiedy byłam mała. Mama trzy lata temu wyszła za mąż i... no cóż...

— Mnie możesz powiedzieć. Na pewno zrozumiem, słowo — powiedziała Neferet.

— Nienawidzę go! — zawołałam z taką złością, o jaką siebie nawet nie podejrzewałam. — Od kiedy wszedł do naszej r o d z i n y — ostatni wyraz wypowiedziałam sarkastycznie — nic już nie było takie jak przedtem. Mama zmieniła się o sto osiemdziesiąt stopni. Tak jakby nie mogła już być matką i żoną jednocześnie. Dom od dawna przestał być dla mnie prawdziwym domem.

— Kiedy miałam dziesięć lat, umarła moja matka. Ojciec nie wziął sobie drugiej żony, tylko mnie używał w tym charakterze. Odkąd więc skończyłam dziesięć lat, aż do momentu, w którym Nyks mnie wybawiła, swoim Znakiem zmieniając moje życie, a wtedy miałam piętnaście lat, byłam przez niego wykorzystywana seksualnie. — Neferet zrobiła pauzę, dając mi czas, bym się otrząsnęła z szoku wywołanego jej wyznaniami. — Więc kiedy mówię, że okażę zrozumienie, nie są to czcze słowa.

— To okropne — wykrztusiłam. Nie miałam pojęcia, co można więcej powiedzieć.

— Wtedy rzeczywiście to było okropne. Ale teraz to wyblakłe wspomnienia. Trzeba ci wiedzieć, Zoey, że ludzie, którzy kiedyś odgrywali jakąś rolę w twoim życiu, będą dla ciebie coraz mniej ważni, aż w końcu przestaniesz się nimi w ogóle przejmować. Zrozumiesz to lepiej, kiedy przejdziesz już całą Przemianę.

W jej głosie wyczułam zimną obojętność, która mnie trochę zdeprymowała, mimo to powiedziałam:

— Nie chcę przestać przejmować się Babcią.

— Oczywiście, że nie. — Jej ciepło i troskliwość powróciły. — Słuchaj, jest dopiero dziewiąta wieczorem, więc zadzwoń do niej. Możesz się spóźnić na lekcje z teatru, powiem profesor Nolan, że jesteś usprawiedliwiona.

— O, dziękuję, dobrze, świetny pomysł. Ale nie o tym chciałam rozmawiać. — Nabrałam powietrza do płuc. — Wczoraj wieczorem piłam krew.

Neferet kiwnęła głową.

— Tak, Córy Ciemności lubią czasem dodać do rytualnego wina trochę krwi adeptów. Czy bardzo cię to zbulwersowało?

— Nie byłam przygotowana, ponieważ dowiedziałam się o tym dopiero po fakcie. I rzeczywiście, muszę przyznać, że poczułam się bardzo zbulwersowana.

Neferet się nachmurzyła.

— To nieetyczne ze strony Afrodyty, że cię nie uprzedziła. Powinnaś sama zdecydować, czy chcesz tego czy nie. Porozmawiam z nią na ten temat.

— Nie — zawołałam szybko. — Naprawdę nie ma takiej potrzeby. Ja się tym zajmę. Postanowiłam wstąpić do Cór Ciemności i nie chcę zaczynać od sprawiania Afrodycie kłopotów.

— Może masz rację. Afrodyta bywa porywcza, a ja wierzę, Zoey, że dasz sobie radę. Staramy się zachęcać adeptów do samodzielnego w miarę możliwości rozwiązywania konfliktów, jakie mogą powstawać między nimi. — Popatrzyła na mnie uważnie, a w jej spojrzeniu widać było troskę. — To normalne, że podczas kilku pierwszych prób krew, mówiąc delikatnie, w ogóle nie smakuje. Przekonasz się o tym, jak trochę dłużej z nami pobędziesz.

— Nie o to chodzi. Mnie właśnie bardzo smakowała. Erik powiedział, że moja reakcja jest nietypowa.

Neferet uniosła w górę swoje idealnie zarysowane brwi.

— Faktycznie. Czy oprócz tego czułaś się podekscytowana, kręciło ci się w głowie?

— Tak, i jedno, i drugie.

Neferet spojrzała na mój Znak.

— Jesteś wyjątkowa, Zoey Redbird. Wiesz, myślę, że dobrze by było przesunąć cię z obecnego kursu socjologii na socjologię 415.

— Wolałabym nie — zaprotestowałam natychmiast. — Już i tak czuję się odmieńcem, kiedy każdy gapi się na mój Znak i obserwuje, czy nie robię czegoś dziwnego. Jeśli przeniesiesz mnie do grupy, która jest tu już od trzech lat, naprawdę uznają mnie za dziwoląga.

Neferet namyślała się, skrobiąc Nalę po łepku.

— Rozumiem, o co ci chodzi, Zoey. Wprawdzie nastolatką przestałam być jakieś sto lat temu, ale wampiry mają bardzo dobrą pamięć, również do szczegółów, więc przypominam sobie, jak sama przechodziłam Przemianę. — Westchnęła. — Może pójdźmy obie na kompromis. Pozwolę ci zostać na obecnym kursie socjologii dla trzeciego formatowania, ale chciałabym też dać ci podręcznik z wypisami, które omawiamy w starszych klasach, a ty będziesz czytała jeden rozdział tygodniowo i obiecasz mi, że przyjdziesz do mnie ze wszystkimi pytaniami, jakie ci się nasuną.

— Zgoda — odpowiedziałam.

— Wiesz, Zoey, kiedy przejdziesz Przemianę, staniesz się zupełnie inna. Wampiry nie są ludźmi, chociaż mają wiele cech ludzkich i humanitarnych. Na razie może ci się to wydać trudne do pojęcia, ale pragnienie krwi jest równie normalne dla wampirów jak pragnienie napojów gazowanych teraz dla ciebie.

— Czy nic przed tobą się nie ukryje?

— Nyks hojnie mnie obdarzyła. Oprócz duchowego powinowactwa z kotami i zdolności uzdrowicielskich mam także dużą intuicję.

— Potrafisz czytać w moich myślach? — zapytałam zaniepokojona.

— Nie, ale potrafię składać fragmenty w całość. Na przykład domyślam się, że chcesz mi jeszcze coś opowiedzieć w związku z ostatnią nocą.

Wciągnęłam do płuc duży haust powietrza.

— Byłam speszona własną reakcją na krew, więc wybiegłam z sali rekreacyjnej. Wtedy zresztą znalazłam Nalę. Siedziała na drzewie bardzo blisko muru szkolnego. Myślałam, że nie może stamtąd zejść, więc wdrapałam się na mur, żeby ją ściągnąć, i kiedy do niej przemawiałam, zobaczyłam moją koleżankę z kolegą ze szkoły.

— I co dalej? — zapytała Neferet, a jej ręka głaszcząca dotychczas Nalę znieruchomiała. Teraz całą swoją uwagę skupiła na mnie.

— Byli na haju i lekko podpici. — Ojej, nie chciałam tak od razu wszystkiego wyklepać.

— Chcieli cię skrzywdzić?

— Nie, nic z tych rzeczy. To była moja najlepsza przyjaciółka i mój prawie były chłopak.

Neferet znów uniosła brwi.

— To znaczy, przestałam się z nim spotykać, ale nadal coś do siebie czujemy.

Kiwnęła głową na znak, że rozumie.

— Mów dalej.

— Miałyśmy z Kaylą coś w rodzaju sprzeczki. Ja jestem dla niej teraz kimś innym i prawdę mówiąc, ona dla mnie też. I żadnej z nas nie podoba się nowy ogląd tej drugiej. — Kiedy to powiedziałam, uznałam, że trafiłam w sedno. Bo Kayla się nie zmieniła, to ja zaczęłam ją inaczej postrzegać. Chodziło o drobiazgi, na które przedtem specjalnie nie zwracałam uwagi, jak to jej paplanie o niczym, złośliwości, które nagle stały się dla mnie trudne do zniesienia. — W każdym razie ona odeszła, a ja zostałam sama z Heathem... — Przerwałam, zastanawiając się, jak opowiedzieć resztę.

Neferet zmrużyła oczy.

— I poczułaś żądzę jego krwi — podpowiedziała mi.

— Tak — wyszeptałam.

— Zoey, piłaś jego krew? — Jej głos brzmiał szorstko.

— Spróbowałam kropelkę. Zadrasnęłam go. Nie chciałam, ale gdy usłyszałam bicie jego pulsu, musiałam go skaleczyć.

— Czyli właściwie nie piłaś krwi z jego rany?

— Zaczęłam, ale Kayla wróciła i nam przerwała. Strasznie spanikowała, tak że w końcu musiałam zostawić Heatha.

— On nie chciał?

Potrząsnęłam głową.

— Nie chciał. — Zbierało mi się na płacz. — Neferet, tak mi przykro. Nie chciałam, żeby tak się stało. Nawet nie bardzo wiedziałam, co robię, dopóki Kayla nie zaczęła wrzeszczeć.

— Zrozumiałe, że nie wiedziałaś, co się z tobą dzieje. Niby skąd nowa adeptka miałaby czerpać wiedzę o żądzy krwi? — Matczynym gestem dotknęła mojej ręki. — Przypuszczalnie jeszcze go nie nacechowałaś.

— Nie nacechowałam?

— To się często zdarza, kiedy wampiry piją krew bezpośrednio od ludzi, zwłaszcza jeśli byli ze sobą związani przed upuszczeniem krwi. Dlatego zabraniamy adeptom pić ludzką krew. Właściwie dorosłym wampirom również zdecydowanie się odradza żywić ludzką krwią bezpośrednio od dawcy. Istnieje odłam wampirów, które uważają to za niemoralne, i chcą tego prawnie zakazać — wyjaśniła.

Zauważyłam, jak pociemniały jej oczy, gdy to mówiła. Ich wyraz sprawił, że poczułam się niepewnie, zaczęłam się trząść. Wówczas Neferet zamrugała i wyraz jej oczu stał się znów normalny. A może tylko w wyobraźni zobaczyłam tę dziwną mroczność jej spojrzenia?

— Ale lepiej zostawmy te rozważania na szóste formatowanie.

— A co mam zrobić z Heathem?

— Nic. Powiedz mi, kiedy będzie usiłował znów się z tobą skontaktować. Jeśli do ciebie zadzwoni, nie odpowiadaj. Bo jeżeli doszło do nacechowania, nawet dźwięk twojego głosu będzie na niego działał i wabił go.

— Zabrzmiało jak cytat z *Drakuli.*

— To nie ma nic wspólnego z tą idiotyczną książką! — zaperzyła się Neferet. — Stoker oszkalował wampiry, co nas naraziło na niekończące się problemy z ludźmi.

— Przepraszam, ja nie chciałam...

Machnęła ręką lekceważąco.

— Och, nie powinnam dopuszczać, by moje frustracje związane z tą książką skrupiały się na tobie. I nie martw się o swojego przyjaciela Heatha. Jestem pewna, że nic mu nie będzie. Powiedziałaś, że był na haju i podpity. Miałaś na myśli marihuanę?

Skinęłam głową.

— Ale ja nie palę. Właściwie on też przedtem nie palił. Ani Kayla. Nie rozumiem, co się z nimi stało. Wydaje mi się, że się zadają z niektórymi piłkarzami z Union, którzy biorą narkotyki, a żadne z nich nie ma na tyle rozumu, by powiedzieć „nie".

— No cóż, jego reakcja na ciebie może wzięła się bardziej z zatrucia narkotykiem niż z ewentualnego nacechowania. — Zamilkła na chwilę, po czym wyciągnęła z szuflady kartkę papieru i podała mi ołówek. — Może na wszelki wypadek zapisz ich nazwiska, imiona i adresy. Aha, i jeśli znasz, również dane tych piłkarzy.

— Dlaczego chcesz znać ich nazwiska? — Poczułam, że serce ucieka mi do pięt. — Chyba nie chcesz zawiadamiać ich rodziców?

Neferet roześmiała się.

— Oczywiście, że nie. Złe zachowanie ludzkich nastolatków to nie moja sprawa. Proszę cię tylko po to, żebym mogła skoncentrować na nich swoje myśli i może wyłowić ewentualne pozostałości nacechowania, jeśli takie powstały.

— A jeśli je znajdziesz? Co się wtedy stanie? Co będzie z Heathem?

— Jest jeszcze młody, więc skutki nacechowania nie będą znaczne, a czas i odległość sprawi, że w końcu zbledną. Natomiast jeśli został w pełni nacechowany, są sposoby, by to wyeliminować. — Już miałam powiedzieć, żeby w takim razie zrobiła coś, by nacechowanie przestało działać, kiedy dodała: — Żaden z tych sposobów nie jest przyjemny.

Napisałam nazwiska i adresy Kayli i Heatha. Nie miałam pojęcia, gdzie mogą mieszkać piłkarze z Union, ale pamiętałam ich imiona. Tymczasem Neferet wstała i przeszła na zaplecze klasy, skąd przyniosła gruby podręcznik, którego tytuł wydrukowany srebrnymi literami głosił: Socjologia 415.

— Zacznij od pierwszego rozdziału i dalej idź przez całą książkę. Dopóki jej nie skończysz, niech to będzie twoja praca domowa zamiast tego, co normalnie zadaję reszcie słuchaczy kursu socjologii 101.

Wzięłam książkę. Czułam, że jest ciężka, ale jej okładka przyjemnie chłodziła moje rozpalone dłonie.

— Jeśli będziesz miała jakieś pytania, wszystko jedno czego dotyczące, przychodź od razu. Gdyby mnie tutaj nie było, przyjdź do mojego mieszkania w świątyni Nyks. Wchodzi się głównym wejściem, a stamtąd schodami po prawej stronie na górę. Obecnie jestem jedyną kapłanką w szkole, więc zajmuję całe pierwsze piętro. Nie przejmuj się, że możesz mi przeszkadzać. Jesteś moją adeptką, więc masz do tego prawo — powiedziała na koniec z ciepłym uśmiechem.

— Dziękuję, Neferet.

— I nie martw się. Nyks cię Naznaczyła, a bogini dba o swoje wybranki. — Uścisnęła mnie na pożegnanie. — Pójdę do profesor Nolan powiedzieć, że to ja cię zatrzymałam. A teraz idź i zatelefonuj z mojego aparatu na biurku do swojej babci. — Jeszcze raz mnie uścisnęła i wyszła, zamykając za sobą cicho drzwi.

Usiadłam przy jej biurku, myśląc, jaka jest cudowna i jak dużo czasu upłynęło, odkąd moja matka ostatni raz wzięła mnie w objęcia. I nie wiadomo dlaczego zaczęłam płakać.

)

ROZDZIAŁ DWUDZIESTY PIERWSZY

— Cześć, Babciu, to ja.

— Och, moja ptaszyna, Zoey! Wszystko w porządku, kochanie?

Uśmiechnęłam się do słuchawki i otarłam łzy.

— Tak, Babciu, w porządku. Po prostu zatęskniłam za tobą.

— Ptaszynko, ja też się stęskniłam za tobą. — Zamilkła na chwilę, po czym zapytała: — Czy Mama dzwoniła do ciebie?

— Nie.

Babcia westchnęła.

— Wiesz, kochanie, może ona nie chce ci przeszkadzać, kiedy adaptujesz się do nowego życia. Powiedziałam jej, że rozmawiałam z Neferet, która mi wyjaśniła, że teraz codziennie bardzo dużo będzie się działo w twoim życiu.

— Dziękuję, Babciu, ale myślę, że to nie dlatego ona do mnie nie zadzwoniła.

— Może próbowała, tylko nie słyszałaś. Ja dzwoniłam wczoraj do ciebie, ale zgłosiła się tylko poczta głosowa.

Poczułam ukłucie winy. Nawet nie sprawdzałam, czy mi ktoś nie zostawił wiadomości.

— Zapomniałam naładować telefon. Zostawiłam go w pokoju. Przepraszam, Babciu, że się do mnie nie mogłaś dodzwonić. — Aby poprawić jej samopoczucie, a także aby skończyć już z tym tematem, dodałam: — Sprawdzę, jak wrócę do pokoju, czy nie ma zostawionych dla mnie wiadomości. Może Mama dzwoniła.

— Właśnie, kochanie, może dzwoniła do ciebie. A teraz powiedz mi, jak ci tam jest?

— Dobrze. To znaczy, jest wiele rzeczy, które mi się podobają. Lekcje są fajne. O, Babciu, chodzę na szermierkę i na lekcje jazdy konnej.

— Cudownie! Pamiętam, jak lubiłaś jeździć na Króliku.

— Mam też swojego kota!

— Och, ptaszyno, tak się cieszę. Zawsze lubiłaś koty. Czy z kimś już się zaprzyjaźniłaś?

— Tak, moja współmieszkanka, Stevie Rae, jest świetna. I już zdążyłam polubić jej przyjaciół.

— Skoro wszystko tak dobrze się układa, to skąd te łzy?

Zapomniałam, że przed Babcią nic się nie ukryje.

— To dlatego, że... ciężko jest przejść przez niektóre rzeczy związane z Przemianą.

— Ale dajesz sobie radę, prawda? — W jej głosie słychać było zatroskanie. — Jak tam twoja głowa?

— Z głową wszystko w porządku, nie o to chodzi, ale... — Zamilkłam, nie wiedząc, jak to wszystko powiedzieć, chociaż miałam nieprzepartą ochotę wyznać jej wszystko. Poza tym bałam się, bałam się, że przestanie mnie kochać. Tak jak Mama, która przestała mnie kochać albo swoją miłość przelała na swojego męża, co w pewnym sensie jest nawet gorsze, niż gdyby przestała mnie kochać. Co ja zrobię, jeśli i Babcia odwróci się ode mnie?

— Zoey, ptaszynko, wiesz przecież, że mnie możesz powiedzieć wszystko — powiedziała łagodnie.

— Ale to takie trudne, Babciu... — Zagryzłam wargi, żeby się nie rozpłakać.

— Trochę ci ułatwię. Cokolwiek mi powiesz, nigdy nie przestanę cię kochać. Jestem twoją babcią dziś, będę jutro i za rok. Będę twoją babcią nawet wtedy, gdy dołączę do swoich przodków w świecie duchów, ale stamtąd nadal cię będę kochała, moja mała ptaszyno.

— Wypiłam krew i ona mi smakowała — wyrzuciłam z siebie to wyznanie.

Babcia odpowiedziała bez wahania:

— Przecież to właśnie robią wampiry, prawda?

— Tak, ale ja nie jestem wampirem. Dopiero od kilku dni jestem adeptką.

— Zoey, ty jesteś wyjątkowa. Zawsze byłaś wyjątkowa. Dlaczego teraz miałoby się to zmienić?

— Wcale nie czuję się wyjątkowa. Czuję się jak idiotka.

— Więc zapamiętaj sobie, co ci teraz powiem. Ty to ty, to się nie zmienia. Jesteś nadal sobą, nawet po tym, kiedy zostałaś Naznaczona. Również wtedy, kiedy przechodzisz Przemianę. Wewnątrz pozostajesz ta sama, twoja dusza jest t w o j ą duszą. Na zewnątrz możesz wyglądać jak podobna do ciebie nieznajoma osoba, ale jak wejrzysz w głąb siebie, znajdziesz tę samą istotę, którą znasz od szesnastu lat.

— Podobna nieznajoma... — szepnęłam w zadumie. — Skąd wiedziałaś?

— Jesteś moją dziewczynką, kochanie. Córką mego ducha. Wcale nie tak trudno zrozumieć, co teraz odczuwasz, bo wystarczy mi sobie wyobrazić, jak ja bym się czuła w podobnej sytuacji.

— Dziękuję, Babciu.

— Bardzo proszę, u-we-tsi-a-ge-ya.

Uśmiechnęłam się, słysząc słowo „córka”, w języku Czirokezów, które brzmiało pieszczotliwe, magicznie, jakby zostało nadane przez samą boginię.

— Babciu, jest coś jeszcze...

— Powiedz mi, ptaszyno.

— Wydaje mi się, że czuję wszystkie cztery żywioły podczas tworzenia kręgu.

— Jeśli rzeczywiście tak jest, to masz w sobie wielką moc, Zoey. Ale wiedz, że z wielką władzą łączy się wielka odpowiedzialność. Nasza rodzina ma bogatą historię, nasi krewni należeli do Plemiennej Starszyzny, Uzdrawiaczy i Mędrczyń. Pamiętaj, ptaszyno, aby zawsze się zastanowić, zanim zaczniesz działać. Nie na próżno bogini obdarzyła cię wyjątkową mocą. Musisz jej używać rozważnie, działać tak, by zarówno Nyks, jak i nasi przodkowie mogli na ciebie spoglądać z uśmiechem i zadowoleniem.

— Postaram się, Babciu.

— O nic innego cię nie proszę, ptaszyno.

— Jest tu jedna dziewczyna, którą bogini też obdarzyła wielką mocą, ale ona jest okropna. Myślę... myślę... — Westchnęłam głęboko i wyrzuciłam z siebie to, co kiełkowało mi w głowie od samego rana: — Wydaje mi się, że jestem od niej silniejsza, i myślę, że może Nyks dlatego mnie Naznaczyła, żebym usunęła tę dziewczynę z zajmowanego przez nią stanowiska. Ale w takim razie będę musiała zająć jej miejsce, a wcale nie wiem, czy jestem na to gotowa, jeszcze nie teraz. Zresztą może nawet nigdy nie będę.

— Idź za głosem ducha, Zoey. — A po chwili wahania dodała: — Kochanie, czy pamiętasz naszą oczyszczającą modlitwę?

Myślałam już o tym. Niezliczone razy towarzyszyłam jej w wyprawach nad strumyk płynący za jej domem i przyglądałam się, jak dokonuje rytualnej kąpieli w bieżącej wodzie i odmawia modlitwę oczyszczającą. Nieraz wchodziłam za nią do strumienia i powtarzałam słowa modlitwy. Modlitwa przewijała się przez całe moje dzieciństwo, odmawiało się ją z okazji zmiany pór roku, w podziękowaniu za zbiór lawendy albo gotując się na zimę oraz za każdym razem, kiedy Babcia stawała przed trudną decyzją. A czasami nawet nie znałam powodu, dla którego oczyszczała się i odmawiała modlitwę. Po prostu modlitwa zawsze była obecna.

— Tak — odpowiedziałam. — Pamiętam.

— Czy jest gdzieś w pobliżu szkoły bieżąca woda?

— Nie wiem, Babciu.

— Jeśli nie ma, to postaraj się o coś w rodzaju różdżki z wonnych ziół. Najlepsza byłaby lawenda i szałwia zmieszane ze sobą, ale możesz nawet użyć świeżej sośniny, jeśli nie masz nic innego pod ręką. Wiesz, co masz robić, ptaszyno?

— Okadzić się, zaczynając od stóp, potem wzdłuż całego ciała, z przodu i z tyłu — wyrecytowałam, jakbym była na powrót małą dziewczynką, którą Babcia uczy ludowych obyczajów. — Potem mam zwrócić się na wschód i odmówić modlitwę oczyszczającą.

— Dobrze. Widzę, że pamiętasz. Poproś boginię, żeby ci pomogła. Na pewno cię wysłucha. Czy mogłabyś zrobić to jutro przed wschodem słońca?

— Chyba tak.

— Ja też odprawię modlitewny rytuał i dołączę swój babciny głos, prosząc boginię, by cię prowadziła.

Poczułam się znacznie lepiej. Babcia nigdy się nie myliła w tych sprawach. Jeśli ona uważała, że wszystko się uda, to na pewno wszystko się uda.

— Obiecuję, że przed świtem odmówię modlitwę oczyszczającą.

— Dobrze, ptaszyno. A teraz ja, stara kobieta, powinnam cię zostawić. Chyba masz akurat lekcje, prawda?

— Tak, właśnie idę na zajęcia teatralne. Ale wiesz, Babciu, ty nigdy nie będziesz stara.

— Dopóki słyszę twój młodzieńczy głos, to nie, ptaszyno. Kocham cię, u-we-tsi-a-ge-ya.

— Ja też cię kocham, Babciu.

*

Po rozmowie z Babcią kamień spadł mi z serca. Nadal z wielkim niepokojem spoglądałam w przyszłość i wcale tak strasznie mi nie zależało na utrąceniu Afrodyty. A już nie wspomnę o tym, że nie miałam zielonego pojęcia, jak się do tego zabrać.

Miałam jednak pewien plan. „Plan" to może zbyt dużo powiedziane, ale przynajmniej jakiś punkt zaczepienia. Najpierw więc dopełnię obrzędu z modlitwą oczyszczenia, a potem... Potem zobaczę, co zrobię.

Tak, to zadziała. Przynajmniej tak sobie powtarzałam podczas porannych lekcji. Zanim nastała pora lunchu, wiedziałam już, jakie miejsce obiorę na swoje modły: przy murze pod drzewem, gdzie znalazłam Nalę. Wymyśliłam to, stojąc za Bliźniaczkami w kolejce po sałatkę. Drzewa, szczególnie dęby, dla Czirokezów były obiektami świętymi, więc pewnie dokonałam słusznego wyboru. Poza tym było to miejsce odosobnione, a zarazem łatwo dostępne. Owszem, tam właśnie Heath z Kaylą mnie znaleźli, ale przecież tym razem nie będę siedziała na murze, a zresztą nie wyobrażałam sobie Heatha pojawiającego się gdzieś o świcie przez dwa dni pod rząd, wszystko jedno, czy został nacechowany czy nie. Ten chłopak potrafi spać do drugiej po południu, nawet latem. I to codziennie. Musiał mieć dwa budziki i matkę wrzeszczącą mu nad uchem, żeby się obudził i poszedł do szkoły. Na pewno nie mógłby po raz drugi wstać przed świtem. Chyba przez kilka miesięcy będzie dochodził do siebie po wczorajszym. Albo nie, raczej wymknął się z domu, by spotkać się z Kay (a dla niej wymknięcie się z domu nigdy nie przedstawiało żadnych trudności, jej rodzice nie mieli o niczym pojęcia) i razem spędzili całą noc. A to oznacza, że nie pójdą do szkoły i przez następne dwa dni będą udawali chorych, żeby zostać w domu i odespać nocne szaleństwa. W każdym razie to już nie moje zmartwienie.

— Nie uważasz, że miniaturowe kolby kukurydzy są trochę przerażające? Jest coś niepokojącego w ich miniaturowych kształtach.

Podskoczyłam, omal nie wypuszczając z ręki łyżki z wiejskim sosem do misy z białym płynem, i zobaczyłam nad sobą roześmiane niebieskie oczy Erika.

— O, cześć — odezwałam się. — Przestraszyłeś mnie.

— Chyba zaskakiwanie cię wejdzie mi w zwyczaj.

Zachichotałam nerwowo, pamiętając, że Bliźniaczki pilnie obserwują każdy nasz ruch.

— Widzę, że wyzdrowiałaś od wczoraj.

— Tak, bez trudu. Nic mi nie jest. I tym razem mówię prawdę.

— Słyszałem, że wstępujesz do Cór Ciemności.

Shaunee i Erin wciągnęły głośno powietrze i wstrzymały oddech. Obie jednocześnie.

— Aha.

— To dobrze. Tej grupie przyda się trochę świeżej krwi.

— Mówisz o nich: „ta grupa", jakbyś do niej nie należał. A przecież jesteś Synem Ciemności, prawda?

— Tak, ale to nie to samo co być Córą Ciemności. My jesteśmy dla ozdoby. Trochę na odwrót niż u ludzi. Wszyscy chłopcy wiedzą, że jesteśmy tam po to, by dobrze się prezentować i zabawiać Afrodytę.

Spojrzałam na niego, ale w jego oczach wyczytałam coś całkiem przeciwnego.

— Nadal się tym zajmujesz? Zabawianiem Afrodyty?

— Już nie, mówiłem ci o tym wczoraj, co jest jedną z przyczyn, dla których nie uważam się za członka tej grupy. Wydaje mi się, że dawno by mnie już oficjalnie wykopały, gdyby nie ta mała rólka, którą odgrywam.

— Mówisz: „mała", a w Los Angeles i na Broadwayu już się tobą interesują.

— Owszem, mówię „mała". — Uśmiechnął się szeroko. — Bo to nie jest coś poważnego. Granie jest udawaniem. Ja nie odgrywam siebie. — Nachylił się do mnie i szepnął mi do ucha: — Naprawdę jestem czubkiem.

— Daj spokój. Czy ta kwestia w czymś ci pomaga?

Rzucił mi spojrzenie z udawaną obrazą.

— Kwestia? Nie, Z, to żadna kwestia. Mogę udowodnić.

— Aha, już to widzę.

— Udowodnię ci. Przyjdź do mnie, zobaczysz mój ulubiony film na DVD.

— A czego to może dowodzić?

— To *Gwiezdne wojny* w oryginalnej wersji. Znam całą ścieżkę dialogową tego filmu. — Przysunął się bliżej do mnie i znów szepnął mi do ucha: — Mogę odegrać nawet rolę Chewbaki.

Roześmiałam się.

— Miałeś rację. Wariat z ciebie.

— Mówiłem ci.

Doszliśmy razem do końca lady baru sałatkowego, po czym Erik towarzyszył mi aż do stolika, przy którym siedzieli już Damien, Stevie Rae i Bliźniaczki. Bez żenady gapili się na nas.

— Więc spotkasz się ze mną... dziś wieczorem?

Niemal słyszałam, jak cała czwórka wstrzymała oddech.

— Chciałabym, ale... dziś nie mogę. Zaplanowałam już... coś innego.

— Trudno. W takim razie... może kiedy indziej. Cześć. — Kiwnął wszystkim głową na pożegnanie i odszedł.

Usiadłam. Teraz gapili się na mnie.

— O co chodzi? — zapytałam.

— Kompletnie zwariowałaś — orzekła Shaunee.

— Pomyślałam dokładnie to samo — zgodziła się z nią Erin.

— Mam nadzieję, że masz jakiś naprawdę poważny powód, że go odtrąciłaś — powiedziała Stevie Rae. — Było widać, że go ranisz.

— Jak myślisz, będę mógł go pocieszyć? — zapytał Damien, nadal patrząc tęsknym wzrokiem za Erikiem.

— Przestań — powiedziała Erin.

— On nie gra w twojej drużynie — uzupełniła Shaunee.

— Cicho! — włączyła się Stevie Rae. Spojrzała mi prosto w oczy. — Dlaczego mu odmówiłaś? Co może być ważniejszego niż randka z nim?

— Pozbycie się Afrodyty — odpowiedziałam po prostu.

)

ROZDZIAŁ DWUDZIESTY DRUGI

— Ma powód — uznał Damien.

— Przystała do Cór Ciemności — przypomniała Shaunee.

— Co?! — zaskrzeczał Damien głosem wyższym przynajmniej o dwie oktawy od swojego normalnego tonu.

— Zostawcie ją — wstawiła się za mną Stevie Rae. — To jest rekonesans.

— Ładny mi rekonesans — oburzył się Damien. — Skoro przystąpiła do Cór, to znaczy, że przystaje do wrogiej partii.

— Rzeczywiście przystąpiła — zgodziła się Shaunee.

— Wszyscy słyszeliśmy — dodała Erin.

— Ej, ja tu jestem — powiedziałam.

— Co zamierzasz zrobić? — zapytał Damien.

— Właściwie nie wiem — przyznałam.

— Lepiej, żebyś coś wymyśliła, i to szybko, bo inaczej te wiedźmy z piekła rodem pożrą cię na obiad — prorokowała Erin.

— No — zawtórowała Shaunee, wbijając z wściekłością widelec w porcję sałatki.

— Słuchajcie! W końcu ona nie musi sama wszystkiego wymyślać. Przecież ma nas. — Stevie Rae skrzyżowała ręce na piersiach i popatrzyła wyzywająco na Bliźniaczki.

Uśmiechnęłam się z wdzięcznością do Stevie Rae.

— No, jakiś pomysł to ja mam...

— Dobrze. W takim razie powiedz nam, a my zrobimy burzę mózgów — zaproponowała Stevie Rae.

Wszyscy popatrzyli na mnie wyczekująco. Westchnęłam ciężko.

— No więc... — Zawahałam się, żeby nie wyjść na idiotkę, ale zaraz pomyślałam, że ostatecznie mogę im powiedzieć, co zamierzam zrobić po tym, jak rozmawiałam z Babcią. — Na początek powinnam odprawić tradycyjne modły oczyszczające według obrzędów Czirokezów i prosić Nyks, by mnie natchnęła pomysłem, co mam robić.

Przy stole zapadła cisza, która zdawała się nie mieć końca. W końcu odezwał się Damien:

— To nie jest zły pomysł: poprosić Nyks o pomoc.

— Czy ty jesteś Czirokezką? — zapytała Shaunee.

— Wyglądasz na Czirokezkę — zauważyła Erin.

— Halo! Przecież jej nazwisko brzmi: Redbird. Ona *jest* Czirokezką — ostatecznie rozstrzygnęła Stevie Rae.

— To dobrze w takim razie — powiedziała Shaunee, ale nie wyglądała na przekonaną.

— Po prostu wydaje mi się, że Nyks może mnie wysłuchać i podsunąć jakiś pomysł, co mam zrobić z tą okropną Afrodytą. — Popatrzyłam po twarzach swoich przyjaciół. — Coś mi mówi, że to byłoby nie w porządku pozwolić, żeby wszystko uszło jej płazem.

— Może im powiedzieć? — poddała pomysł Stevie Rae. — Oni nikomu nie powtórzą. Naprawdę. Lepiej, żeby się dowiedzieli.

— Co do ku...? — zainteresowała się Erin.

— Teraz już nie masz wyjścia — oceniła Shaunee, wskazując Stevie Rae końcem widelca. — Skoro ona tak mówi, to znaczy, że wie, co ty ukrywasz. — Teraz widelec skierowała w moją stronę.

Popatrzyłam gniewnie na Stevie Rae, która tylko wzruszyła bezradnie ramionami i powiedziała skruszonym tonem:

— Przepraszam...

Czując, że nie mam wyboru, zniżyłam głos do szeptu i pochylona do nich powiedziałam: — Musicie obiecać, że nikomu nie powiecie.

— Obiecujemy.

— Wydaje mi się, że podczas tworzenia kręgu odczuwam pięć żywiołów.

Cisza. Tylko patrzą na mnie. Troje zszokowanych, jedna Stevie Rae z zadowoloną miną.

— Nadal myślicie, że ona nie da rady obalić Afrodyty? — zapytała Stevie Rae.

— Wiedziałam, że ten jej Znak to nie tylko wynik upadku i rozbicia głowy — triumfowała Shaunee.

— No — powiedziała z uznaniem Erin. — To dopiero nowina!

— Nikt nie może się dowiedzieć — przypomniałam im natychmiast.

— Nie, ja tylko mówię, że pewnego dnia to będzie wspaniała nowina — broniła się Shaunee.

— Potrafimy trzymać język za zębami — oświadczyła Erin.

Damien zignorował je obie.

— Wydaje mi się, że żadne przekazy nie wspominają o jakiejkolwiek starszej kapłance, która by reagowała bezpośrednio na pięć żywiołów. — Damien stawał się coraz bardziej tym podniecony. — Wiecie, co to znaczy? — Nawet nie dał mi szansy odpowiedzieć. — To znaczy, że możesz być wszechmogącą starszą kapłanką, jakiej jeszcze wampiry nie znały.

— Wszechmogącą?

— Tak, silną, potężną — sprecyzował niecierpliwie. — Mogłabyś rzeczywiście usunąć Afrodytę.

— Ale numer!... — powiedziała Erin, a Shaunee miną wyraziła swój entuzjazm.

— Więc kiedy i gdzie spotykamy się na modły oczyszczające? — zapytała Stevie Rae.

— My? — zdziwiłam się.

— Nie jesteś sama, Zoey — zapewniła mnie.

Już otworzyłam usta, żeby zaprotestować; przecież nawet nie wiedziałam jeszcze, jak to zrobię. Nie chciałam mieszać swoich przyjaciół w coś, co mogłoby się okazać — co mocno prawdopodobne — kompletnym fiaskiem. Damien jednak nie dał mi dość czasu na odmowę.

— Jesteśmy ci potrzebni — stwierdził — a nawet najbardziej wszechmogąca starsza kapłanka potrzebuje swojego kręgu.

— Hm, prawdę mówiąc, nawet nie myślałam o tworzeniu kręgu. Zamierzałam jedynie odprawić oczyszczające modły.

— A nie możesz utworzyć kręgu, potem odprawić modłów i poprosić Nyks o pomoc?

— Brzmi rozsądnie — stwierdziła Shaunee.

— Poza tym jeśli rzeczywiście odbierasz pięć żywiołów, jestem pewien, że odczujesz je także, gdy utworzysz własny krąg. Prawda, Damien? — Stevie Rae zwróciła się z tym pytaniem do gejowskiego mistrza naszej grupy, a reszta spojrzała na niego wyczekująco.

— Brzmi rzeczywiście logicznie — przyznał Damien.

Nadal gotowa byłam się opierać, mimo że gdzieś w środku czułam się mile połechtana i wdzięczna swoim przyjaciołom, że nie zostawiają mnie samej w obliczu ciężkiej próby.

Doceń ich, to szlachetne i niezwykle cenne klejnoty.

Myśl wypowiedziana przez znajomy głos przemknęła mi przez głowę i wtedy uświadomiłam sobie, że powinnam zaufać instynktowi, który się we mnie rozwijał od chwili, w której Nyks złożyła pocałunek na moim czole, zmieniając na zawsze mój Znak i moje życie.

— Dobrze, potrzebna mi będzie kadzidlana różdżka. — Popatrzyli na mnie nierozumiejącym wzrokiem, więc zaczęłam im wyjaśniać: — To dla oczyszczającej części obrządku, bo nie mamy do dyspozycji bieżącej wody. A może mamy?

— Chodzi ci o strumyk, rzeczkę czy coś w tym rodzaju? — upewniła się Stevie Rae.

— Tak.

— Jest mały strumyczek, który przepływa przez nasz teren w pobliżu jadalni, a potem znika gdzieś pod budynkiem szkolnym — powiedział Damien.

— Nie będzie się nadawał, jest za bardzo widoczny. W takim razie użyjemy różdżki. Najlepsza byłaby zrobiona z wysuszonej lawendy z szałwią, ale ostatecznie może też być sośnina.

— Mogę zdobyć lawendę z szałwią — zaofiarował się Damien. — Mają tego typu rzeczy na składzie w szkolnym magazynie na lekcje o zaklęciach i urokach dla piątego i szóstego formatowania. Powiem, że pomagam jednemu ze starszych uczniów, któremu jest to potrzebne. Co się jeszcze przyda?

— W czirokeskim obrządku oczyszczającym Babcia zawsze oddawała cześć siedmiu świętym stronom czczonym przez Czirokezów, którymi są północ, południe, wschód, zachód, słońce, ziemia i istota. Ale wydaje mi się, że ja powinnam bardziej zwrócić się do Nyks. — Przygryzłam wargi, zastanawiając się, co robić.

— Dobrze myślisz — pochwaliła mnie Shaunee.

— Tak. Zwłaszcza że Nyks nie jest związana ze słońcem — uzupełniła Erin. — Jest przecież Nocą.

— Moim zdaniem powinnaś posłuchać intuicji — zgodziła się Stevie Rae.

— Zaufanie do siebie to jedna z pierwszych rzeczy, jakie przyswaja sobie starsza kapłanka — powiedział Damien.

— Okay. W takim razie potrzebnych mi będzie pięć świec dla pięciu żywiołów — postanowiłam.

— Nie ma problemu — zauważyła Shaunee.

— Tak, świątynia jest zawsze otwarta, a w niej świec do wyboru, do koloru.

— Czy to będzie w porządku stamtąd je wykradać? — Zabieranie czegoś ze świątyni Nyks nie wydawało mi się dobrym pomysłem.

— Jeżeli je zwrócimy, to będzie w porządku — uspokoił mnie Damien. — Co jeszcze?

— To chyba wszystko... Tak myślę....

Do licha, przecież dokładnie nie wiedziałam, co będę robiła.

— Kiedy i gdzie? — chciał ustalić Damien.

— Po obiedzie. Powiedzmy: o piątej. I nie możemy pójść wszyscy razem. Nie możemy sobie pozwolić na to, by Afrodyta lub któraś z Cór Ciemności pomyślała, że mamy jakieś zebranie, i nabrała podejrzeń. Spotkajmy się więc przy wielkim dębie po wschodniej stronie muru. — Uśmiechnęłam się do nich krzywo. — Łatwo znaleźć to miejsce; wystarczy tylko wyobrazić sobie, że chce się uciec z obchodów urządzanych przez Córy Ciemności w sali rekreacyjnej, by znaleźć się jak najdalej od tych wiedźm z piekła rodem.

— Bez trudu można to sobie wyobrazić — powiedziała Shaunee.

Erin chrząknęła potakująco.

— Dobrze, w takim razie przyniesiemy te rzeczy — obiecał Damien.

— Aha, my dostarczymy rzeczy, a ty wszechmogącność — powiedziała Shaunee, patrząc na Damiena z lekką drwiną.

— Ten rzeczownik nie ma takiej formy — pouczył ją Damien. — Powinnaś więcej czytać. Może wtedy twoje słownictwo nieco by się poprawiło.

— Twoja m a m a powinna więcej czytać — odcięła się Shaunee. Nagle obie zaczęła niepohamowanie chichotać, przypominając sobie coraz bardziej pieprzne dowcipy z „twoją mamą".

Zadowolona, że wreszcie skierowali zainteresowanie na inne tory, zostawiona na chwilę w spokoju mogłam się skupić na rozmyślaniach oraz na sałatce, podczas gdy oni dalej przekomarzali się ze sobą. Jedząc sałatkę, przepowiadałam sobie jednocześnie słowa modlitwy oczyszczenia, kiedy nagle Nala wskoczyła na ławkę obok mnie. Popatrzyła mi prosto w oczy i zaczęła mruczeć tak intensywnie jak uruchomiony silnik samolotu. Nie wiem dlaczego, ale od razu samopoczucie mi się poprawiło. A kiedy rozległ się dzwonek wzywający nas na lekcje, każdy z czworga moich przyjaciół uśmiechnął się znacząco, mrugnął i rzucił na pożegnanie: „Do zobaczenia, Z". Oni też poprawili mi nastrój, mimo że poczułam lekkie ukłucie w sercu, słysząc w ich wykonaniu pieszczotliwą wersję mego imienia wymyśloną przez Erika.

Lekcja hiszpańskiego przeleciała jak z bicza strzelił. Przez całą godzinę ćwiczyliśmy, jak powiedzieć, że coś nam się podoba oraz że coś nam się nie podoba. Rozśmieszyła mnie profesor Garmy. Powiedziała, że hiszpański odmieni nasze życie. *Me gustan los gatos.* (Lubię koty). *Me gusta ir de compras.* (Lubię zakupy). *No me gusta lavar el gato.* (Nie lubię myć kota). To ulubione stwierdzenia profesorki Garmy. Musieliśmy powiedzieć nasze ulubione, na czym zeszła nam cała godzina.

Próbowałam powstrzymać się przed napisaniem *me gusta Erik* czy *no me gusta la wiedźma Afrodyta.* Okay, domyślam się, że po hiszpańsku „wiedźma" nie powie się *la wiedźma*, ale jednak... W każdym razie lekcja była fajna i właściwie wszystko rozumiałam. Jeśli chodzi o lekcję jazdy, to nie przeszła jak z bicza strzelił. Podczas sprzątania stajni z nawozu można było pozwolić sobie na kontemplację — cały czas przepowiadałam sobie oczyszczającą modlitwę — mimo wszystko godzina to godzina. Tym razem Stevie Rae nie musiała po mnie przychodzić, zanadto zależało mi na czasie, żebym zwlekała z wyjściem. Kiedy zabrzmiał dzwonek, odłożyłam natychmiast zgrzebła zadowolona, że Lenobia znów poleciła mi oporządzić Persefonę, ale także przejęta, ponieważ powiedziała mi również, że od następnego tygodnia mogłabym zacząć lekcje jazdy. Pospiesznie wybiegłam ze stajni, żałując, że w „zewnętrznym" świecie pora jest już późna, miałam bowiem wielką ochotę zatelefonować natychmiast do Babci i pochwalić się, że tak dobrze daję sobie radę z końmi.

— Wiem, co się dzieje.

Zatkało mnie na te słowa.

— Wielkie nieba, Afrodyto! Nie mogłaś się odezwać? Zaczaiłaś się tutaj jak pająk na muchy. Wystraszyłaś mnie.

— O co chodzi? — wydyszała. — Masz wyrzuty sumienia?

— Kiedy skradasz się za czyimiś plecami, możesz tego kogoś śmiertelnie wystraszyć. Wyrzuty sumienia nie mają z tym nic wspólnego.

— Znaczy, że nie masz wyrzutów sumienia?

— Afrodyto, nie wiem, o czym mówisz.

— Znam twoje plany na dzisiejszy wieczór.

— W dalszym ciągu nie wiem, o czym mówisz.

Do licha, skąd ona się dowiedziała?

— Wszyscy myślą, że jesteś taka cholernie sprytna, do tego niewiniątko, tacy są przejęci tym twoim głupim Znakiem, wszyscy, ale nie ja. — Odwróciła się twarzą do mnie, zatrzymałyśmy się na środku chodnika. Zmrużyła swoje niebieskie oczy tak, że zostały tylko wąskie szparki, twarz miała wykrzywioną brzydkim grymasem; wyglądała teraz jak prawdziwa wiedźma z piekła rodem. Przemknęło mi przez myśl, czy Bliźniaczki domyślają się, jak trafne jest to nadane przez nie przezwisko. — Nieważne, kto ci jakichś głupstw nagadał: on jest i będzie mój.

Otworzyłam oczy szeroko ze zdumienia i natychmiast ogarnęła mnie niezmierna ulga. Więc ona mówiła o Eriku, nie o oczyszczających modłach!

— Wiesz co? Mówisz, jakbyś była matką Erika. Czy on wie, że tak za nim latasz?

— Czy wyglądałam jak matka Erika, kiedy w holu obciągałam mu małego?

Więc wiedziała. Ach, wszystko jedno. I tak musiało dojść do takiej rozmowy.

— Nie, nie wyglądałaś jak matka Erika. Wyglądałaś raczej na dziewczynę zdesperowaną, która robi co może, by zatrzymać chłopaka, podczas gdy on wyraźnie mówi, że jej nie chce.

— Pieprzona suka! Do mnie się tak nie mówi!

Podniosła rękę i zamierzyła się, by mnie uderzyć w twarz. W tym momencie świat jakby stanął w miejscu, a my dwie działałyśmy niczym w zwolnionym tempie. Schwyciłam ją za przegub, bez trudu powstrzymując przed tym, co chciała zrobić. Tak jakby ona była rozzłoszczonym dzieckiem, które dostało ataku złości, ale za słabe jest na to, by uczynić komukolwiek coś złego. Przytrzymałam przez chwilę jej rękę, patrząc jej w oczy pełne nienawiści.

— Nigdy więcej nie podnoś na mnie ręki. Nie jestem dzieciakiem z twojej trzódki, którego łatwo oszukać. Przyjmij to do wiadomości. Jak i to, że się ciebie nie boję. — Odepchnęłam rękę Afrodyty, a wtedy ona zatoczyła się, z trudem łapiąc równowagę.

Rozcierając obolały przegub, wbiła we mnie pałający gniewem wzrok.

— Nie waż się przychodzić jutro. Potraktuj zaproszenie jako niebyłe, tak samo jak swoją przynależność do Cór Ciemności.

— Naprawdę? — Ogarnął mnie olimpijski spokój. Wiedziałam, że mam asa w rękawie i zaraz go wyciągnę. — I powiesz mojej mentorce, starszej kapłance Neferet, której życzeniem było, abym wstąpiła do Cór Ciemności, że wywalasz mnie, gdyż jesteś zazdrosna o swojego byłego chłopaka, któremu ja się podobam?

Afrodyta pobladła.

— Możesz być pewna, że okażę swój bezgraniczny żal z tego powodu, kiedy Neferet mnie o to zapyta. — Pociągnęłam nosem, udając, że płaczę.

— A wiesz, jak to jest, kiedy nikt w całej grupie cię nie chce? — rzuciła przez zaciśnięte zęby.

Poczułam się, jakby mnie ktoś zdzielił obuchem. Zmusiłam się, by nie dać po sobie poznać, że trafiła w mój słaby punkt. Bo ja wiedziałam aż za dobrze, jak to jest być częścią czegoś — powiedzmy: rodziny — i czuć, że nikt cię w niej nie chce, Afrodyta jednak o tym się nie dowie. Uśmiechnęłam się więc słodko i niewinnym tonem zapytałam:

— Jak to, Afrodyto? Erik na przykład należy do Synów Ciemności i nie dalej jak podczas lunchu powiedział mi, jak bardzo się cieszy, że przystąpiłam do Cór Ciemności.

— Przyjdź na obchody. Udawaj, że jesteś Córą Ciemności. Ale zapamiętaj sobie: to są m o j e Córy Ciemności. Ty jesteś obca. Ciebie nikt nie chce. I o jeszcze jednym nie zapominaj: Erik Night i ja jesteśmy związani ze sobą w taki sposób, o jakim ty nie masz pojęcia. To nie jest żaden mój „eks". Nie zostałaś do końca, żeby zobaczyć, jak się bawiliśmy wtedy w holu. I wtedy, i teraz on jest dokładnie taki, jakim chcę go widzieć. On jest mój. — Odrzuciła do tyłu burzę włosów i odeszła z godnością.

Niemal natychmiast Stevie Rae wytknęła głowę zza starego dębu, który rósł niedaleko chodnika, i zapytała:

— Poszła sobie?

— Na szczęście — odrzekłam i pokręciłam głową z dezaprobatą: — Stevie Rae, co ty tutaj robisz?

— Jak to? Ukrywam się. Przestraszyła mnie do imentu. Szłam, żeby się spotkać z tobą, i zobaczyłam, jak się sprzeczacie. Daj spokój, ona naprawdę chciała cię uderzyć!

— Afrodyta ma poważne powody, by wpaść w złość.

Stevie Rae wybuchnęła śmiechem.

— No, Stevie Rae, już możesz wyjść z ukrycia.

Nadal roześmiana Stevie Rae podskoczyła i obejmując mnie ramieniem, powiedziała z uznaniem:

— Naprawdę jej się postawiłaś!

— Zgadza się.

— Ona cię nienawidzi z całego serca.

— Zgadza się.

— A wiesz, co to oznacza?

— Aha.

Wiedziałam, co mnie czeka, jeszcze zanim Afrodyta chciała mi wydrapać oczy. Nie miałam wyboru od chwili, w której Nyks postawiła swój Znak na moim czole. A kiedy tak szłyśmy obie, ja i Stevie Rae, w rozświetloną lampami gazowymi noc, słowa bogini brzmiały mi w uszach: *Przerastasz swoich rówieśników pod każdym względem. Uwierz w siebie, Zoey Redbird, a wtedy odnajdziesz drogę. I zapamiętaj, ciemność nie zawsze oznacza zło, a światło nie zawsze niesie ze sobą dobro.*

)

ROZDZIAŁ DWUDZIESTY TRZECI

— Mam nadzieję, że reszta znajdzie to miejsce — powiedziałam, rozglądając się wokół, kiedy dotarłyśmy ze Stevie Rae do dużego dębu. — Wczoraj nie było tak ciemno.

— Rzeczywiście, dzisiaj jest dużo chmur na niebie i księżyc nie może się przez nie przebić. Ale się nie martw, Przemiana rewelacyjnie zmienia nasz wzrok, tak że możemy widzieć w nocy całkiem nieźle. Ja chyba widzę równie dobrze jak Nala. — Stevie Rae poskrobała moją kotkę po łepku. Nala zamruczała z zadowoleniem. — Znajdą nas, nie ma obawy.

Oparta o drzewo zaczęłam się martwić. Obiad był smaczny — gotowany kurczak, ryż i młody groszek — jedno trzeba im przyznać: potrafią tu gotować. Wszystko było świetne do momentu, w którym zobaczyłam Erika, jak przechodził koło naszego stolika i powiedział: „Cześć". Tyle właśnie powiedział, nie żadne: „Cześć, Z, nadal mi się podobasz", ale samo: „Cześć, Zoey". I nic więcej. Tylko tyle. Wziął dla siebie porcję i przechodził wraz z kilkoma chłopakami, o których Bliźniaczki powiedziały, że są seksowni. Przyznaję, że nawet ich nie zauważyłam, zbyt byłam zajęta patrzeniem na Erika. Zbliżyli się do naszego stolika, ja podniosłam głowę i uśmiechnęłam się. Na ułamek sekundy nasze oczy się spotkały, po czym on rzekł: „Cześć, Zoey" i poszedł dalej. Wtedy kurczak przestał mi smakować.

— Po prostu go uraziłaś. Bądź dla niego miła, a wtedy on znów będzie chciał się z tobą umówić — powiedziała Stevie Rae, zgadując moje myśli i sprowadzając mnie na ziemię.

— Skąd wiesz, że rozmyślałam o Eriku? — zapytałam. Stevie Rae przestała głaskać Nalę, więc ja natychmiast podjęłam przerwane pieszczoty, zanim Nala zaczęłaby się uskarżać.

— Bo ja na twoim miejscu właśnie o tym bym myślała.

— Zamiast rozmyślać o jakimś chłopaku, powinnam się raczej zastanawiać, jak utworzę krąg, skoro nigdy przedtem tego nie robiłam, albo nad modłami oczyszczającymi, które też muszę odprawić.

— To nie jest j a k i ś chłopak, to jest ś w i e t n y chłopak — sprostowała Stevie Rae, przeciągając samogłoski, co mnie rozśmieszyło.

— Pewnie mówicie o Eriku — odezwał się Damien, wychodząc z cienia. — Nie martw się. Zauważyłem, jak na ciebie patrzył dzisiaj podczas lunchu. Na pewno znów będzie chciał się z tobą umówić.

— Aha, jemu możesz wierzyć — poparła go Shaunee.

— On jest naszym ekspertem w sprawach penisentiarnych — oświadczyła Erin, kiedy już wszyscy zebraliśmy się pod dębem.

— To prawda — przyznał Damien.

Aby nie rozbolała mnie przez nich głowa, zmieniłam temat.

— Przynieśliście wszystko co trzeba?

— Sam musiałem zmieszać szałwię z lawendą. Tak je związałem, chyba dobrze, co? — powiedział Damien, wyciągając z rękawa i podając mi solidną wiązkę ziół okręconych z jednego końca grubą nicią.

Natychmiast owionął mnie znajomy słodkawy zapach lawendy.

— Idealna — pochwaliłam Damiena.

Najwyraźniej mu to ulżyło, bo dodał jeszcze trochę wstydliwie:

— Związałem je kordonkiem, którego używam do haftu krzyżykowego.

— Mówiłam ci, że nie ma co się wstydzić tego, że haftujesz. To bardzo fajne hobby. W dodatku jesteś w tym naprawdę dobry — powiedziała Stevie Rae.

— Chciałbym, żeby mój tata był tego samego zdania — westchnął Damien.

Zrobiło mi się naprawdę przykro, kiedy usłyszałam smutek w jego głosie.

— Może kiedyś mnie tego nauczysz? Zawsze chciałam umieć haftować — skłamałam i zaraz się ucieszyłam, widząc, jak jego twarz się rozjaśniła.

— Kiedy tylko zechcesz — powiedział.

— A co ze świecami? — zwróciłam się do Bliźniaczek.

— Mówiłam ci, żaden problem — przypomniała mi Shaunee i otworzyła torebkę, skąd wyjęła żółtą, zieloną i niebieską świeczkę obrzędową i w odpowiednich kolorach szklane świeczniki z grubego szkła.

— Najmniejszy — dodała Erin, wyjmując ze swojej torebki czerwoną i fioletową świecę i pasujące do nich szklane pojemniczki.

— Dobrze. Chodźmy tutaj, odsuńmy się trochę od pnia drzewa, ale nie za daleko, żebyśmy pozostali w cieniu gałęzi. — Odeszłam kilka kroków od drzewa, a oni za mną. Popatrzyłam na świece. Co mam robić? Może powinnam... I w tym samym momencie wiedziałam już, co zrobię. Nawet nie zastanawiając się, skąd to wiem, i nie podając w wątpliwość podszeptów intuicji, po prostu się im poddałam. — Każdemu z was dam po jednej świecy. I każdy, tak jak na obchodach Pełni Księżyca Neferet, będzie reprezentował żywioł. Ja będę duchem. — Na te słowa Erin wręczyła mi fioletową świecę. — Ja jestem w środku kręgu. Wy staniecie wokół mnie. — Bez wahania wzięłam czerwoną świecę z rąk Erin i podałam ją Shaunee. — Ty będziesz ogniem.

— Mnie to pasuje. Wszyscy wiedzą, jaka jestem gorąca — odpowiedziała z uśmiechem. Tanecznym krokiem przeniosła się na południową stronę kręgu.

Zieloną świecę podałam Stevie Rae.

— Ty będziesz ziemią.

— O, zieleń to mój ulubiony kolor! — ucieszyła się i zadowolona stanęła naprzeciwko Shaunee.

— Erin, ty będziesz wodą.

— Dobrze, bo lubię pływać — odpowiedziała Erin i stanęła po zachodniej stronie.

— W takim razie ja zostanę powietrzem — powiedział Damien, biorąc żółtą świecę.

— Tak. I twój żywioł otwiera krąg.

— Chciałbym też otwierać ludzkie umysły — westchnął, zajmując pozycję po wschodniej stronie.

Uśmiechnęłam się do niego serdecznie.

— Aha. To by było dobre.

— Okay. Co teraz? — zapytała Stevie Rae.

— Teraz okadźmy się dymem z różdżki, żebyśmy się oczyścili. — Postawiłam u swych stóp fioletową świecę, żeby się bardziej skupić na różdżce. Nagle uderzyłam się w czoło. — Do licha! Czy ktoś pamiętał, żeby przynieść zapałki albo zapalniczkę?

— Oczywiście — odpowiedział Damien, wyciągając z kieszeni zapalniczkę.

— Dziękuję, żywiole powietrza.

— Nie ma o czym mówić, starsza kapłanko.

Nic na to nie odpowiedziałam, ale na dźwięk tych słów poczułam dreszcz na całym ciele.

— Patrzcie, w jaki sposób należy się posługiwać różdżką — przemówiłam zadowolona, że głos mój nie zdradza podniecenia i brzmi normalnie. Stanęłam przed Damienem, uznałam bowiem, że powinnam zaczynać w miejscu, gdzie jest początek kręgu. Zdając sobie sprawę, że powtarzam słowa Babci, która uczyła mnie tego w dzieciństwie, zaczęłam wyjaśniać przyjaciołom istotę całego procesu. — Rytualne okadzanie ma na celu oczyszczenie osób, miejsc i przedmiotów z negatywnej energii, złych duchów i różnych wpływów. Odbywa się to przez spalanie różnych świętych roślin i żywic, a następnie trzymanie przedmiotów w dymie albo owiewanie dymem danej osoby czy miejsca. Duch takiej rośliny oczyszcza wszystko, co zostało okadzone jej dymem. — Uśmiechnęłam się do Damiena. — Gotów?

— Potwierdzam — odpowiedział w typowym dla niego stylu.

Uniosłam wiązkę i zapaloną potrzymałam przez chwilę, czekając, aż suche zioła się rozpalą, po czym zdmuchnęłam płomień, by został sam żar, z którego zaczął się unosić wonny dym. Następnie omiotłam dymiącą wiązką całą postać Damiena, zaczynając od jego stóp, a kończąc na głowie, dalej tłumacząc pradawny obyczaj:

— Bardzo ważne jest, aby pamiętać o należnym szacunku dla duchów świętych roślin, do których zwracamy się o pomoc, i wyrażeniu go, uznając moc ich działania.

— Jakie jest działanie lawendy i szałwii? — zapytała Stevie Rae.

Nie przerywając okadzania dymem ciała Damiena, odpowiedziałam na pytanie Stevie Rae:

— W tradycyjnych obrzędach bardzo często używa się białej szałwii. Odgania ona negatywne wpływy, energie i złe duchy. Pustynna szałwia w zasadzie ma takie same działanie, ale ja wolę białą, bo ma słodszy zapach. — Doszłam już do głowy Damiena, więc uśmiechnęłam się znów do niego i pochwaliłam go: — Dokonałeś właściwego wyboru.

— Czasami wydaje mi się, że mógłbym być dobrym medium — powiedział Damien.

Erin i Shaunee chrząknęły znacząco, ale obydwoje nie zwróciliśmy na to uwagi.

— Dobrze. Teraz obróć się w drugą stronę, to okadzę ci plecy — powiedziałam. Kiedy zrobił, co mu poleciłam, mogłam ciągnąć swój wywód: — Moja babcia zawsze używa lawendy do swoich różdżek. Oczywiście częściowo dlatego, że ma pole lawendowe.

— Sprytnie — powiedziała z uznaniem Stevie Rae.

— Tak, to niesamowite miejsce — przyznałam i uśmiechnęłam się do niej, nie przestając zajmować się Damienem. — Inny powód, dla którego używa lawendy, to jej kojące działanie, przywracanie otoczeniu równowagi, wytwarzanie pokojowej atmosfery. Lawenda przyciąga też dobre duchy i energię. — Poklepałam Damiena po ramieniu, żeby się odwrócił. — Koniec — powiedziałam mu i przeszłam do Shaunee, która reprezentowała żywioł ognia, i zaczęłam ją okadzać.

— Dobre duchy? — zapytała Stevie Rae trochę przestraszona. — Nie wiedziałam, że będziemy przywoływać do naszego kręgu jeszcze coś poza żywiołami.

— Och, proszę cię, Stevie Rae — nastroszyła się na nią Shaunee. — Nie możesz być wampirem i jednocześnie bać się duchów.

— To nawet głupio brzmi — poparła ją Erin.

Rzuciłam okiem na Stevie Rae i nasze spojrzenia na moment się spotkały. Obie pomyślałyśmy o spotkaniu domniemanego ducha Elizabeth, ale żadna z nas nie miała ochoty rozmawiać na ten temat.

— Jeszcze nie jestem wampirem, tylko zaledwie adeptką, więc mam prawo bać się duchów.

— Czekaj, przecież Zoey mówi o czirokeskich duchach. A one pewnie nie będą zwracały uwagi na obrzędy odprawiane przez bandę młodocianych wampirskich adeptów, w czterech piątych pochodzenia innego niż rdzennie amerykańskie, którego jedyną reprezentantką jest Jej Kapłańska Wysokość Czirokezka — powiedział Damien.

Kiedy skończyłam z Shaunee, podeszłam do Erin.

— Nie sądzę, by miało to istotne znaczenie, skoro pozostajemy w zewnętrznym świecie — mówiłam, czując instynktownie, że mam rację. — Myślę, że liczą się nasze intencje. W naszym przypadku wygląda to tak: Afrodyta i jej grupa to świetnie prezentujące się, najbardziej utalentowane dziewczyny w całej szkole, a Córy Ciemności powinny być elitarnym klubem. Tymczasem dla nas są wiedźmami z piekła rodem i w rzeczywistości to rozwydrzone dziewuchy, które upokarzają innych i z tego czerpią satysfakcję. — Ciekawe, jak Erik czuje się w ich gronie? Czy jest mu wszystko jedno, jaką rolę odgrywa, czy też jest bardziej z nimi związany, co sugerowała Afrodyta?

— Albo dziewczyny, które w jakiś sposób zostały nakłonione, by wstąpić do tej organizacji, i chcąc nie chcąc jadą na tym samym wózku — dodała Erin.

— Właśnie. — Wzdrygnęłam się w duchu. Cóż, nie jest to odpowiednia pora, by marzyć o Eriku. Skończyłam okadzanie Erin i podeszłam do Stevie Rae. — Naprawdę uważam, że duchy moich przodków słyszą nas, i tak samo uważam, że lawenda i szałwia działają na naszą korzyść, ale również jestem przekonana, Stevie Rae, że nie masz żadnych powodów, by się bać. Bo przywołujemy je nie po to, by pomogły nam wykopać Afrodytę, chociaż ona ponad wszelką wątpliwość na to zasługuje. Na pewno nie przyjdą tu żadne duchy, których moglibyśmy się bać — zapewniłam Stevie Rae stanowczym tonem, po czym podałam jej różdżkę i powiedziałam: — A teraz ty zrobisz to samo dla mnie. — Stevie Rae zaczęła naśladować wszystkie moje gesty, a ja wreszcie wyluzowałam się zanurzona w słodkim aromacie dymu, który mnie otaczał.

— Nie poprosimy ich, by pomogły nam wykopać Afrodytę? — zapytała Shaunee wyraźnie zawiedziona.

— Nie. Oczyszczamy się po to, by poprosić Nyks o poprowadzenie nas. Nie chcę pobić Afrodyty. — Przypomniałam sobie, jakie to było przyjemne uczucie, kiedy ją odepchnęłam i jej nagadałam. — Owszem, nie przeczę, może to sprawiać przyjemność, ale nie rozwiązuje problemu Cór Ciemności.

Kiedy Stevie Rae skończyła mnie okadzać, wzięłam od niej różdżkę i dokładnie wytarłam o trawę, po czym wróciłam do kręgu, gdzie Nala zwinęła się w kłębuszek tuż przy świecy ducha. Popatrzyłam po twarzach swoich przyjaciół.

— Nie lubimy Afrodyty, to prawda, ale uważam, że to ważne, abyśmy się nie skupiali na negatywach, jak na przykład danie jej kopa w dupę czy wyrzucenie z grona Cór Ciemności. Ona by tak zrobiła na naszym miejscu. Ale my chcemy działać sprawiedliwie. Nie szukać zemsty, tylko sprawiedliwości. My jesteśmy od niej inni i jeżeli uda nam się zająć jej miejsce, to grupa Cór Ciemności będzie też inna.

— I dlatego ty będziesz starszą kapłanką, a ja i Erin tylko przybocznymi, choć bardzo atrakcyjnymi. Bo my jesteśmy płytkie i chciałybyśmy przede wszystkim urwać jej tę wyfiokowaną główkę — przyznała Shaunee, a Erin kiwnęła potakująco.

— Wyłącznie pozytywne myśli, bardzo was proszę — napomniał je zdecydowanie Damien. — Jesteśmy w trakcie rytualnego oczyszczania.

Zanim Shaunee zdążyła cokolwiek więcej zrobić, niż wbić spojrzenie w Damiena, Stevie Rae zapiszczała:

— Dobra! Ja mam same pozytywne myśli, na przykład jak to będzie fajnie, kiedy Zoey zostanie szefową Cór Ciemności.

— Świetny pomysł, Stevie Rae — pochwalił ją Damien. — To samo sobie pomyślałem.

— I ja bym się cieszyła — dodała Erin. — Piotruś Pan jest po mojej stronie, Bliźniaczko — zawołała do Shaunee, która jeszcze warczała na Damiena. — Wiecie, że zawsze jestem za pomyślnymi rozwiązaniami. A byłoby cholernie miło, gdyby Zoey dowodziła Córami Ciemności, a w przyszłości została prawdziwą starszą kapłanką.

Prawdziwą starszą kapłanką... Nie wiedziałam, czy to dobrze czy źle, że na te słowa zrobiło mi się trochę słabo. Znowu. Z westchnieniem zapaliłam fioletową świecę.

— Gotowi? — spytałam całą czwórkę.

— Gotowi — odpowiedzieli chórem.

— Dobrze, w takim razie unieście świece.

Bez wahania (co znaczy również, że nie pozostawiłam sobie czasu na to, by stchórzyć) podeszłam ze świecą do Damiena. Nie byłam tak doświadczona i zręczna jak Neferet ani uwodzicielska i pewna siebie jak Afrodyta. Byłam sobą, Zoey, znajomą nieznajomą, która zmieniła się ze zwyczajnej uczennicy w niezwykłą wampirską adeptkę. Zaczerpnęłam powietrza do płuc. Jak mówiła Babcia: jedyne, co mogłam zrobić, to starać się ze wszystkich sił.

— Powietrze jest wszędzie wokół nas, więc logiczne, że ten żywioł przyzywam najpierw do naszego kręgu.

Przytknęłam swoją świecę do żółtej świecy Damiena i natychmiast ukazał się płomień, wściekle filując. Zobaczyłam, jak oczy Damiena robią się wielkie i okrągłe ze zdumienia, kiedy wiatr zaczął owiewać nasze ciała, tworząc wokół nas wiry powietrzne, rozwiewając nam włosy i smagając przyjemnie skórę.

— To prawda — szepnął, wpatrując się we mnie. — Rzeczywiście potrafisz ukazywać sobą obecność żywiołów.

— No cóż — odrzekłam — przynajmniej jeden z nich. Zobaczmy, jak będzie z następnym.

Podeszłam do Shaunee. Podniosła skwapliwie swoją świecę i powiedziała:

— Jestem gotowa na przyjęcie ognia, niech nadejdzie.

— Ogień przypomina mi mroźne zimowe wieczory i ciepło bijące od kominka w przytulnej chatce mojej babci. Proszę cię, ogniu, usłysz mnie, przybądź do naszego kręgu.

Zapaliłam czerwoną świecę, której płomień wydawał się znacznie większy i jaśniejszy niż zwykłej świecy obrzędowej. Wokół mnie i Shaunee unosił się żywiczny aromat palącego się drewna i miodowy zapach trzaskającego na kominku ognia.

— Ojej! — wykrzyknęła Shaunee, w której oczach migotały iskierki odbitego płomienia świecy. — Ale odjazd!

— To już drugi — usłyszałam szept Damiena.

Erin czekała na mnie z szerokim uśmiechem.

— Jestem gotowa przyjąć wodę — powiedziała szybko.

— Woda przynosi ukojenie w czasie upalnych dni w Oklahomie. Woda to oceany, które mam nadzieję kiedyś zobaczyć na własne oczy. Woda sprawia, że rośnie lawenda. Proszę, wodo, usłysz mnie, przywołuję cię do naszego kręgu.

Zapaliłam niebieską świecę i natychmiast poczułam chłód na swojej skórze i słony krystaliczny zapach, jaki może się unosić tylko nad brzegiem oceanu, którego nigdy nie widziałam.

— Niesamowite, naprawdę — powiedziała Erin, wdychając głęboko oceaniczne powietrze.

— W sumie trzy — liczył Damien.

— Ja już się nie boję — wyznała Stevie Rae, kiedy stanęłam przed nią.

— To dobrze — odpowiedziałam i skoncentrowałam myśli na czwartym żywiole, ziemi. — Ziemia nas nosi i ziemia nas otacza. Bez ciebie bylibyśmy niczym. Proszę, ziemio, wysłuchaj mnie, przyzywam cię do kręgu.

Zielona świeca zapaliła się bez trudu i nagle owionął nas intensywny zapach skoszonej świeżej trawy. Usłyszałam też szelest dębowych liści, a gdy podniosłam do góry głowę, zobaczyłam, jak wszystkie konary wyciągnęły się i rozpostarły nad nami, jakby chroniąc nas od wszelkich cierpień.

— Niesłychane! — zachłysnęła się zachwycona Stevie Rae.

— Cztery! — zawołał podekscytowany Damien.

Podeszłam szybko na środek kręgu i podniosłam swoją fioletową świecę.

— Ostatni żywioł to ten, który wypełnia wszystkich i wszystko. Sprawia, że jesteśmy jedyni w swoim rodzaju, on tchnął w nas życie. Proszę cię, duchu, byś mnie wysłuchał i przybył do naszego kręgu.

Nie do wiary, ale miałam wrażenie, że cztery żywioły otoczyły mnie, tworząc wokół wir, przy czym nie było to ani trochę przerażające. Przeciwnie, czułam, jak przepełnia mnie spokój, a jednocześnie wzbierająca potężna moc, musiałam zaciskać usta, by nie wybuchnąć radosnym śmiechem.

— Patrzcie, co się dzieje z kręgiem! — zawołał Damien.

Zamrugałam, by lepiej widzieć, i w tym momencie zobaczyłam, jak cztery żywioły uspokajają się niczym rozbrykane i przywołane do porządku kociaki, które przysiadły wokół mnie, czekając tylko, by na dany znak wyczyniać następne sztuczki. Uśmiechnęłam się do siebie rozbawiona tym porównaniem, a wtedy zauważyłam jaśniejącą poświatę wokół kręgu i nad głowami całej czwórki. Światło było jasne i czyste, a przy tym lśniło srebrzyście jak księżyc w pełni.

— Czyli pięć — powiedział Damien.

— Kurdebalans! — wydałam z siebie okrzyk, jaki nie przystoi starszej kapłance. Cała czwórka wybuchnęła śmiechem typowym dla istot szczęśliwych. Wtedy zrozumiałam, dlaczego Neferet tańczy podczas odprawiania obrzędu. Bo i mnie teraz chciało się śmiać, tańczyć i krzyczeć ze szczęścia. Innym razem, postanowiłam sobie. Tej nocy czekało mnie ważne zadanie.

— Dobrze, a teraz odmówię oczyszczającą modlitwę — zapowiedziałam przyjaciołom. — Podczas odmawiania modlitwy będę stawała twarzą do kolejnego żywiołu.

— A co my mamy robić? — zapytała Stevie Rae.

— Skupcie się na modlitwie. Uwierzcie, że żywioły zaniosą ją Nyks, a bogini wysłucha jej i pomoże mi w taki sposób, że dowiem się, co powinnam robić — powiedziałam z większą pewnością w głosie niż w głowie.

Po raz wtóry zwróciłam się twarzą na wschód. Damien posłał mi pełen zachęty uśmiech. Zaczęłam recytować pradawną oczyszczającą modlitwę, którą wielokrotnie odmawiałam ze swoją babcią, z kilkoma zmianami, jakie postanowiłam wcześniej wprowadzić.

Wielka bogini Nocy, której głos słyszę w wietrze, która tchnie życie w swoje dzieci: usłysz mnie, potrzebuję Twojej siły i mądrości.

Zrobiłam krótką przerwę, po czym zwróciłam się na południe.

Niechaj piękno mnie nie opuszcza, a oczy moje niech zawsze widzą czerwone i purpurowe zachody słońca, które poprzedzają Twe piękne noce. Spraw, by moje ręce szanowały rzeczy, które stworzyłaś, a uszy moje niech będą wyczulone na Twój głos, bym stała się mądra i mogła zrozumieć to, czego uczysz swoich ludzi.

Obróciłam się znów na prawo i dalej mówiłam głosem silniejszym, bo i silniejsza się czułam, dostroiwszy się do rytmu modlitwy.

Pomóż mi zachować spokój i siłę w obliczu tego, co mnie czeka. Niech nauczę się wszystkich lekcji, jakie dla mnie ukryłaś w każdym listku i w każdym kamieniu. Niech myśli moje staną się czyste, a czyny moje skierowane na niesienie pomocy innym. Pomóż mi odnaleźć zdolność współodczuwania, które jednak nie zawładnie mną bez reszty.

Zwróciłam się do Stevie Rae, która miała zaciśnięte powieki, jakby chciała z całej siły się skoncentrować.

Szukam siły nie po to, by stać się mocniejsza od innych, ale by zwalczyć swego najgroźniejszego przeciwnika: własne wątpliwości.

Wróciłam na środek kręgu i tam zakończyłam modlitwę. Po raz pierwszy w życiu poczułam moc słów pradawnej modlitwy, które podążały — w co wierzyłam sercem i duszą — do wysłuchującej mnie bogini.

Spraw, abym zawsze mogła zwrócić się do Ciebie z czystymi rękoma i otwartym spojrzeniem. A kiedy moje życie chylić się będzie ku zachodowi tak, jak zachodzi słońce dnia, moja dusza niech podąży do Ciebie bez wstydu.

Takie było zakończenie i główna myśl czirokeskiej modlitwy, której uczyła mnie moja babcia, ale czułam potrzebę dodania jeszcze tych słów: „Nyks, nie wiem, dlaczego mnie Naznaczyłaś i dlaczego obdarzyłaś darem bliskiego związku z żywiołami, i nie muszę tego wiedzieć. Ale o jedno chcę Cię prosić: bym z Twoją pomocą wiedziała, co jest słuszne, oraz byś dała mi siłę, żebym to czyniła". Modlitwę zakończyłam słowami, których użyła Neferet na zakończenie swojego obrzędu:

— Bądź pozdrowiona!

)

ROZDZIAŁ DWUDZIESTY CZWARTY

— Naprawdę było to najbardziej zdumiewające przedstawienie kręgu, jakie kiedykolwiek widziałem — rozpływał się Damien, kiedy już zamknęliśmy krąg i zbieraliśmy świece i różdżkę.

— Myślałam, że „zdumiewające" znaczy: wydumane — wtrąciła Shaunee.

— To znaczy też: cudowne, niesamowite, niezwykłe — wymieniał Damien.

— Nie będę się z tobą sprzeczała — zadeklarowała Shaunee, co zadziwiło wszystkich oprócz Erin.

— Aha, krąg był zdumiewający — powiedziała Erin.

— Czy wiecie, że naprawdę czułam ziemię, kiedy Zoey ją przywołała? — entuzjazmowała się Stevie Rae. — Tak jakbym nagle znalazła się w środku pola pszenicy. Chociaż to było coś więcej, niż być otoczoną zbożem. Sama czułam się zbożem.

— Wiem dokładnie, co czułaś. Kiedy Zoey przywołała ogień, czułam, jakby wybuchł w moim wnętrzu — powiedziała Shaunee.

Usiłowałam określić swoje uczucia, gdy tak przysłuchiwałam się ich radosnej paplaninie. Na pewno byłam szczęśliwa, ale też jakoś przytłoczona i trochę — nawet więcej niż trochę — zmieszana. Więc to prawda, istniało we mnie jakieś pokrewieństwo ze wszystkimi pięcioma żywiołami.

Ale dlaczego?

Czy tylko po to, by utrącić Afrodytę? (Nadal nie miałam pojęcia, jak to zrobić). Nie, chyba nie o to chodzi. Przecież nie po to bogini obdarzyła mnie niezwykłą mocą, bym tylko wykopsała rozpuszczoną dręczycielkę słabszych, która nie powinna szefować klubowi.

No dobrze, Córy Ciemności to coś więcej niż tylko rada studentek czy coś w tym rodzaju, ale to nie zmienia istoty rzeczy.

— Zoey, dobrze się czujesz?

Zatroskany głos Damiena przywołał mnie do rzeczywistości. Spostrzegłam, że nadal siedzę w środku tego, co niedawno jeszcze stanowiło krąg, i drapiąc po łepku Nalę, która siedziała na moich kolanach, pogrążona byłam w głębokiej zadumie.

— Ojej, przepraszam. Dobrze się czuję, jestem tylko trochę rozkojarzona.

— Powinniśmy wracać. Robi się późno — powiedziała Stevie Rae.

— Tak, masz rację — odrzekłam i zaczęłam wstawać, nadal trzymając Nalę. Wkrótce jednak zostałam w tyle, nie mogąc za nimi nadążyć.

— Zoey?

Damien pierwszy to zauważył i zaczął mnie nawoływać, a wtedy moi przyjaciele też się zatrzymali, patrząc na mnie z troską, a nawet z pewnym zmieszaniem.

— Idźcie naprzód, ja tu jeszcze chwilę zostanę.

— Możemy zostać z tobą — zaofiarował się Damien, ale Stevie Rae zaraz mu przerwała:

— Zoey chce sobie przemyśleć pewne sprawy w samotności. A ty byś nie chciał, jakbyś się dowiedział, że jesteś jedynym adeptem w historii wampirów, który odbiera wszystkie pięć żywiołów?

— Chybabym chciał — przyznał niechętnie Damien.

— Nie zapominaj, że wkrótce zacznie świtać — przypomniała mi Erin.

Uśmiechnęłam się do nich uspokajająco.

— Nie zapomnę. Zaraz wracam do internatu.

— Zrobię ci kilka kanapek i spróbuję skombinować dla ciebie trochę chipsów do napoju, który nie będzie niskokaloryczny. Jej Wysokość Kapłanka powinna coś zjeść po odbytym obrzędzie — powiedziała Stevie Rae z uśmiechem, machając mi na pożegnanie i zabierając ze sobą pozostałą trójkę.

Zdążyłam jeszcze zawołać za nią „dziękuję", gdy znikali już w ciemności. Potem podeszłam do drzewa i usiadłam, opierając się plecami o pień. Zamknęłam oczy i zaczęłam głaskać Nalę. Jej mruczenie było takie znajome i normalne, że podziałało na mnie nadzwyczaj kojąco. Sprowadzało mnie na bezpieczny grunt.

— Jestem nadal sobą — wyznałam Nali — tak jak mówiła Babcia. — Wszystko inne może się zmieniać, ale to co było przedtem Zoey, jest ciągle tą samą Zoey.

Może jeśli będę powtarzać te słowa wiele razy, w końcu sama w to uwierzę. Oparłam głowę na jednej ręce, drugą głaskałam Nalę i mówiłam: to ja... to ja... to ja...

— Patrzcie, jak wdzięcznie skłania główkę na dłoni. Chciałbym być rękawiczką na tej dłoni, by czuć dotyk tego policzka!

Nala miauknęła przeciągle niezadowolona, gdy skoczyłam na równe nogi.

— Wygląda na to, że stale mam cię znajdować pod tym drzewem — powiedział Erik, uśmiechając się do mnie. Wyglądał jak młody bóg.

Znów poczułam słabość w brzuchu, ale zaniepokoiło mnie coś jeszcze. Właśnie, dlaczego on stale mnie z n a j d u j e? I od jak dawna mnie obserwuje?

— Erik, co ty tu robisz?

— Ja też się cieszę, że cię widzę. Tak, chętnie usiądę, dziękuję za zaproszenie — powiedział, sadowiąc się obok mnie.

Wstałam, co Nali znów się nie podobało.

— Właściwie zamierzałam już wracać do internatu.

— Poczekaj, nie chciałem ci przeszkadzać. Po prostu nie mogłem się skupić na pracy domowej, więc wyszedłem się przejść. Chyba nogi same mnie tu przyniosły, bo wcale im nie mówiłem, że tu będziesz. Naprawdę nie śledzę cię, możesz mi wierzyć.

Wetknął ręce w kieszenie i wyglądał na zmieszanego. Ale też ciągle bardzo atrakcyjnie. Przypomniałam sobie, jak bardzo chciałam odpowiedzieć mu „tak" na jego propozycję, byśmy razem obejrzeli u niego filmy. A teraz ponownie odrzucam jego propozycję, znów wprawiając go w zakłopotanie. Aż dziw, że chłopak chce ze mną jeszcze rozmawiać. Chyba rzeczywiście zanadto przejęłam się swą kapłańską perspektywą.

— W takim razie może odprowadzisz mnie do internatu? Znowu?

— Chętnie.

Teraz Nala narzekała, bo chciałam ją nieść. Wolała truchtać za nami, kiedy zaczęliśmy iść noga w nogę, tak jak przedtem. Przez chwilę nie odzywaliśmy się do siebie. Chciałam zapytać go o Afrodytę albo przynajmniej powiedzieć mu, co ona o nim mówiła, ale jakoś nie pasowało mi pytać go o coś, co nie jest moją sprawą.

— Zatem co robiłaś tutaj tym razem? — zapytał Erik.

— Rozmyślałam — odrzekłam, co teoretycznie nie było kłamstwem. Bo rzeczywiście dużo rozmyślałam nad tym, jak zorganizować i przeprowadzić krąg, ale to wolałam dyplomatycznie przemilczeć.

— Martwisz się o tego chłopaka, Heatha?

Właściwie nie myślałam o nim ani o Kayli od czasu, kiedy rozmawiałam na ten temat z Neferet, ale wydałam tylko nieartykułowane chrząknięcie, nie chcąc wchodzić w szczegóły o przedmiocie swoich rozważań.

— Domyślam się, że ciężko jest zrywać z kimś z powodu Naznaczenia — powiedział.

— Nie zerwałam z nim z powodu Naznaczenia. Przedtem już właściwie doszło do zerwania. Znak sprawił, że stało się to bardziej ostateczne. — Spojrzałam na Erika, wzięłam głęboki oddech i zapytałam: — A co z tobą i Afrodytą?

Nie zrozumiał.

— O co ci chodzi?

— O to, że ona powiedziała mi, że ty nigdy nie będziesz jej byłym, ponieważ zawsze będziesz do niej należał.

Zmrużył oczy, wyglądał na zniesmaczonego.

— Afrodyta ma poważne problemy z mówieniem prawdy — powiedział.

— Wprawdzie to nie moja sprawa, ale...

— To *jest* twoja sprawa — przerwał mi. Ale zaraz, czym mnie absolutnie zaskoczył, ścisnął moją dłoń i dodał: — W każdym razie chciałbym, żeby to była twoja sprawa.

— O... Okay. No dobrze — jąkałam się. Z pewnością Erik może czuć się zaskoczony moimi zdolnościami konwersacyjnymi.

— Więc nie chciałaś się mnie pozbyć dziś wieczorem, tylko rzeczywiście miałaś coś do przemyślenia? — zapytał, znacząco cedząc słowa.

— Wcale nie chciałam się ciebie pozbyć. Tylko... — zawahałam się, nie wiedząc, jak mam mu wyjaśnić coś, czego nie powinnam ujawniać. — Tyle się dzieje teraz w moim życiu. Cała ta Przemiana jest czasem naprawdę trudna.

— Będzie lepiej, zobaczysz — powiedział, znów ściskając mi rękę.

— Jakoś tego sobie nie wyobrażam, nie w moim przypadku — mruknęłam.

Roześmiał się i poklepał palcem mój Znak.

— Po prostu nas wyprzedzasz. Najpierw to się może wydawać trudne, ale wierz mi, z upływem czasu wszystko staje się łatwiejsze, dla ciebie też takie będzie.

Westchnęłam.

— Mam nadzieję, że masz rację. — W gruncie rzeczy jednak w to wątpiłam.

Stanęliśmy przed wejściem do internatu. Erik odwrócił się twarzą do mnie i powiedział poważnym tonem:

— Z, nie wierz tym głupstwom, które opowiada Afrodyta. Nie jesteśmy ze sobą od wielu miesięcy.

— Ale przedtem byliście.

Kiwnął głową, rysy miał ściągnięte.

— To nie jest miła osoba.

— Wiem.

Wtedy uświadomiłam sobie, co mnie rzeczywiście gnębi, i w końcu zdecydowałam się wyrzucić to z siebie.

— Nie podoba mi się, że byłeś z kimś, kto jest taki wredny. W związku z tym mam mieszane uczucia co do tego, czy powinnam z tobą zostać. — Otworzył usta, by coś odpowiedzieć, ale ja dalej mówiłam, nie chcąc słuchać wymówek, w które nie wiadomo, czy mogłam wierzyć. — Dziękuję, że mnie odprowadziłeś. Cieszę się, że mnie znów odnalazłeś.

— I ja się cieszę, że cię odnalazłem — powiedział. — Chciałbym jeszcze się z tobą spotkać, i to niekoniecznie przez przypadek.

Zawahałam się. I zastanowiłam, skąd to wahanie. Przecież chciałam się z nim spotykać. Powinnam zapomnieć o Afrodycie. Naprawdę, w końcu to bardzo ładna dziewczyna, a on jest przecież mężczyzną. Na pewno zagięła na niego parol, złapała go w swoje wiedźmie macki, zanim zdążył się zorientować, co się dzieje. Jednym słowem, ona kojarzyła mi się z pająkiem. Powinnam się cieszyć, że nie odgryzła mu głowy, tylko dała chłopakowi szansę.

— Okay, to może obejrzymy razem te twoje filmy na DVD w najbliższą sobotę? — powiedziałam szybko, żeby nie stchórzyć i nie wyperswadować sobie randki z najfajniejszym chłopakiem z całej szkoły.

— Jesteśmy umówieni — ucieszył się.

Schylił się do mnie bardzo powoli, najwyraźniej chcąc dać mi czas na wycofanie się, gdybym uznała to za słuszne, i w końcu mnie pocałował. Miał ciepłe usta i ładnie pachniał. Pocałunek był miękki i przyjemny. Naprawdę. Zapragnęłam, żeby dłużej trwał. Skończył się jednak szybko, ale Erik nie odsunął się ode mnie. Staliśmy bardzo blisko siebie, zauważyłam, że trzymam dłonie na jego piersi. On opierał ręce na moich ramionach. Uśmiechnęłam się do niego.

— Cieszę się, że znów chciałeś się ze mną umówić — powiedziałam.

— A ja się cieszę, że w końcu powiedziałaś „tak".

Wtedy znów mnie pocałował, tym razem już bez wahania. Objęłam go mocno za szyję. Jęknął, zwarliśmy się w długim, mocnym pocałunku. Poczułam pożądanie przeszywające moje ciało niczym prąd. Nikt jeszcze nie wzbudzał we mnie takich uczuć ani takich reakcji. Moja ciało pasowało do jego ciała, przylegało, jędrne i miękkie. Przytuliłam się do niego mocno, już nie pamiętałam o Afrodycie, kręgu i otaczającym nas świecie. Gdy pocałunek się skończył, obydwoje mieliśmy przyspieszone oddechy, pożeraliśmy się wzrokiem. A kiedy zeszłam z obłoków na ziemię, spostrzegłam, że jestem całkowicie nim odurzona i że stoję przed wejściem do internatu, wystawiając się na widok publiczny jak ladacznica. Wysunęłam się z jego objęć.

— Co się stało? Skąd ta nagła zmiana? — zapytał, nie puszczając mnie.

— Erik, ja nie jestem taka jak Afrodyta — powiedziałam, wyrywając się z jego uścisku. Tym razem nie próbował już mnie przytrzymać.

— Wiem, że nie jesteś. Gdybyś była, tobym ciebie tak nie lubił.

— Nie chodzi o moją osobowość. Chodzi mi o to, że takie wystawanie i podpieszczanie się w miejscu publicznym nie leży w moich obyczajach.

— Okay. — Wyciągnął ku mnie rękę, jakby mnie chciał znów przytulić, ale widocznie zmienił zamiar, bo ją opuścił zrezygnowanym gestem. — Zoey, wzbudzasz we mnie uczucia, jakich nigdy żadna dziewczyna we mnie nie wzbudzała.

Poczułam, jak gorący rumieniec oblewa mi twarz, nie wiedziałam tylko, czy z gniewu czy ze wstydu.

— Erik, nie traktuj mnie w ten sposób. Widziałam cię w holu z Afrodytą. Na pewno w przeszłości doznawałeś takich uczuć, kto wie, czy nie silniejszych nawet.

Potrząsnął głową, w jego spojrzeniu widać było, że go zraniłam.

— To, co czułem do Afrodyty, było wyłącznie fizycznym doznaniem. Ty natomiast poruszasz moje serce. Wiem, na czym polega różnica. Miałem nadzieję, że ty też wiesz.

Patrzyłam mu prosto w oczy, w te jego piękne błękitne oczy, których spojrzenie zauroczyło mnie, gdy tylko po raz pierwszy nasze spojrzenia się spotkały.

— Przepraszam — powiedziałam łagodnie. — To było nie fair z mojej strony. Widzę tę różnicę.

— Obiecaj mi, że Afrodyta nie stanie między nami.

— Obiecuję — powiedziałam. Zdjął mnie strach na to przyrzeczenie, ale dałam je szczerze.

— Dobrze.

Nala wyłoniła się z ciemności, zaczęła ocierać się o moje nogi i miauczeć.

— Chyba powinnam pójść już i położyć ją spać.

— Okay. — Uśmiechnął się i pocałował mnie szybko na pożegnanie. — Do soboty, Z.

Przez całą drogę do pokoju czułam na ustach jego pocałunki.

)

ROZDZIAŁ DWUDZIESTY PIĄTY

Następny dzień rozpoczął się, jak to później oceniłam, podejrzanie normalnie. Stevie Rae i ja zjadłyśmy śniadanie, plotkując szeptem o tym, jaki to Erik jest seksowny, i zastanawiając się, co powinnam na siebie włożyć w sobotę. Nawet nie widziałyśmy Afrodyty ani jej zabójczego tercetu: Wojowniczej, Strasznej i Osy. Socjologia wampirów była niezmiernie ciekawa — od historii Amazonek przeszliśmy do starogreckiego festiwalu wampirów zwanego correia. Nawet przestałam myśleć o Córach Ciemności i ich obrzędowej uroczystości zaplanowanej na ten wieczór i na jakiś czas przestałam się zamartwiać, co mam zrobić z Afrodytą. Lekcja z teatrologii też była ciekawa. Postanowiłam opracować jeden z monologów Kate z *Poskromienia złośnicy* (uwielbiam tę sztukę, od kiedy obejrzałam stary film z Elizabeth Taylor i Richardem Burtonem). A potem, kiedy wychodziłam z lekcji, zatrzymała mnie Neferet i zapytała, ile przeczytałam z socjologii wampirów dla starszych formatowań. Musiałam przyznać, że niewiele, co praktycznie oznaczało, że nie przeczytałam ani stroniczki. Byłam strasznie przejęta jej widocznym rozczarowaniem i pod tym wrażeniem poszłam na lekcję angielskiego. Zdążyłam usiąść koło Damiena i Stevie Rae, kiedy nagle otwarły się otchłanie piekielne i wszystko, co choćby z pozoru wydawało się normalne, skończyło się.

Pentesilea czytała fragmenty czwartego rozdziału „Ty idź, a ja jeszcze chwilę zostanę" z „A Night to Remember". To naprawdę dobra książka, więc wszyscy siedzieliśmy zasłuchani, kiedy nagle ten głupi smarkacz, Elliott, zaczął kaszleć. O rany, ten dzieciak był zupełnie beznadziejny.

Gdzieś w połowie rozdziału, kiedy Elliott wciąż obrzydliwie kaszlał, poczułam jakiś zapach, słodki, aromatyczny, jednak trudny do określenia. Bezwiednie wciągnęłam go do płuc, nadal usiłując skupić się na lekturze.

Kaszel Elliotta stał się nie do zniesienia, więc tak jak cała klasa odwróciłam się, by obrzucić go groźnym spojrzeniem. W końcu mógł przecież wziąć jakieś pastylki na kaszel, napić się syropu czy jakiegoś innego lekarstwa.

Wtedy zobaczyłam krew.

Elliott nie siedział jak zwykle rozwalony i ospały. Wyprostowany patrzył przerażony na swoją rękę, która była pokryta krwią. Zaniósł się raz jeszcze mokrym kaszlem, co mi przypomniało dzień, w którym zostałam Naznaczona, tyle że kiedy on kaszlał, jasnoczerwona krew bluzgała mu z ust.

— Co jest...? — wybełkotał.

— Sprowadźcie Neferet — poleciła Pentesilea, wyciągając równocześnie jedną z szuflad swojego biurka, skąd wyjęła złożony starannie ręczniczek i pobiegła z nim szybko do Elliotta. Chłopak, który siedział najbliżej drzwi, wypadł z klasy.

W całkowitej ciszy obserwowaliśmy, jak Pentesilea zdążyła dopaść Elliotta przed następnym atakiem kaszlu i przytknąć mu ręcznik do ust, z których buchnęła krew. Elliott złapał ręcznik i przycisnął go do twarzy, kaszląc, plując i czkając. Kiedy wreszcie podniósł głowę, krwawe łzy ciekły mu po okrągłych policzkach, a z nosa także leciała mu krew. Gdy odwrócił głowę do Pentesilei, zauważyłam, że z jego uszu również sączy się krew.

— Nie! — krzyknął z energią, o jaką bym go nie podejrzewała. — Nie! Ja nie chcę umierać!

— Ćśś — uciszyła go Pentesilea, odgarniając mu ze spoconego czoła rude włosy. — Zaraz twoje cierpienia się skończą.

— Ale... ale nie... — protestował już charakterystycznym słabszym głosem. Zaraz jednak znów zaniósł się kaszlem, potem zaczął czkać i zwymiotował krwią w całkiem już mokry ręcznik.

Neferet weszła do klasy, a za nią dwóch wampirów płci męskiej z poważnymi minami. Nieśli nosze i koc, Neferet miała ze sobą tylko fiolkę wypełnioną mlecznym płynem. Zaraz za nimi wparował do sali Smok Lankford.

— To jego mentor — niemal bezgłośnie szepnęła Stevie Rae, pamiętając, jak Pentesilea wypominała Elliottowi, że zmartwi Smoka.

Neferet podała Smokowi fiolkę, którą przyniosła ze sobą. Potem stanęła za Elliottem i położyła mu ręce na ramionach, a wtedy jego kaszel natychmiast ustąpił.

— Wypij to szybko, Elliott — powiedział Smok. Kiedy chłopak zaczął słabo protestować, Smok dodał: — To ci przyniesie ulgę.

— Zostaniesz tu ze mną? — z trudem wyszeptał Elliott.

— Oczywiście — odpowiedział Smok. — Ani na chwilę nie zostawię cię samego.

— Zadzwonisz do mojej mamy?

— Zadzwonię.

Elliott na moment przymknął oczy, po czym drżącą ręką ujął fiolkę i wypił jej zawartość.

Neferet dała znak dwóm mężczyznom, którzy podeszli do Elliotta i położyli go na noszach, jakby był lalką, a nie umierającym dzieckiem, po czym wraz ze Smokiem opuścili klasę. Neferet, zanim do nich dołączyła, zwróciła się do zszokowanych trzecioformatowców:

— Mogłabym wam powiedzieć, że Elliott wydobrzeje, ale to by było kłamstwo. — Mówiła spokojnym głosem, w którym jednak brzmiała siła i zdecydowanie. — Prawda jest taka, że jego organizm odrzucił Przemianę. Umrze za kilka minut i nie stanie się dorosłym wampirem. Mogłabym wam powiedzieć, żebyście się nie martwili, że to się wam nie przydarzy, ale to też byłoby kłamstwo. Przeciętnie jedno na dziesięcioro nie przeżywa Przemiany. Niektórzy adepci umierają wcześnie, w ciągu trzeciego formatowania, jak Elliott. Inni, silniejsi, dochodzą do szóstego formatowania i wtedy słabną i umierają nagle. Mówię wam o tym nie po to, byście żyli w strachu. Mówię to z dwóch innych powodów. Po pierwsze, abyście wiedzieli, że starsza kapłanka was nie okłamuje, ale jeśli zajdzie potrzeba, pomoże wam łagodnie przenieść się do innego świata, kiedy nadejdzie taka pora. Po drugie, abyście żyli tak, jak chcecie być zapamiętani, bo śmierć może was spotkać jutro. I jeśli umrzecie, wasz duch zazna spokoju, wiedząc, że zostawiacie za sobą wdzięczną pamięć. Jeśli natomiast nie umrzecie, będziecie mieli mocne podstawy do dalszego bogatego życia we wspólnocie. — Spojrzała mi prosto w oczy i dodała na koniec: — Poproszę Nyks, by zesłała wam dziś pocieszenie. Pamiętajcie też, że śmierć jest naturalną konsekwencją życia, nawet życia wampirów. Pewnego dnia wszyscy wrócimy do żywota bogini. — Drzwi zatrzasnęły się za nią z hukiem, który zabrzmiał jak końcowy wyrok.

Pentesilea działała szybko i skutecznie. Starła plamy krwi z blatu biurka Elliotta. Kiedy usunęła wszystkie ślady umierającego dziecka, zwróciła się do klasy, by chwilą ciszy uczcić jego pamięć. Potem wzięła do ręki książkę i podjęła czytanie w miejscu, w którym przerwała lekturę. Próbowałam słuchać. Usiłowałam wymazać z pamięci widok Elliotta, któremu krew buchała z nosa, oczu, ust i uszu. Starałam się też nie myśleć o tym, że ów smakowity zapach, który mnie zaintrygował, był zapachem krwi uchodzącej z ciała umierającego dziecka.

Wiem, że po śmierci adepta wszystko powinno toczyć się jak dawniej, ale widocznie nieczęsto się zdarza, by jedno umierało zaraz po drugim, toteż cała klasa do końca dnia zachowywała nienaturalny spokój. Lunch przebiegł w przygnębiającej ciszy, większość stołowników rozgrzebywała potrawy i zostawiała je niezjedzone. Bliźniaczki nie sprzeczały się z Damienem, co byłoby miłą odmianą, gdybym nie wiedziała, jaka jest tego przyczyna. A kiedy Stevie Rae wymówiła się czymś błahym, by nie kończyć lunchu, za to wrócić wcześniej do pokoju i nie iść na piątą lekcję, skorzystałam z okazji, by pójść razem z nią.

Była znów ciemna i pochmurna noc, wątłe światło latarni gazowych tym razem nie wydawało się ciepłe i radosne, tylko zimne i przyćmione.

— Nikt nie lubił Elliotta, ale z niezrozumiałego powodu jego śmierć wydaje się jeszcze straszniejsza — powiedziała Stevie Rae. — Jakoś łatwiej mi było pogodzić się ze śmiercią Elizabeth. Przynajmniej szczerze jej żałowałyśmy.

— Rozumiem cię. Ja też jestem przygnębiona, ale bardziej z tego powodu, że to, czego byłam świadkiem, może i nam się przydarzyć, niż z powodu śmierci tego chłopaka.

— Przynajmniej nie trwało to długo.

Przeszły mnie dreszcze.

— Zastanawiam się, czy to boli.

— Coś ci dają, jakieś białe lekarstwo, to, które Elliott wypił. Przestaje się cierpieć, ale jest się przytomnym do samego końca. Poza tym Neferet zawsze pomaga umierającym.

— To straszne, nie uważasz?

— Aha.

Szłyśmy jakiś czas w milczeniu. Po chwili księżyc wyjrzał zza chmur, srebrząc liście drzew i przydając im lekko niesamowitego wyglądu. Przypomniała mi się Afrodyta i jej obrzędowa uroczystość.

— Czy istnieje jakaś szansa, by Afrodyta odwołała obchody?

— Wykluczone. Uroczystości obchodzone przez Córy Ciemności zawsze się odbywają.

— Do diabła — zmartwiłam się. Spojrzałam na Stevie Rae. — On był ich lodówką.

Popatrzyła na mnie zdumiona.

— Elliott?

— To było naprawdę okropne. Zachowywał się dziwnie, jakby był pod wpływem narkotyków. Chyba wtedy jego organizm już zaczął odrzucać Przemianę. — Zapadło krępujące milczenie. Po chwili dodałam: — Nie chciałam ci nic mówić na ten temat, zwłaszcza po tym, jak ty mi powiedziałaś, no wiesz... Jesteś pewna, że Afrodyta nie odwoła obchodów? Po śmierci Elizabeth, a teraz Elliotta...

— To nie ma znaczenia. A poza tym Córy Ciemności nie przejmują się tymi, których wykorzystują w charakterze lodówki. Po prostu biorą sobie kogoś innego. Słyszałam, co Afrodyta wczoraj mówiła. Już ona się postara, żeby nikt cię nie zaakceptował. Okaże się na pewno strasznie wredna.

— Dam sobie radę, Stevie Rae.

— Nie, ja mam złe przeczucia. Jeszcze nie obmyśliłaś żadnego planu, prawda?

— Nie, pozostaję na etapie rozpoznawania terenu — usiłowałam nadać lżejszy ton naszej rozmowie.

— W takim razie odłóż ten rekonesans na później. Dzisiejszy dzień jest straszny. Wszyscy są przygnębieni. Uważam, że powinnaś zaczekać.

— Nie mogę tak po prostu nie przyjść, zwłaszcza po tym, co Afrodyta powiedziała mi wczoraj. Pomyśli sobie, że mi nagadała, a ja się przestraszyłam.

Stevie Rae ciężko westchnęła.

— W takim razie uważam, że powinnaś wziąć mnie ze sobą. — Potrząsnęłam głową, ale ona mówiła dalej: — Teraz jesteś Córą Ciemności. Oficjalnie możesz zapraszać na obchody, kogo chcesz. Więc zaproś mnie. A ja pójdę i będę cię ubezpieczać.

Pomyślałam o próbowaniu krwi i o tym, jak bardzo mi to posmakowało, co było oczywiste nawet dla Wojowniczej i Strasznej. Próbowałam, na ogół bezskutecznie, odsunąć od siebie myśli o zapachu krwi — Heatha, Erika, a nawet Elliotta. Stevie Rae kiedyś odkryje moją skłonność do krwi, ale nie dzisiaj. Właściwie jeśli się postaram, nie nastąpi to szybko. Nie chciałabym ryzykować utraty jej przyjaźni czy Bliźniaczek albo Damiena, a obawiam się, że mogłoby się tak stać. Owszem, wiedzieli, że jestem wyjątkowa, i zaakceptowali to, ponieważ moja wyjątkowość była dla nich równoznaczna z tym, że zostanę starszą kapłanką. Moja żądza krwi nie była takim pozytywem. Czy łatwo ją uznają?

— Nie ma mowy, Stevie Rae.

— Ależ, Zoey, nie powinnaś sama iść w paszczę lwa.

— Nie będę sama, Erik też tam będzie.

— Tak, ale był przecież chłopakiem Afrodyty. Nie wiadomo, czy potrafi jej się przeciwstawić, skoro ona pała do ciebie taką nienawiścią.

— Kochanie, potrafię sama się obronić.

— Wiem, ale... — urwała i dziwnie na mnie spojrzała. — Zoey, czy ty wibrujesz?

— Czy co robię?! — I wtedy usłyszałam i poczułam, że to mój telefon komórkowy. Zaczęłam się śmiać. — To moja komórka. Po naładowaniu wetknęłam ją do torebki. — Wyjęłam aparat i sprawdziłam, która godzina. Było po północy, kto to mógł być? Otworzyłam klapkę i zauważyłam, że mam piętnaście SMS-ów i pięć nieodebranych połączeń. — O Boże, ktoś się do mnie dobijał, a ja nawet tego nie zauważyłam.

Najpierw sprawdziłam wiadomości tekstowe. Poczułam ucisk w gardle, czytając pierwszą wiadomość:

Zo, zadzwoń do mnie.
Ciągle Cię kocham,
zadzwoń, proszę.
Muszę się z Tobą spotkać
Ja i Ty.
Zadzwonisz?
Chcę z Tobą porozmawiać
Zo!
Oddzwoń!

Nie musiałam czytać następnych. Wszystkie były podobne.
— Cholera! To od Heatha.
— Twojego byłego?
— Tak — odpowiedziałam z ciężkim westchnieniem.
— Czego on chce?
— Chyba mnie.
Zmieniłam polecenie na odsłuchanie wiadomości głosowych i doznałam szoku, słysząc podniecony głos Heatha.
Zo! Zadzwoń do mnie! Ja wiem, że jest późno, ale... zaraz, dla ciebie nie jest późno, tylko dla mnie. Ale to nie ma znaczenia, jest mi wszystko jedno. Chcę tylko, żebyś do mnie zadzwoniła. No to na razie. Cześć. Zadzwoń.
Jęknęłam i usunęłam wiadomość. Następna była jeszcze bardziej maniakalna.
Zoey, musisz do mnie zadzwonić. Poważnie. I się nie wściekaj. Wiesz, Kayla nawet mi się nie podoba. To pokraka. Ciebie kocham. Zo, tylko ciebie. Więc zadzwoń do mnie. Wszystko jedno kiedy. Obudzę się.
— O rany — jęknęła Stevie Rae, bez trudu słysząc nagranie Heatha. — Chłopak jest opętany. Nie dziwię się, że go rzuciłaś.

— Aha. — Szybko wykasowałam i tę wiadomość. Trzecia była podobna do poprzednich, tylko bardziej desperacka. Wyciszyłam głos i zdenerwowana przestępowałam z nogi na nogę, sprawdzając wszystkie wiadomości, kto je nadał, ale nie odsłuchując ich do końca, tak że mogłam je wykasować i przejść do następnych.

— Muszę zobaczyć się z Neferet — mruknęłam bardziej do siebie niż do Stevie Rae.

— Jak to? Chcesz zablokować jego numer, żeby nie dzwonił więcej, czy co?

— Nie. Tak. Coś w tym rodzaju. Po prostu chcę z nią porozmawiać, wiedzieć, co powinnam zrobić. — Udałam, że nie widzę zaciekawionego spojrzenia Stevie Rae. — Wiesz, on już raz tu się pokazał. Nie chcę, żeby więcej tu przychodził, bo może mi narobić kłopotów.

— A, rzeczywiście. Źle by się stało, gdyby tak wpadł na Erika.

— To by było okropne. Och, powinnam się pospieszyć, by złapać Neferet przed piątą lekcją.

Nie czekałam, aż Stevie Rae pożegna się ze mną, tylko pognałam w stronę gabinetu Neferet. Czy może mnie spotkać dzisiaj jeszcze coś gorszego? Elliott umarł, a mnie nęci jego krew. Muszę iść na obchody Samhain urządzane przez Córy Ciemności, które mnie nienawidzą i chcą mieć pewność, że ja dobrze o tym wiem, a na domiar złego przypuszczalnie nacechowałam swoją byłą niedoszłą sympatię.

O, ten dzień jest naprawdę do dupy.

)

ROZDZIAŁ DWUDZIESTY SZÓSTY

Gdyby Skylar nie fukał i nie syczał gniewnie, pewnie bym nie zauważyła Afrodyty skulonej bezwładnie w niewielkiej niszy niedaleko miejsca, gdzie mieszkała Neferet.

— O co chodzi, Skylar? — Ostrożnie wyciągnęłam do niego rękę, pamiętając, jak Neferet mnie ostrzegała, że jej kot gryzie. Dobrze, że Nala nie przywlokła się za mną, biedaczka mogłaby już zostać pożarta przez Skylara. Na moje: „kici, kici" kocur zawahał się, jakby rozważając, czy ma mnie dziabnąć czy nie. Widocznie powziął decyzję, bo przestał jeżyć futro i podbiegł do mnie. Otarł się o moje nogi, po czym rzucił raz jeszcze ostrzegawcze syknięcie w stronę niszy i oddalił się w kierunku pokoju swojej pani.

— O co mu chodziło? — Ociągając się, zerknęłam w stronę niszy ciekawa, co mogło do tego stopnia zaniepokoić tak drapieżnego kota, że syczał i prychał. Doznałam szoku, widząc Afrodytę siedzącą bezwładnie, jakby się osunęła na podłogę, w cieniu rzucanym przez postument ładnego posągu Nyks. Głowę miała odrzuconą do tyłu, oczy zapadnięte, tak że widać było tylko białka. Przeraziłam się nie na żarty. Stanęłam jak wryta, spodziewając się, że lada chwila zobaczę krew spływającą jej po twarzy. Naraz jęknęła, po czym zaczęła mruczeć coś niewyraźnie i ruszać gałkami oczu pod półprzymkniętymi powiekami, jakby śledziła jakiś obraz.

Zrozumiałam, co się dzieje — Afrodyta właśnie miała wizję. Przypuszczalnie spodziewała się tego i nie chcąc, by ją ktokolwiek znalazł, ukryła się w tej niszy. Wtedy wizję tragicznych zdarzeń, którym mogłaby zapobiec, udałoby się jej zatrzymać dla siebie. Podła wiedźma.

Tym razem jednak nie zamierzałam dopuścić, by uszło jej to na sucho. Schyliłam się i ujęłam ją pod pachy, próbując przywrócić jej postawę pionową i równowagę. (Możecie mi wierzyć, jest znacznie cięższa, niż wydaje się na pierwszy rzut oka).

— No dalej — zachęcałam ją do współpracy, podczas gdy ona wodziła po mnie niewidzącym wzrokiem. — Zróbmy krótki spacerek i dowiedzmy się, jaką to tragedię chciałaś zachować dla siebie.

Na szczęście pokój Neferet znajdował się dość blisko. Chwiejnie weszłyśmy do środka. Neferet na nasz widok wyskoczyła zza biurka i podbiegła do nas.

— Zoey! Afrodyto! Co się dzieje? — Ale gdy tylko spojrzała na Afrodytę, wyraz paniki ustąpił z jej twarzy, bo zrozumiała, co się wydarzyło. — Pomóż mi przenieść ją tutaj, na moje krzesło — zwróciła się do mnie. — Tu jej będzie wygodniej.

Podprowadziłyśmy razem Afrodytę do krzesła obitego skórą. Neferet uklękła przy niej i wzięła ją za rękę.

— Afrodyto, w imieniu bogini błagam cię, byś wyznała swojej kapłance, co widzisz. — Neferet przemawiała łagodnie, lecz stanowczo, w jej głosie słyszało się moc i władzę.

Powieki Afrodyty zadrżały, z jej piersi wyrwało się ciężkie westchnienie. W końcu otworzyła oczy, ale spojrzenie miała szkliste i nieprzytomne.

— Ile krwi! Strasznie dużo krwi uchodzi z jego ciała!

— Z czyjego ciała? Skup się, Afrodyto! Postaraj się, by twoja wizja była wyraźna — rozkazała Neferet.

Afrodyta znów ciężko westchnęła.

— Są martwi. Nie, nie. To niemożliwe. Nie w porządku. Nienaturalne! Nie rozumiem. Nie... — Znów zamrugała, tym razem patrzyła przytomniej. Rozejrzała się po pokoju jak po nieznanym wnętrzu. Jej wzrok napotkał mnie. — Ty... — powiedziała słabym głosem. — Ty wiesz.

— Tak — przyznałam, mając na myśli, że wiem, iż usiłowała ukryć swoją wizję. — Znalazłam cię w holu... — urwałam, widząc, jak Neferet unosi rękę do góry na znak, żebym umilkła.

— Zaczekaj, ona jeszcze nie skończyła. Jej wizja jest nadal niezrozumiała — powiedziała szybko i natychmiast zwróciła się do Afrodyty tonem polecenia, ale głosem zniżonym prawie do szeptu: — Wracaj, Afrodyto. Przyjrzyj się dokładnie temu, co przed chwilą widziałaś i co powinnaś zmienić.

Aha! Tu cię mamy! Nie mogłam się oprzeć uczuciu satysfakcji. W końcu nie dalej jak wczoraj usiłowała mi oczy wydrapać!

— Martwy... — Afrodyta bełkotała coraz bardziej niewyraźnie. — Tunele... zabici... ktoś tam jest... Ja nie... Nie mogę...

Wyglądała na szaloną, nawet zrobiło mi się jej żal. To co zobaczyła, musiało ją przerazić. Gdy jej błądzące oczy napotkały Neferet, pojawił się w nich błysk zrozumienia. Wydawało się, że dochodzi do siebie, co mnie uspokoiło. Zaraz wróci jej przytomność, pomyślałam. Ale w tej samej chwili jej oczy skierowane na Neferet stały się okrągłe ze strachu, na twarzy pojawił się wyraz totalnego przerażenia i straszny krzyk wydarł się z piersi.

Neferet złapała ją mocno za drżące ramiona.

— Zbudź się! — zawołała. Po czym zaraz zwróciła się do mnie: — Wyjdź stąd, Zoey. Jej wizja jest niespójna. Śmierć Elliotta tak na nią wpłynęła. Muszę się upewnić, że odzyska całkowitą przytomność.

Nie trzeba mi było tego dwa razy powtarzać. Zapomniałam natychmiast o obsesji Heatha i popędziłam na lekcję hiszpańskiego.

Nie mogłam się skupić na nauce. Nieustannie rozpamiętywałam całą tę dziwną scenę z Afrodytą. Z pewnością widziała umierających ludzi, ale sądząc po reakcji Neferet, wizja ta nie przebiegała normalnie (jeśli w ogóle można mówić o normalności wizji). Stevie Rae mówiła, że Afrodyta miała wizje zawsze dokładne i wyraźne, tak że można było wysłać ratowników na konkretne lotnisko i do konkretnego samolotu, któremu groziła katastrofa. Tego dnia jednak wizja była niespójna i pomieszana. Jedyne, co było pewne, to że zobaczyła mnie, mówiła dziwne rzeczy i wrzasnęła na widok Neferet. Ciekawe, jak się zachowa podczas obrzędu. Niemal chciałam, żeby to już nastąpiło. Niemal.

Odłożyłam na miejsce zgrzebła Persefony, wzięłam pod pachę Nalę, która rozsiadła się nad żłobem, skąd karciła mnie swoim zrzędliwym miauczeniem, i ruszyłam powoli w stronę internatu. Tym razem Afrodyta nie wyskoczyła na mnie, ale gdy skręciłam za róg, zobaczyłam pod starym dębem Stevie Rae, Damiena i Bliźniaczki zbitych w ciasną gromadkę i naradzających się nad czymś szeptem. Na mój widok umilkli. Patrzyli na mnie zmieszani. Nietrudno było zgadnąć, o kim rozmawiali.

— Co tam? — zapytałam.

— Właśnie czekamy na ciebie — odpowiedziała Stevie Rae. Jej zwykła zadziorność gdzieś się ulotniła.

— Co się z tobą dzieje? — zapytałam.

— Ona się martwi o ciebie — wyręczyła ją Shaunee.

— Wszyscy się o ciebie martwimy — dodała Erin.

— Co się dzieje z twoim byłym chłopakiem? — zapytał Damien.

— Wkurza mnie. Gdyby mnie nie wkurzał, toby nie był moim eks. — Starałam się być nonszalancka, ale też nie patrzyć żadnemu z nich prosto w oczy. (Nigdy nie byłam dobra w mówieniu kłamstw).

— Uważamy, że powinnam pójść z tobą na dzisiejszą uroczystość — powiedziała Stevie Rae.

— Właściwie uważamy, że wszyscy powinniśmy pójść z tobą — poprawił ją Damien.

Nachmurzyłam się. W żadnym razie nie chciałam, żeby cała czwórka była świadkiem, jak piję wino zmieszane z krwią jakiegoś frajera, którego uda im się zwabić na wieczór.

— Nie.

— Zoey, mamy za sobą naprawdę ciężki dzień. Wszyscy jesteśmy przygnębieni. Ponadto Afrodyta chce cię dzisiaj załatwić. To zrozumiałe, że powinniśmy się dziś trzymać razem — dowodził logiczny jak zawsze Damien.

Owszem, brzmiało to rozsądnie, ale oni wszystkiego nie wiedzieli. I nie chciałam, żeby się wszystkiego dowiedzieli. Bo zanadto mi na nich zależało. Zaakceptowali mnie, uznali za swoją. Sprawili, że poczułam się tu bezpiecznie i na właściwym miejscu. I wolałam teraz tego nie tracić, zwłaszcza że wszystko jeszcze było dla mnie nowe i chwilami przerażające. Zrobiłam więc to, czego nauczyłam się w domu — kiedy byłam przestraszona, przybita i nie wiedziałam, co robić, stawałam się bezczelna i przechodziłam do ataku.

— Powiadacie, że mam w sobie moc, która sprawi, że zostanę kiedyś starszą kapłanką? — Wszyscy przytaknęli skwapliwie, uśmiechając się do mnie miło, aż mi się serce ścisnęło. Zacisnęłam jednak zęby i powiedziałam lodowatym tonem: — W takim razie musicie mnie słuchać, kiedy mówię: „nie". Nie chcę, żebyście byli ze mną dzisiaj. Sama muszę pozałatwiać swoje sprawy. I nie zamierzam dyskutować dłużej na ten temat.

Po tych słowach odeszłam z wysoko podniesioną głową.

*

Oczywiście już pół godziny później żałowałam, że byłam taka bezwzględna. Maszerowałam w tę i z powrotem pod dużym dębem, który stał się już moim sanktuarium, marząc, że pojawi się tam Stevie Rae i będę mogła ją przeprosić. Moi przyjaciele nie mieli pojęcia, dlaczego nie życzę sobie ich obecności. Po prostu chcieli mnie chronić. Ale może okazaliby zrozumienie w kwestii krwi. Erik okazał się wyrozumiały. Co prawda on przechodził już piąte formatowanie, ale jednak... Wszyscy powinniśmy rozwinąć w sobie upodobanie do krwi, w przeciwnym razie — umrzemy. Trochę pocieszona poskrobałam Nalę po łebku.

— Skoro alternatywą jest śmierć, to picie krwi nie wydaje się aż takie złe. Prawda?

Nala zamruczała, co uznałam za odpowiedź twierdzącą. Spojrzałam na zegarek. O holender, zrobiło się późno. Powinnam wracać do internatu, przebrać się i iść na spotkanie Cór Ciemności. Zrezygnowana ruszyłam w drogę powrotną. Znowu noc była pochmurna, ale mrok mi nie przeszkadzał. W gruncie rzeczy zdążyłam już polubić noc. Powinnam, skoro przez dłuższy czas przyjdzie mi żyć w ciemności. Jeżeli przeżyję. Nala, jakby czytając w moich myślach, miauknęła z naganą.

— Wiem, wiem — uspokoiłam ją. — Należy mieć bardziej optymistyczne nastawienie. Popracuję nad tym zaraz po...

Tym razem niski pomruk Nali zaskoczył mnie i zadziwił. Kotka stanęła, grzbiet wygięła w łuk, najeżyła sierść, wyglądając teraz niczym futrzana kulka, ale wyraz jej oczu bynajmniej nie zachęcał do zabawy, podobnie jak groźny syk.

— Co jest, Nala?

Jeszcze zanim odwróciłam się, by spojrzeć w kierunku, w którym kotka była zwrócona, zimny dreszcz przebiegł mi po plecach. Później zastanawiałam się, dlaczego nie krzyknęłam. Pamiętam, jak otworzyłam usta, wzięłam głęboki oddech, ale nie wydałam z siebie głosu. Czułam się jak sparaliżowana. Po prostu skamieniałam.

Nie dalej jak w odległości dziesięciu stóp ode mnie, tam gdzie mur rzucał głębszy cień, stał Elliott. Musiał podążać w tym samym kierunku, w którym szłyśmy z Nalą. A kiedy ją usłyszał, odwrócił się bokiem w naszą stronę. Nala znów na niego zasyczała i wtedy on zwrócił się twarzą do nas.

Zaparło mi dech. To był duch, musiał być duchem, wyglądał jednak tak materialnie, jak żywy. Gdybym nie widziała, jak jego ciało odrzuca Przemianę, pomyślałabym tylko, że wygląda wyjątkowo mizernie i dziwnie... Był nieludzko blady, ale coś jeszcze mnie uderzyło. Oczy też miał teraz inne. Rozjarzone dziwnym blaskiem, pałały rdzawą czerwienią przypominającą zaschniętą krew.

Dokładnie tak samo wyglądał duch Elizabeth.

Jeszcze coś mnie w nim uderzyło. Wydawał się teraz szczuplejszy. Jak to możliwe? Wtedy poczułam jakiś nowy zapach. Zapach starzyzny, jaki unosi się na przykład z dawno nie otwieranej szafy czy z zamkniętej od lat piwnicy. Taki sam stęchły zapach poczułam na chwilę przedtem, zanim ukazała mi się Elizabeth.

Nala wydała z siebie niski ostrzegawczy pomruk, na co Elliott przykucnął i zasyczał. Zaraz potem obnażył zęby i wtedy zobaczyłam, że ma kły! Postąpił krok w stronę Nali, jakby chciał ją zaatakować. Niewiele myśląc, zareagowałam natychmiast.

— Zostaw ją i wynoś się stąd do diabła! — krzyknęłam jak na wściekłego psa, bo okropnie mnie wystraszył.

Teraz odwrócił głowę w moim kierunku i czerwony żar jego oczu skierowany był wprost na mnie. Niedobrze! Tkwiący we mnie wewnętrzny głos, który był głosem mojej intuicji, podniósł krzyk. Co za ohyda!

— Ty!... — Jego głos brzmiał okropnie, gardłowy i ochrypły, jakby wydobywał się z jego trzewi. — Już ja cię dopadnę! — Ruszył w moją stronę.

Przejął mnie obezwładniający strach.

Patrzyłam tylko, jak Nala z wizgotem i wrzaskiem rzuciła się na ducha Elliotta, myślałam, że jej pazurki przetną powietrze, tymczasem ona wczepiła się w jego udo, drapiąc i wyjąc, jakby była co najmniej trzy razy większym zwierzęciem. Elliott krzyknął, złapał Nalę za kark i odrzucił ją daleko, na bezpieczną odległość od siebie. Następnie z niezwykłą zwinnością w mgnieniu oka jednym susem wskoczył na mur i zniknął w ciemnościach nocy.

Trzęsłam się tak bardzo, że potykałam się po drodze.

— Nala — szlochałam. — Gdzie jesteś, maleństwo?

Prychając i fukając, przybiegła do mnie, nadal spoglądając czujnie w stronę muru. Przykucnęłam koło niej i sprawdziłam, czy jest cała i zdrowa. Wyglądało na to, że nic sobie nie złamała, więc podniosłam ją z ziemi i puściłam się pędem, byle jak najdalej od muru.

— No już dobrze, w porządku, nic się nie stało, dzielna z ciebie dziewczynka — uspokajałam ją i przemawiałam do niej czule. Nala wystawiła łepek znad mojego ramienia, by na wszelki wypadek dalej obserwować teren.

Kiedy dotarłam do pierwszej lampy gazowej, niedaleko sali rekreacyjnej, zatrzymałam się, by przy świetle uważniej obejrzeć, czy nie odniosła jakichś obrażeń. Zrobiło mi się niedobrze, kiedy spostrzegłam krew na jej łapkach, i domyśliłam się, że to nie jej. W dodatku nie czułam smakowitego aromatu, tylko zatęchły, piwniczny zapach. Ostatkiem siły woli opanowałam mdłości i nie zwymiotowałam. Wytarłam jej łapy w trawę, znów ją wzięłam na ręce i szybkim krokiem skierowałam się do internatu. Przez cały czas Nala spoglądała w stronę muru i ostrzegawczo mruczała.

W internacie nie zastałam ani Stevie Rae, ani Bliźniaczek, ani Damiena. Ich nieobecność była rażąca. Nie było ich w pokoju telewizyjnym ani w pracowni komputerowej czy bibliotece, nie było ich również w kuchni. Wbiegłam na górę w nadziei, że przynajmniej Stevie Rae znajdę w naszym pokoju. Ale i tam doznałam zawodu.

Usiadłam na łóżku, głaszcząc nadal podenerwowaną Nalę. Czy powinnam udać się na poszukiwanie przyjaciół? A może lepiej zostać w pokoju? W końcu Stevie Rae musi tu wrócić. Rzuciłam okiem na jej ruchomy zegar z Elvisem. Zostało mi około dziesięciu minut na przebranie się i pójście do sali rekreacyjnej. Tylko jak ja będę mogła pójść tam po tym wszystkim?

Co się właściwie stało?

Duch usiłował mnie zaatakować... Nie, nie tak. Bo przecież duch nie może krwawić. Tylko czy to była krew? Nie miała zapachu krwi. Pojęcia nie miałam, co się dzieje.

Powinnam natychmiast iść do Neferet i opowiedzieć jej, co zaszło. Powinnam zaraz wstać i pójść wraz z ciężko wystraszonym kotem do Neferet i opowiedzieć jej też o wczorajszym widzeniu Elizabeth oraz dzisiejszym spotkaniu Elliotta. Powinnam... powinnam...

Nie. Tym razem to nie był krzyk mojego głosu wewnętrznego, ale absolutne przekonanie, całkowita pewność — nie mogłam powiedzieć o tym Neferet. Przynajmniej nie teraz.

— Muszę iść na obchody obrzędowe — powiedziałam głośno do siebie, powtarzając słowa, które brzmiały mi w głowie. — Muszę być na tej uroczystości.

Kiedy włożyłam czarną sukienkę i grzebałam w szafie w poszukiwaniu swoich czarnych balerin, poczułam, że spływa na mnie spokój. Tutaj nic się nie działo według zasad panujących w świecie, który zostawiłam i w którym żyłam dotychczas, zaczynałam to nie tylko rozumieć, ale i godzić się z tym.

Miałam dar odczuwania pięciu żywiołów, co znaczyło, że zostałam obdarzona przez boginię potężną siłą. Tyle że jak mówiła Babcia, z wielką siłą łączy się wielka odpowiedzialność. Może dar widzenia pewnych rzeczy — na przykład duchów, które nie zachowują się ani nie wyglądają jak klasyczne duchy — został mi dany z pewnych ściśle określonych powodów. Z jakich, tego jeszcze nie wiedziałam. Właściwie niewiele wiedziałam z wyjątkiem tych dwóch rzeczy, które nadzwyczaj jasno rysowały mi się w myśli: nie mogę zwierzyć się Neferet i muszę pójść na uroczystości obrzędowe.

Spiesząc się na obchody, starałam się przynajmniej wykrzesać z siebie trochę optymizmu. Może Afrodyta nie przyjdzie dziś wieczorem albo jeśli przyjdzie, nie będzie chciała mnie dręczyć.

Okazało się, że z moim szczęściem nie powinnam liczyć ani na jedno, ani na drugie.

)

ROZDZIAŁ DWUDZIESTY SIÓDMY

— Jaką masz ładną sukienkę, Zoey. Taka sama jak moja. Och, co ja mówię, przecież to była moja sukienka! — Afrodyta zaśmiała się gardłowym nieprzyjemnym śmiechem, typowym dla dorosłych, którzy chcą okazać swą wyższość na dzieckiem. Nie znoszę, kiedy to robią dziewczyny wobec koleżanek. W końcu mnie też już urosły cycki.

Uśmiechnęłam się, naumyślnie przybierając pozę pierwszej naiwnej i siląc się na kłamstwo, co mi nawet nieźle wyszło, zważywszy, że nie jestem urodzoną kłamczuchą, że dopiero co zaatakował mnie duch oraz że wszyscy się na mnie gapili i słuchali, co powiem.

— Cześć, Afrodyto! O rany, właśnie znalazłam w jednym rozdziale socjologii 415, którą Neferet dała mi do przeczytania, jaką to ważną rolę ma do spełnienia przełożona Cór Ciemności we wprowadzaniu nowej członkini, by czuła się mile widziana i gorąco przyjęta. Musisz być dumna, że tak świetnie się z tego wywiązujesz. — Podeszłam do niej trochę bliżej, zniżyłam głos do szeptu, by tylko ona słyszała moje słowa, i dodałam: — Muszę przyznać, że wyglądasz lepiej, niż kiedy cię widziałam po raz ostatni. — Zbladła, cień trwogi pojawił się w jej oczach. Nie poczułam jednak, o dziwo, najmniejszej satysfakcji, że nad nią góruję albo że jej przyłożyłam. Przeciwnie, uznałam, że to z mojej strony złośliwość i dowód małostkowości. Byłam tym zmęczona. Westchnęłam ciężko. — Przepraszam — powiedziałam z westchnieniem. — Nie powinnam była tego mówić.

Rysy jej stężały.

— Odpierdol się, wariatko — syknęła. I zaraz się roześmiała, jakby powiedziała świetny żart (moim kosztem), po czym odwróciła się do mnie plecami i odeszła z wyniosłą miną, odrzucając do tyłu włosy.

Jak tak, to już nie było mi przykro. Obrzydliwe krówsko. Podniosła w górę rękę, czym (chwała Bogu) skierowała na siebie uwagę tych wszystkich, którzy do tej chwili gapili się na mnie. Dziś miała na sobie czerwoną jedwabną sukienkę, która tak ją oblepiała, że wyglądała jak namalowana na jej ciele. Ciekawa jestem, gdzie ona kupuje te ubrania. W sklepach z odzieżą dla gotów?

— Wczoraj zmarła jedna adeptka, dzisiaj umarł kolejny młodziak.

Mówiła głosem mocnym i czystym, nawet dało się słyszeć w nim nutki współczucia, co mnie zdziwiło. Przez chwilę przypominała Neferet, zastanawiałam się, czy uderzy też w tony przywódcze.

— Wszyscy ich znaliśmy. Elizabeth była miłą i spokojną dziewczyną. Elliott służył nam za lodówkę podczas kilku ostatnich rytuałów. — Nieoczekiwanie uśmiechnęła się. I to było podłe z jej strony. W tym momencie skończyło się jej podobieństwo do Neferet. — Obydwoje byli słabi, a wampiry nie potrzebują słabeuszy w swoim gronie. — Wzruszyła ramionami okrytymi szkarłatem. — Gdybyśmy należeli do gatunku ludzkiego, moglibyśmy powiedzieć: przetrwają najsilniejsi. Ale dzięki bogini nie jesteśmy ludźmi, więc nazwijmy to zjawisko po prostu Losem i cieszmy się, że to nie my dostaliśmy tego kopniaka.

Ze zgorszeniem usłyszałam szmer aprobaty dla jej słów. Nie znałam właściwie Elizabeth, ale dla mnie była miła.

Okay, przyznaję, że nie lubiłam Elliotta, nikt go nie lubił. Chłopak był nieznośny i zupełnie nieatrakcyjny (tak samo jego duch czy jakkolwiek nazwać tę zjawę, która miała jego rysy), ale też nie cieszyłam się z jego śmierci. *Jeśli kiedykolwiek zostanę przywódczynią Cór Ciemności, nigdy nie będę stroiła żartów ze śmierci żadnego adepta, nawet gdy wyda się zupełnie nieznaczący.* Takie złożyłam postanowienie, a zarazem potraktowałam je jako modlitwę i miałam nadzieję, że Nyks mnie słyszy i zgadza się ze mną.

— Dość jednak żalów i łez — mówiła dalej Afrodyta. — Mamy przecież Samhain. To dzień, w którym obchodzimy koniec okresu zbiorów, a co ważniejsze, to także dzień, w którym wspominamy naszych przodków, wszystkich znamienitych wampirów, którzy żyli przed nami. — Ton jej głosu był nieprzyjemny, jakby zanadto przejęła się rolą. Z niesmakiem wzniosłam oczy do nieba. — To noc, podczas której zasłona oddzielająca życie od śmierci jest najcieńsza, a duchy mogą chodzić po ziemi. — Przerwała, by powieść spojrzeniem po zebranych, pilnując się, by mnie omijać wzrokiem (podobnie jak wszyscy pozostali). W pewnej chwili zastanowiłam się nad tym, co mówiła. Może właśnie dlatego Elliott mi się ukazał, że zasłona oddzielająca życie i śmierć była najcieńsza, oraz dlatego, że umarł właśnie w Samhain? Nie miałam jednak czasu dłużej się nad tym zastanawiać, ponieważ Afrodyta zawołała głośno: — Więc co teraz będziemy robić?

— Wyjdziemy na dwór! — odpowiedział jej chór Cór i Synów Ciemności.

Afrodyta zareagowała na to śmiechem, stanowczo zbyt uwodzicielskim, ponadto byłabym przysięgła, że dotknęła się w t o miejsce. Ależ była obrzydliwa!

— Właśnie. W tym celu wybrałam nawet świetne miejsce, gdzie już czeka na nas pod okiem dziewcząt nowa lodóweczka.

Czyżby mówiąc „dziewczęta", miała na myśli Straszną, Wojowniczą i Osę? Nigdzie ich nie było widać. Doskonale. Mogłam sobie wyobrazić, jakie miejsce dla tej trójki i dla Afrodyty zasługuje na miano „świetnego". I wolałam nawet nie myśleć o biedaku, którego udało im się namówić, by służył im za nową lodówkę.

Aczkolwiek — do czego wolałam się nie przyznawać nawet przed sobą — na samą wzmiankę o tym ślinka napłynęła mi do ust, gdyż oznaczało to, że znów napiję się krwi.

— Chodźmy więc stąd. I pamiętajcie, żeby zachowywać się cicho. Skoncentrujcie się na tym, że macie być niewidoczni, by żaden człowiek, który przypadkiem jeszcze nie śpi, nas nie zobaczył. — W tej chwili spojrzała prosto na mnie i powiedziała: — I niech Nyks zlituje się nad tym, kto nas zdradzi, bo my z pewnością nie okażemy litości. — Zwracając się ponownie do zebranych, uśmiechnęła się z udawaną słodyczą. — Pójdźcie za mną, Córy i Synowie Ciemności.

Parami i w małych grupkach wszyscy wyszli w ślad za Afrodytą, używając tylnego wyjścia. Oczywiście nie zwracali na mnie uwagi. Byłam bliska tego, żeby nie iść z nimi. Nie miałam najmniejszej ochoty na ciąg dalszy imprezy. Czułam, że już dość atrakcji jak na jedną noc. Powinnam wrócić do internatu i przeprosić Stevie Rae. Potem razem odszukamy Bliźniaczki i Damiena i wtedy opowiem im o Elliotcie. (Zaczekałam, by wsłuchać się w swój głos wewnętrzny, czy czasem nie sprzeciwi się pomysłowi relacjonowania przyjaciołom tych zdarzeń, ale się nie odzywał). Okay. W takim razie im powiem. Wyglądało to na lepszy pomysł niż wyprawa z tą wredną Afrodytą i wściekłą bandą, która mnie nie znosiła. Ale tu zawyła moja intuicja, która dotąd milczała przyzwalająco, kiedy chodziło o zwierzenia wobec przyjaciół. Trudno. Musiałam więc iść na obchody obrzędowe. Westchnęłam ciężko.

— Chodź, Z. Nie chcesz chyba, żeby ominęło cię widowisko, co?

W drzwiach stał Erik. Wyglądał jak Superman z tymi swoimi niebieskimi oczami i uroczym uśmiechem przeznaczonym tylko dla mnie.

O rany.

— Żartujesz chyba. Grupa ziejących nienawiścią dziewczyn, spiskowe przedstawienie dramatyczne, perspektywa kłopotów i upuszczania krwi. Za nic tego nie przepuszczę. — I razem z Erikiem poszliśmy za oddalającą się grupą.

Wszyscy szli w ciszy w stronę muru znajdującego się za salą rekreacyjną, bardzo blisko miejsca, gdzie zobaczyłam Elizabeth i Elliotta, zaczęłam się więc czuć coraz bardziej nieswojo. Nagle odniosłam wrażenie, że wszyscy wsiąknęli w mur.

— Co za... — szepnęłam.

— To tylko taka sztuczka, zobaczysz.

Rzeczywiście, wkrótce się przekonałam. W murze ukryte były tajemne drzwi, takie, jakie widuje się na starych filmach kryminalnych, na przykład ruchome półki biblioteczne albo drzwiczki schowane za paleniskiem kominka (ostatnio widziałam takie w filmie o Indianie Jonesie); tutaj imitowały część muru okalającego naszą szkołę. Kawałek tego muru uchylał się, pozostawiając dość miejsca na przejście dla jednej osoby (adepta, wampira, a może nawet pokaźnego ducha, jednego lub dwóch). Ja i Erik przeszliśmy przez nie ostatni. Gdy obejrzałam się za siebie, zobaczyłam, jak za nami uchylna część muru zamyka się prawie bezszelestnie.

— Działają na pilota, jak drzwi garażu — szeptem objaśnił mi Erik.

— Aha. Kto o nich wie?

— Każdy, kto kiedyś należał do Cór lub Synów Ciemności.

— Aha.

W takim razie wie o tym większość dorosłych wampirów. Rozejrzałam się wokół, ale nie spostrzegłam nikogo, kto by nas obserwował czy szedł za nami.

Erik zauważył, że się rozglądam.

— Ich to nie obchodzi. To szkolna tradycja, że wymykamy się na pewne obrzędy. Dopóki nie zrobimy czegoś naprawdę głupiego, udają, że nie wiedzą o naszych wypadach. — Wzruszył ramionami. — Domyślam się, że tak to się dzieje.

— Dopóki nie zrobimy czegoś głupiego — powtórzyłam.

— Ćśś! — uciszył nas ktoś stojący przed nami. Zamknęłam się więc i postanowiłam uważać, dokąd idziemy.

Dochodziło wpół do piątej nad ranem. Dziwne, że jakoś nikt się nie obudził. Fajnie było spacerować po eleganckiej części Tulsy, dzielnicy willowej, gdzie mieszkali ci, co dorobili się na ropie, i gdzie nikt nas nie zauważył. Przechodziliśmy przez niesamowite dziedzińce i żaden pies nawet nie szczeknął na nas. Tak jakbyśmy byli ledwie cieniami... albo duchami... Na tę myśl przeszył mnie zimny dreszcz. Księżyc, dotąd schowany za chmurami, teraz srebrzył się na niebie nieoczekiwanie czystym. Było tak jasno, że bez trudu każdy, nie tylko Naznaczony, mógłby czytać przy samym tylko świetle księżyca. Musiało być dość zimno, ale teraz nie przeszkadzały mi niskie temperatury, choć jeszcze przed tygodniem mogłabym zmarznąć przy takiej pogodzie. Starałam się nie myśleć o tym, jak mój organizm reaguje na zachodzącą przecież we mnie Przemianę.

Przeszliśmy na drugą stronę ulicy, a następnie wślizgnęliśmy się bezszelestnie pomiędzy dwa dziedzińce. Zanim zobaczyłam mały mostek, posłyszałam szmer wody. Księżyc rzucał srebrzysty blask na płynący strumyczek, który wyglądał, jakby ktoś rozlał rtęć na jego powierzchnię. Urzekła mnie jego uroda, bezwiednie zwolniłam kroku, przypominając sobie, że teraz noc jest moim dniem. Miałam nadzieję, że nigdy mi się nie opatrzy jej mroczny majestat.

— Chodź, Z — ponaglił mnie Erik będący już po drugiej stronie mostku.

Spojrzałam na niego. Jego sylwetka rysowała się na tle wielkiego gmachu usytuowanego na zboczu wzgórza, otoczonego wielkimi tarasami, trawnikami, stawem, fontannami i wodospadami (właściciele z pewnością mieli za dużo pieniędzy), w takim otoczeniu kojarzył mi się z jakimś romantycznym bohaterem znanym z historii, jak... No cóż, jedyni bohaterowie, jacy przychodzili mi na myśl, to Zorro i Superman, ale żaden z nich nie był postacią historyczną. Niemniej Erik wyglądał bardzo romantycznie i jak książę. I wtedy uświadomiwszy sobie, co to za budynek, pospieszyłam do niego.

— Erik — wyszeptałam zdenerwowana — przecież to Philbrook Museum! Narobimy sobie poważnych kłopotów, jeśli zobaczą, że się tutaj kręcimy.

— Nie złapią nas.

Musiałam dobrze wyciągać nogi, żeby za nim nadążyć. Szedł bardzo szybko, widać jemu zależało bardziej niż mnie, by dołączyć do grupy, która posuwała się cicho i bezszelestnie jak prawdziwe duchy.

— Słuchaj, przecież to nie jest dom jakiegoś bogacza, tylko muzeum! Czyli mają tu całodobową ochronę!

— Afrodyta ich odurzyła.

— Co?

— Ćśś! To nic groźnego. Będą się czuli przez jakiś czas jak pijani, a potem pójdą do domu i wszystko zapomną. Nic im nie będzie.

Nie odpowiedziałam, ale naprawdę nie podobał mi się ten jego obojętny stosunek do takiego usypiania straży. To po prostu nie było w porządku, nawet jeśli znałam powody, dla których tak zrobiono. Łamaliśmy przepisy. Nie chcieliśmy, żeby nas złapano. A zatem strażnicy powinni zostać uśpieni. Rozumiem. A jednak mi się to nie podobało. Wyglądało na to, że mam jeszcze jeden powód, by zmienić swoją opinię o Córach Ciemności, które zachowywały się jak świętoszki, ale w gruncie rzeczy były zakłamane. Coraz bardziej mi przypominały Ludzi Wiary, a porównanie to nie było dla nich korzystne. W końcu Afrodyta nie jest bogiem (ani boginią, w tym przypadku) bez względu na to, za kogo się uważa.

Erik zatrzymał się. Przyłączyliśmy się do grupy, która utworzyła swobodne półkole wokół przykrytego kopułą punktu widokowego — balkonu, który był usytuowany u stóp łagodnego zbocza prowadzącego na górę do muzeum. Niedaleko znajdowało się oczko wodne, za którym zaczynały się tarasy wiodące do samego muzeum. Miejsce było urzekające. Znałam je z kilku szkolnych wycieczek, raz przyszłam tu na lekcję sztuki, pamiętam, że nawet poczułam natchnienie, by naszkicować ogrody, choć nie mam w ogóle zdolności rysunkowych. Teraz noc sprawiła, że dobrze utrzymany park z mieniącymi się jak marmur oczkami wodnymi zmienił się w czarodziejskie, bajeczne królestwo skąpane w srebrzystym blasku księżyca, poprzetykane pasmami szarości i granatów.

Balkon był niesamowity. Prowadziły do niego szerokie kręcone schody, po których wchodziło się tam jak na tron. Wspierały go rzeźbione białe kolumny, kopuła natomiast oświetlona była od wewnątrz. Całość sprawiała wrażenie, jakby budowla pochodziła ze starożytnej Grecji, potem została odrestaurowana i nabrała blasków dawnej świetności, co dodatkowo podkreślało nocne oświetlenie.

Afrodyta weszła po schodach na górę, co oczywiście odebrało połowę uroku temu miejscu. Nieodłączna trójca: Straszna, Wojownicza i Osa, też tam była. Prócz nich stała tam jeszcze jedna dziewczyna, której nie rozpoznałam. Być może widziałam ją już setki razy, ale jej nie zapamiętałam, bo wyglądała jak jeszcze jedna blondynka w typie Barbie (tyle że nazywała się na przykład Nienawistna albo Złośliwa). Niewielki stolik ustawiony na środku balkonu nakryły czarnym obrusem. Położyły na nim wiązkę świec i inne przedmioty, jak kielich i nóż. Jakiś biedak siedział bezwładnie z głową opartą o blat. Przykryty był płaszczem, przez co wyglądał jak Elliott tej nocy, kiedy służył im za lodówkę.

To naprawdę wielkie poświęcenie dać się nakłonić do tego, by one mogły mu utoczyć krwi na potrzeby obrzędu odprawianego przez Afrodytę. Zastanawiałam się, czy ten proceder nie przyczynił się do śmierci Elliotta. Starałam się nie zauważać, że ślinka napływa mi do ust na samą myśl o tym, że spróbuję jego krwi zmieszanej z winem. Dziwne, że ta sama rzecz przerażała mnie i jednocześnie pociągała.

— Utworzę krąg i przywołam duchy naszych przodków, by zatańczyły wraz nami — zapowiedziała Afrodyta.

Mówiła łagodnym tonem, ale jego brzmienie nasycone trucizną krążyło wokół nas i sączyło się nam do uszu. Dla mnie była to upiorna perspektywa: duchy przywołane przez Afrodytę, zwłaszcza po moich niedawnych doświadczeniach z duchami, choć muszę przyznać, że w równym stopniu intrygowało mnie to, jak i przerażało. Może dlatego miałam uczestniczyć w tym obrzędzie, żeby dowiedzieć się czegoś więcej o duchach Elizabeth i Elliotta? Poza tym najwyraźniej ich rytuały miały taki właśnie przebieg od dłuższego czasu, nie mogły więc być groźne czy niebezpieczne. Afrodyta okazywała spokój i pewność siebie, ale ja wyczuwałam, że to tylko poza. W gruncie rzeczy tak jak wszyscy dręczyciele słabszych sama musiała być słaba i niedojrzała. Poza tym takie typy na ogół unikają jednostek silniejszych od siebie; skoro więc Afrodyta zamierzała przywołać duchy, musiały to być duchy nieszkodliwe, może nawet miłe. Z pewnością Afrodyta nie zamierzała konfrontować się z jakimś potężnym upiorem.

Ani z czymś tak przerażającym jak pośmiertna zjawa Elliotta.

Poczułam się spokojniejsza, a na widok czterech Cór Ciemności biorących do rąk świece i zajmujących odpowiednie stanowiska, by przywołać cztery żywioły, przeszedł mnie lekki dreszczyk emocji wobec spodziewanych doznań, jakie zapewniała mi moja wyjątkowa moc. Afrodyta przywołała wiatr, który zmierzwił mi lekko włosy, czego tylko ja byłam świadoma. Przymknęłam oczy, rozkoszując się prądem przebiegającym moje ciało. W gruncie rzeczy, mimo obecności Afrodyty i zawziętych Cór Ciemności, początek obrzędu zaczynał sprawiać mi przyjemność. Obok stał Erik, co łagodziło przykrość, że pozostali mnie ignorują.

Jeszcze bardziej się zrelaksowałam, nabierając nieoczekiwanie przeświadczenia, że przyszłość nie może być taka znowu zła. Odbiję to sobie, obcując z przyjaciółmi, z którymi razem będziemy się zastanawiać, o co chodzi z tymi dziwnymi duchami, jakie widziałam; niewykluczone też, że najseksowniejszy facet w całej szkole będzie moją sympatią. Wszystko się pomyślnie ułoży. Otworzyłam oczy i zaczęłam obserwować Afrodytę, jak się porusza po kręgu. Przenikał mnie każdy żywioł, zastanawiałam się, jak to się dzieje, że Erik stojący tak blisko niczego nie dostrzega. Nawet zerkałam na niego, spodziewając się, że zobaczę, jak patrzy na mnie i spostrzeże grę żywiołów na mojej skórze, ale on tak jak wszyscy patrzył na Afrodytę. (Prawdę mówiąc, było to denerwujące, mogłam przecież oczekiwać, że na mnie też będzie spoglądał). Teraz Afrodyta rozpoczęła odprawianie obrzędu przez przyzywanie duchów przodków, a wtedy nawet ja nie mogłam oderwać od niej oczu. Stała przy stoliku ze splecionymi w warkocz suchymi źdźbłami traw, które trzymała nad fioletowym płomieniem z palącego się spirytusu, by zioła szybciej się zajęły. Zaczekała, aż się rozpalą, a potem zdmuchnęła płomień. Dymiącym wiechciem zatoczyła w powietrzu koła wokół siebie, okadzając się w ten sposób, i zaczęła mówić. Dym rozszedł się wokół nas. Pociągnęłam nosem, rozpoznając zapach turówki, która należy do najświętszych ziół używanych do odprawiania obrzędów, ponieważ przyciąga duchową energię. Babcia często jej używała przy odprawianiu swoich modłów. Ale zaraz przypomniałam sobie, że turówki używa się jedynie po oczyszczeniu otoczenia szałwią, w przeciwnym razie może przyciągnąć złe duchy. Było jednak za późno na jakiekolwiek ostrzeżenia, nawet gdybym wstrzymała odprawianie obrzędu, gdyż Afrodyta zaczęła już przywoływać duchy, a wijący się wokół niej coraz bardziej gęstniejący dym wzmacniał jej głos powtarzający monotonnie zaklęcia.

Usłyszcie mnie, pradawne duchy naszych przodków, w tę noc święta Samhain. Niechaj dym zaniesie mój głos do Innego Świata, gdzie jasne duchy igrają na łąkach pamięci porośniętych słodką turówką. W tę noc święta Samhain nie przywołuję duchów naszych ludzkich przodków. Niech śpią snem niezakłóconym, nie potrzebuję ich ani w tym życiu, ani po śmierci. Przyzywam duchy magicznych, mistycznych przodków, którzy kiedyś byli więcej niż ludźmi, również po swojej śmierci.

Niczym w transie patrzyłam wraz z innymi, jak dym zaczyna się wić, przybierając z wolna coraz wyraźniejsze kształty. Najpierw wydawało mi się, że widzę przedmioty, zamrugałam kilkakrotnie, by obraz stał się wyraźniejszy, ale kształty, które się wyłaniały przed moimi oczami, były bez wątpienia kształtami ludzkimi. Początkowo niewyraźne, jakby same zarysy sylwetek, w miarę jednak jak Afrodyta machała ziołami, ich sylwetki stawały się coraz wyraźniejsze, aż nagle krąg zapełnił się niesamowitymi postaciami, mającymi ziejące oczodoły i otwarte usta.

Nie przypominali Elizabeth czy Elliotta. Wyglądali dokładnie tak, jak zawsze wyobrażałam sobie duchy — niematerialne półprzezroczyste zjawy, na których widok ciarki przechodziły po grzbiecie. Pociągnęłam nosem, ale nie poczułam stęchłego piwnicznego zapachu.

Afrodyta odłożyła na bok jeszcze dymiącą wiązkę ziół i sięgnęła po kielich. Nawet z większej odległości widać było, że jest niezwykle blada, jakby na nią przeszły pewne cechy duchów, które przywołała. Jej czerwona suknia stanowiła ostry kontrast na tle dymu, mgły i szarości.

— Pozdrawiam was, duchy przodków, i proszę, byście przyjęły naszą ofiarę wina i krwi, byście wspomniały smak życia. — Uniosła w górę kielich, a mgliste postaci zakołysały się gwałtownie, najwyraźniej podekscytowane. — Pozdrawiam was, duchy przodków, a chroniona naszym kręgiem...

— Zoey! Wiedziałem, że cię znajdę, jeśli tylko będę wytrwale szukał!

Głos Heatha przeszył powietrze, przerywając mowę Afrodyty.

)

ROZDZIAŁ DWUDZIESTY ÓSMY

— Heath! Co u diabła tutaj robisz?!

— Nie zadzwoniłaś od mnie. — I nie zwracając uwagi na obecność tylu osób, porwał mnie w objęcia. Nawet bez światła księżyca zauważyłabym, że ma przekrwione oczy. — Tęskniłem za tobą, Zo — wypalił, ziejąc piwem.

— Aha, ale musisz stąd iść.

— Nie, niech zostanie — wtrąciła się Afrodyta.

Heath podniósł na nią oczy. Łatwo mi było sobie wyobrazić, jaka mu się wydała. Stała w przebijającym się przez zasłonę dymną świetle reflektorów skierowanych na balkon, przez co wyglądała jak rusałka. Jedwabna czerwona suknia oblepiała jej ciało. Ciężkie jasne włosy spływały na plecy, sięgając krzyża. Usta miała wykrzywione w uśmiechu, który w zamierzeniu miał być sympatyczny, ale byłabym przysięgła, że Heath uznał, że musi być miła. Przypuszczalnie nawet nie zauważył obecności duchów, które przestały krążyć nad kielichem i teraz na niego skierowały swoje oczodoły. Na pewno też nie zwrócił uwagi na to, że głos Afrodyty stał się dudniący, a oczy szkliste. Cóż, znając Heatha, można się domyślać, że nie zauważył niczego poza jej wielkimi cycami.

— O rany, ale fajna wampirska cizia — powiedział jakby na potwierdzenie moich domysłów.

— Zabierzcie go stąd — odezwał się Erik tonem pełnym napięcia i niepokoju.

Heath oderwał wzrok od cycków Afrodyty i spojrzał na Erika.

— Coś ty za jeden?

O cholera. Znałam ten ton. Zawsze oznaczał gotowość Heatha do bitki z zazdrości o dziewczynę. (Był to następny powód, dla którego uznałam go za swojego eks).

— Heath, powinieneś stąd odejść — powtórzyłam.

— Nie. — Podszedł bliżej i gestem osoby uprawnionej otoczył mnie ramieniem, ale nie spuszczał wzroku z Erika. — Przyszedłem spotkać się ze swoją dziewczyną i nie zamierzam z tego rezygnować.

Zignorowałam fakt, że poczułam pulsującą krew w jego żyłach, gdy trzymał rękę na moim ramieniu. Pohamowałam przemożne pragnienie, by wgryźć się w jego przegub, i strąciłam jego rękę ze swoich ramion, wyrywając się gwałtownie, co sprawiło, że wreszcie spojrzał na mnie, a nie na Erika.

— Nie jestem twoją dziewczyną — powiedziałam dobitnie.

— Oj, Zo, ty tylko tak mówisz.

Zacisnęłam zęby. Boże, co za tępak. (Następny powód, dla którego został moim eks).

— Czyś ty zgłupiał? — zapytał Erik.

— Słuchaj, ty pieprzony krwiopijco, ja jestem... — zaczął Heath, ale dziwnie rezonujący głos Afrodyty go zagłuszył.

— Podejdź tu, człowiecze.

Wszyscy, Heath, Erik, ja i Córy Ciemności, zwrócili na nią spojrzenia, jakby jej powab działał niczym magnes. Jej ciało wyglądało niesamowicie. Czyżby pulsowało? Jakim cudem? Odrzuciła do tyłu włosy i przeciągnęła ręką wzdłuż ciała bezwstydnie jak striptizerka, ujmując w dłoń jedną pierś, a potem sięgając między uda. Drugą rękę uniosła do góry i zagiętym palcem przywoływała Heatha.

— Chodź tu, człowiecze. Chcę spróbować, jak smakujesz.

To było nieczyste zagranie. Coś złego stanie się z Heathem, jeżeli podejdzie do niej i stanie wewnątrz kręgu.

Całkowicie zauroczony nią Heath rzucił się do przodu bez chwili wahania, wykazując w ten sposób absolutny brak zdrowego rozsądku. Chwyciłam go za jedną rękę, a Erik za drugą.

— Przestań, Heath. Chcę, żebyś stąd odszedł. I to natychmiast. To nie twoje miejsce.

Heath z wysiłkiem oderwał wzrok od Afrodyty. Wyszarpnął się Erikowi i dosłownie warknął na niego. I zaraz zwrócił się do mnie ze słowami:

— Ty mnie zdradzasz!

— Czy ty nie słuchasz, co się do ciebie mówi? Nie jesteśmy ze sobą. A teraz zabieraj się stąd!

— Jeśli on nie odpowie na nasze wołanie, to my przyjdziemy po niego.

Odwróciłam się do Afrodyty. Jej ciało drżało w konwulsjach i wydobywały się z niego jakieś szare smugi. Z gardła wyrwał jej się ni to okrzyk, ni to szloch. Duchy, nie wyłączając tego, który najwyraźniej ją posiadł, ruszyły do granic kręgu, chcąc się z niego wyrwać na zewnątrz i dopaść Heatha.

— Zatrzymaj je, Afrodyto! Jeśli tego nie zrobisz, zabiją go! — zawołał Damien, przeskakując przez ozdobny żywopłot, który otaczał staw.

— Damien, co ty... — zaczęłam, ale on potrząsnął głową.

— Nie ma czasu na wyjaśnienia — odkrzyknął mi tylko, by zaraz zwrócić się znów do Afrodyty. — Wiesz, jakie one są — zawołał. — Musisz zatrzymać je wewnątrz kręgu, inaczej on umrze.

Afrodyta była tak blada, że sama wyglądała jak duch.

— Nie będę ich zatrzymywała. Jeśli chcą, niech go sobie wezmą. Lepiej jego niż kogokolwiek z nas — odpowiedziała.

— Pewnie, nie chcemy ani kawałka tego ścierwa — dodała Straszna, upuszczając świecę, która zaskwierczała i zgasła. Bez słowa Straszna wyrwała się z kręgu i zbiegła po schodach z balkonu. W jej ślady natychmiast poszły trzy pozostałe personifikacje żywiołów, znikając w ciemnościach nocy i rzucając zgasłe świece.

Patrzyłam przerażona, jak jedna z szarych postaci zaczyna przenikać przez niewidzialne granice kręgu. Dym, który był jej spektralnym ciałem, zaczął snuć się po schodach w dół, jak wąż pełznący w naszą stronę. Córy i Synowie Ciemności poruszyli się niespokojnie, patrząc na mnie wyczekująco. Zaczęli się cofać, przerażenie malowało się na ich twarzach.

— Teraz kolej na ciebie, Zoey!

— Stevie Rae!

Stała chwiejnie na środku balkonu. Odrzuciła pelerynę, odsłaniając nie tylko swą twarz, ale i zabandażowane przeguby rąk.

— Mówiłam ci, że musimy się razem trzymać — uśmiechnęła się do mnie blado.

— Lepiej się pospiesz — dodała Shaunee.

— Bo twój eks zaraz się zesra ze strachu — powiedziała ostrzegawczo Erin.

Spojrzałam za siebie i zobaczyłam Bliźniaczki za plecami Heatha, który stał z otwartymi ustami blady i przerażony. Wtedy poczułam przypływ prawdziwego szczęścia. Więc mnie nie opuściły! Nie jestem sama!

— Do dzieła! — powiedziałam. — Trzymaj go tutaj — poleciłam Erikowi, który patrzył na mnie zszokowany.

Nie musiałam oglądać się za siebie, by mieć pewność, że moi przyjaciele podążają za mną. Wbiegłam po schodach wiodących na balkon wypełniony duchami. Zawahałam się tylko na moment, gdy dotarłam do granicy kręgu. Duchy z wolna przez nią przenikały, zmierzając wyraźnie w kierunku Heatha. Zaczerpnęłam tchu i przekroczyłam niewidzialną granicę kręgu. Przeszedł mnie zimny dreszcz, gdy poczułam na skórze powiew śmierci.

— Nie masz prawa tu wchodzić. To mój krąg — zaprotestowała Afrodyta, starając się zatarasować mi drogę do stołu i świecy ducha, która była ostatnią palącą się świecą.

— To był twój krąg, ale już nie jest. A teraz zamknij się i odejdź — odpowiedziałam.

Afrodyta popatrzyła na mnie złowrogo spod zmrużonych powiek.

Do cholery, nie miałam czasu na to, by się z nią cackać.

— Słuchaj, kukło, masz robić, co ci każe Zoey. Od dwóch lat czekam, by ci nakopać do dupy — powiedziała Shaunee, pojawiając się na szczycie schodów, by do mnie dołączyć.

— Ja też, ty wstrętna szlajo — dodała Erin, stając z mojej drugiej strony.

Zanim Bliźniaczki zdążyły dołożyć swoje, przenikliwy krzyk Heatha przeszył powietrze. Obróciłam się natychmiast w jego stronę. Szara mgła słała się wokół jego nóg, pozostawiając w rozdzieranych dżinsach długie cienkie rysy, które od razu zaczęły broczyć krwią. Heath przerażony wierzgał, kopał i wrzeszczał. Erik nie uciekł, ale starał się walić w mgliste bezkształtne postaci, mimo że jedna z nich go dosięgła, rozrywając nogawkę i kalecząc mu skórę.

— Szybko! Na miejsca! — zarządziłam, zanim upojny zapach krwi mógł pomieszać mi szyki.

Przyjaciele podbiegli, by podnieść porzucone świece. Pospiesznie zajęli swoje miejsca i czekali na moje wezwania.

Podeszłam do Afrodyty, która, oniemiała, nie ruszała się z miejsca, przyciskając do ust dłoń, jakby usiłowała stłumić okrzyk przerażenia. Wyrwałam jej fioletową świecę i podbiegłam do Damiena.

— Wietrze, przywołuję cię do kręgu! — zawołałam, przytykając fioletową świecę do żółtej. Chciało mi się krzyczeć z radości, kiedy poczułam znajomy powiew, który zerwał się i zawirował wokół mego ciała, burząc mi włosy.

Z fioletową świecą podbiegłam do Shaunee.

— Ogniu! Przywołuję cię do kręgu! — Zaraz otoczył mnie żar, gdy tylko zapaliłam czerwoną świecę. Nie czekając, obiegałam krąg zgodnie z ruchem wskazówek zegara.
— Wodo! Przywołuję cię do kręgu! — Poczułam słony zapach wody morskiej. — Ziemio! Przywołuję cię do kręgu!
— Przytknęłam płomień do świecy trzymanej przez Stevie Rae, pilnując, by mi ręka nie zadrżała na widok jej bandaży. Stevie Rae była niezwykle blada, ale uśmiechnęła się, gdy powietrze wypełnił zapach świeżo skoszonej trawy.

Heath znowu wrzasnął, a ja popędziłam na środek kręgu i uniosłam fioletową świecę.

— Duchu! Przywołuję cię do tego kręgu! — Natychmiast napełniła mnie energia. Powiodłam wzrokiem po swoim kręgu i ponad wszelką wątpliwość zobaczyłam wstęgę mocy zakreślającej jego obwód. Och, dzięki Ci, Nyks.

Położyłam świecę na stole i złapałam kielich wypełniony winem i krwią. Zwróciłam się do Heatha, Erika i hordy duchów.

— To jest wasza ofiara! — krzyknęłam, rozpryskując wokół czerwony płyn, tak że na posadzce balkonu pojawiło się krwiste koło. — Zostaliście tu przywołani nie po to, by zabijać. Przywołaliśmy was dlatego, że mamy Samhain i chcieliśmy wam oddać cześć. — Rozlałam więcej wina, usiłując ze wszystkich sił nie zwracać uwagi na dodany do niego upojny zapach krwi.

Duchy przestały atakować. Skupiłam na nich całą swoją uwagę, nie chcąc, by ją zakłóciło przerażenie w oczach Heatha czy wyraz bólu w oczach Erika.

Ale my wolimy ciepłą młodą krew, kapłanko — posłyszałam niesamowity głos, od którego przeszły mnie ciarki. Czułam ich zapach rozkładu i zgnilizny.

Z trudem przełknęłam ślinę.

— Rozumiem, ale ich życie nie należy do was. Dzisiejsza noc jest nocą świętowania, nie śmierci.

Mimo to wybieramy śmierć, jest nam droższa. Ich śmiech wibrował w powietrzu przesyconym dymem z palonej turówki i rozniósł się echem. Duchy znów podpełzły do Heatha.

Rzuciłam kielich i uniosłam w górę obie ręce.

— Skoro nie słuchacie prośby, posłuchacie rozkazu. Wietrze, ogniu, wodo, ziemio i duchu! W imieniu Nyks każę wam zamknąć krąg, wpychając do niego z powrotem ducha, któremu pozwolono uciec. Natychmiast!

Poczułam, jak gorące powietrze przeniknęło moje ciało, by je opuścić, ześlizgując się przez końce rąk, które wyciągnęłam przed siebie. Przesycone morską solą gorące powietrze, widoczne jako lśniąca zielona mgławica, owiało mnie, by zaraz załopotać wokół Heatha i Erika. Upalne podmuchy miotały ich porwanym ubraniem jak szalone, burzyły im włosy we wszystkie strony. I zaraz potem ten czarodziejski wiatr wymiótł mgliste postacie, oderwał je od ich ofiar i z hukiem przywiał z powrotem do środka mojego kręgu. Nagle zostałam otoczona przez sylwetki duchów, głodne i niebezpieczne, czułam ich pragnienie krwi tak wyraźnie, jak tuż przedtem czułam pulsowanie krwi Heatha. Afrodyta siedziała skulona na krześle, przerażona tym, co wyczyniały zjawy. Kiedy jeden z duchów otarł się o nią, wydała krótki krzyk, który jeszcze bardziej je zaktywizował, więc ciaśniej skupiły się wokół mnie.

— Zoey! — krzyknęła Stevie Rae. W jej głosie brzmiał strach. Zobaczyłam, jak niepewnie daje krok w moją stronę.

— Nie! — powstrzymał ją Damien. — Nie rozrywaj kręgu! One nie zrobią nic złego Zoey. Nam też nie zrobią krzywdy, krąg jest zbyt mocny. Ale pod warunkiem, że go nie rozerwiemy.

— Nigdzie nie pójdziemy! — zawołała Shaunee.

— Nie — potwierdziła Erin głosem tylko trochę drżącym. — Mnie się tu podoba.

Wyczułam ich wiarę we mnie, lojalność i akceptację, tak jakby to był szósty żywioł. Wyprostowałam się i zwróciłam do pełzających rozzłoszczonych duchów.

— Tak więc my nigdzie nie idziemy. Co znaczy, że wy musicie stąd odejść. Zabierzcie swoją ofiarę — palcem wskazałam rozlane wino i krew — i idźcie stąd. Tylko tyle krwi należy wam się dzisiaj.

Szara masa przestała się kotłować. Wiedziałam, że już mam je w ręku. Wzięłam głęboki oddech i dokończyłam słowami:

— Mocą czterech żywiołów rozkazuję wam: odejdźcie!

W jednej chwili duchy, jakby przygniótł je do ziemi jakiś olbrzym, wsiąkły w zachlapaną winem posadzkę balkonu, wchłaniając w siebie resztki krwi i znikając w ciemności.

Westchnęłam z ogromną ulgą. Bezwiednie zwróciłam się do Damiena:

— Dziękuję ci, wietrze. Możesz teraz odejść.

Damien chciał zgasić swoją świecę, ale nie zdążył, gdyż lekki podmuch wiatru, jakby przekomarzając się z nim, zrobił to za niego. Damien uśmiechnął się do mnie radośnie. I zaraz otworzył szeroko oczy ze zdumienia.

— Zoey! Co się stało z twoim Znakiem?!

— Co? — Podniosłam dłoń do czoła. Łaskotało mnie lekko, podobne mrowienie poczułam w karku i na całej szyi, co jest moją zwykłą reakcją na nadmiar stresu, tym razem jednak nawet tego nie zauważyłam, gdyż pulsowało mi w całym ciele z powodu przenikających mnie żywiołów.

— Skończ zamykanie kręgu — powiedział, a jego mina wyrażała już nie zaskoczenie, tylko wielką radość. — A potem możesz skorzystać z jednego z licznych lusterek Erin i zobaczyć, jak wyglądasz.

Zwróciłam się do Shaunee, by pożegnać ogień.

— O rany, coś niesamowitego — zdumiała się Shaunee, gapiąc się na mnie.

— Ej, a skąd ty wiesz, że mam w torebce więcej niż jedno lusterko? — zapytała zaczepnie Erin, zanim zwróciłam się ku niej, by rozstać się z wodą. Ale i jej oczy zrobiły się okrągłe ze zdumienia, gdy dobrze mi się przyjrzała. — O w dupę! — zawołała przejęta.

— Erin, nie przeklina się w świętym kręgu, powinnaś o tym... — zaczęła słodkim głosikiem Stevie Rae, ale kiedy stanęłam przed nią, by pożegnać ziemię, urwała w pół słowa i zawołała: — Wielkie nieba!

Westchnęłam. Co się znowu dzieje? Podeszłam do stołu i ujęłam w palce fioletową świecę.

— Dziękuję ci, duchu. Możesz odejść — powiedziałam.

— Dlaczego? — zawołała Afrodyta, wstając tak gwałtownie, że przewróciła krzesło. — Dlaczego ty? A nie ja?

— Afrodyto, o czym ty mówisz?

— O tym. — Erin podała mi kieszonkowe lusterko, które wyciągnęła ze swojej eleganckiej skórkowej torebki, zawsze wiszącej na jej ramieniu.

Spojrzałam do lusterka. Początkowo nie rozumiałam, co widzę — widok był zbyt szokujący. Wtedy stanęła u mego boku Stevie Rae i szepnęła:

— Jakie piękne...

Miała rację. To było piękne. Mój Znak został wzbogacony o nowe elementy. Wokół mych oczu ukazała się delikatna, jakby koronkowa girlanda tatuażu w szafirowym kolorze. Nie tak misterna i okazała jak u dorosłych wampirów, ale takich też nie widziano u żadnego z adeptów. Wodziłam palcami po wijącym się rysunku, wyobrażając sobie, że taka ozdoba godna jest księżniczek mieszkających w egzotycznych krajach, a może i... starszej kapłanki czy samej bogini. Wpatrywałam się intensywnie w swoje odbicie: czy to naprawdę ja? Im dłużej patrzyłam, tym bardziej nieznajoma stawała się coraz bardziej znajoma.

— To nie wszystko, Zoey — zauważył Damien. — Popatrz jeszcze na swoje ramiona.

Gdy spojrzałam na dekolt odsłonięty przez głębokie wycięcie sukni, przejął mnie dreszcz zdumienia pomieszanego z radością. Również na ramionach miałam tatuaż. Ciągnął się od szyi, przechodził na ramiona i plecy, jego spiralne szafirowe wzory podobne były do tych, jakie miałam na twarzy, z tą różnicą, że sprawiały wrażenie bardziej starożytnych, nawet bardziej tajemniczych, gdyż poprzetykane były symbolami przypominającymi litery.

Otworzyłam usta, ale nie powiedziałam ani słowa.

— Z, jemu potrzebna jest pomoc — przerwał moją kontemplację Erik. Zobaczyłam, jak kulejąc, wdrapuje się na balkon, ciągnąc za sobą nieprzytomnego Heatha.

— Daj spokój, zostaw go tutaj — powiedziała Afrodyta. — Musimy się stąd zabierać, zanim obudzą się straże, a jego ktoś tu rano znajdzie.

Odwróciłam się do niej gwałtownie.

— I ty jeszcze pytasz, dlaczego ja, a nie ty? Bo może Nyks ma już dość twojego egoizmu, twojej nienawiści do wszystkich, twojego zepsucia, folgowania sobie, tego, że jesteś taka... — przerwałam oburzona do tego stopnia, że brakło mi dalszych określeń.

— Obrzydliwa! — dokończyły chórem Erin i Shaunee.

— Właśnie! Obrzydliwa i znęcająca się nad słabszymi. — Podeszłam do niej bliżej, by wygarnąć jej w oczy. — Przemiana jest wystarczająco trudna bez takich typów jak ty. Chyba że się jest twoimi... — tu spojrzałam triumfalnie na Damiena — pochlebcami. W przeciwnym razie traktujesz nas, jakbyśmy byli obcy, jakbyśmy nic nie znaczyli. Ale to się skończyło, Afrodyto. To, co robiłaś, jest całkowicie, absolutnie błędne i złe. Niemal doprowadziłaś Heatha do śmierci. Kto wie, może też Erika, a może jeszcze innych, i wszystko przez twój egoizm.

— Nie moja wina, że twój chłopak cię tu znalazł! — wrzasnęła.

— Tak, to rzeczywiście nie twoja wina, że Heath tutaj przyszedł, ale tylko to nie było twoją winą. Bo cała reszta, wszystko, co się działo dziś w nocy, to twoja wina. Twoja wina, że twoje niby-przyjaciółki nie zostały z tobą i nie pilnowały kręgu. Twoja wina, od tego trzeba zacząć, że przywołałaś złe duchy. — Wyglądała na zmieszaną, co mnie jeszcze bardziej wkurzyło. — Szałwia, kretynko! Najpierw stosuje się szałwię dla odgonienia złej energii, zanim użyje się turówki! Nie dziwota, że przyciągnęłaś takie wstrętne duchy!

— Bo sama jesteś wstrętna — spuentowała Stevie Rae.

— A ty masz gówno do powiedzenia, lodówo — warknęła Afrodyta.

— Nie! — wymierzyłam palec w jej twarz. — Od tej chwili koniec z lodówkami, zapamiętaj to sobie.

— Aha, teraz będziesz udawać, że krew nie smakuje ci tak jak nam?

Powiodłam wzrokiem po twarzach swoich przyjaciół. Żadne z nich nawet okiem nie mrugnęło. Damien uśmiechał się do mnie, wyraźnie chcąc mi dodać otuchy. Stevie Rae z aprobatą kiwnęła głową. Bliźniaczki puściły do mnie oko. Och, jaka byłam niemądra. Oni by się ode mnie nie odwrócili. To moi przyjaciele, powinnam mieć do nich większe zaufanie, nawet jeśli sobie nie całkiem ufałam.

— W końcu wszyscy będziemy łaknąć krwi — odpowiedziałam po prostu. — Albo umrzemy. Ale nie czyni to z nas potworów. Pora, by Córy Ciemności przestały odgrywać taką rolę. Jesteś skończona, Afrodyto. Już nie przewodzisz Córom Ciemności.

— Myślisz pewnie, że ty teraz będziesz przewodzić?

Skinęłam głową.

— Tak. Nie przyszłam do Domu Nocy, prosząc o te zaszczyty. Chciałam tylko poczuć, że tu przynależę, że tu jest moje miejsce. I chyba Nyks wysłuchała moich modłów. — Uśmiechnęłam się do przyjaciół, a oni uśmiechnęli się do mnie. — Widocznie bogini ma poczucie humoru.

— Ty głupia małpo, nie możesz ot, tak po prostu, przejąć przywództwa nad Córami Ciemności. Tylko starsza kapłanka może zmienić przywódczynię.

— W takim razie przyszłam w samą porę — odezwała się Neferet.

)

ROZDZIAŁ DWUDZIESTY DZIEWIĄTY

Neferet wynurzyła się z cienia i spiesznie weszła na balkon, by jak najszybciej znaleźć się przy Eriku, który podtrzymywał Heatha. Od razu przytknęła dłoń do policzka Erika i obejrzała krwawe pręgi na jego ramionach, skutki walki w obronie Heatha, kiedy na próżno próbował odciągnąć od niego duchy. Gdy odejmowała ręce od ran, widziałam gołym okiem, jak krew natychmiast na nich zastyga. Erik odetchnął z ulgą, jakby ból od razu ustąpił.

— To się zagoi. Kiedy wrócimy do szkoły, przyjdź do szpitalika, to dam ci jakiś balsam, który sprawi, że skaleczenia nie będą tak piekły. — Poklepała go po policzkach, które natychmiast nabrały kolorów. — Wykazałeś się odwagą wampirskiego wojownika, kiedy stanąłeś w obronie tego chłopca. Jestem z ciebie dumna, Eriku Night, bogini też.

Z przyjemnością słuchałam tych pochwał, ja też byłam z niego dumna. Kiedy posłyszałam szmer pełen aprobaty, uświadomiłam sobie, że wrócili na miejsce Synowie i Córy Ciemności i teraz tłoczą się przy schodach na balkon. Od jak dawna patrzyli na nas? Neferet skupiła teraz swoją uwagę na moim eks, a ja zapomniałam o całym świecie. Uniosła rozdartą nogawkę jego dżinsów, by obejrzeć dokładniej zranione miejsca na nogach i rękach. Następnie ujęła w obie dłonie jego nieruchomą twarz i zamknęła oczy. Patrzyłam, jak jego ciało najpierw sztywnieje, potem zaczyna się wić w konwulsjach, a w końcu Heath westchnął z ulgą, tak samo jak Erik, i odprężył się. Po chwili wyglądał, jakby spał spokojnie, a nie walczył ze śmiercią, jak chwilę przedtem. Neferet, nadal klęcząc przy nim, powiedziała:

— Wyjdzie z tego. Nie będzie pamiętał niczego, co się zdarzyło tej nocy, tyle tylko, że pijany zgubił się, próbując odnaleźć swoją byłą dziewczynę. — Mówiąc to, popatrzyła na mnie ze zrozumieniem.

— Dziękuję — wyszeptałam.

Neferet lekko skinęła głową w moją stronę, zanim przeszła do Afrodyty.

— Jestem w równym jak ty stopniu odpowiedzialna za to, co tu dzisiaj się stało. Od lat widzę twój egoizm, ale patrzyłam na to przez palce, gdyż wydawało mi się, że minie ci z wiekiem i pomocą bogini. Myliłam się jednak. — Głos Neferet brzmiał teraz władczo i kategorycznie. — Afrodyto, oficjalnie zwalniam cię z obowiązków przewodniczącej Cór i Synów Ciemności. Przestajesz też przygotowywać się do roli kapłanki. Od tej chwili jesteś zwykłą adeptką, nikim więcej. — Jednym zręcznym ruchem sięgnęła po srebrny naszyjnik wysadzany granatami, który dyndał między piersiami Afrodyty, i zerwała go z jej szyi.

Afrodyta nie wydała z siebie żadnego dźwięku, ale zbladła jak papier i patrzyła bez mrugnięcia okiem prosto w twarz Neferet.

Starsza kapłanka odwróciła się do niej plecami i podeszła do mnie.

— Zoey Redbird, wiedziałam, że jesteś kimś wyjątkowym, od kiedy z łaski Nyks przewidziałam, że zostaniesz Naznaczona. — Uśmiechnięta ujęła mnie pod brodę, podnosząc mi głowę, by móc lepiej obejrzeć nowe elementy, jakie przybyły do mojego Znaku. Odgarnęła mi na bok włosy, tak by zobaczyć tatuaż na mojej szyi, ramionach i plecach.

Usłyszałam, jak Synowie i Córy Ciemności jęknęli zdumieni widokiem tych niezwykłych elementów Znaku. — Nadzwyczajne, naprawdę niezwykłe — podziwiała Neferet. — Dzisiejszej nocy udowodniłaś mądrość bogini, która cię obdarzyła szczególnymi darami. Dzięki temu, a także dzięki swojemu zaangażowaniu i mądrości zasłużyłaś na to, by przewodzić Córom i Synom Ciemności oraz by uczyć się na starszą kapłankę.

Tę chwilę idealnego niemal szczęścia mąciła jedna wstydliwa myśl: jak mogłam choć przez chwilę wątpić, że nie ze wszystkim można się udać do Neferet?

— Wracaj do szkoły. Ja zostanę i dopilnuję wszystkiego, co tutaj powinno być zrobione — powiedziała do mnie Neferet. Uściskała mnie i szepnęła mi do ucha: — Taka jestem z ciebie dumna, Zoey Redbird. — Następnie popchnęła mnie lekko w stronę moich przyjaciół. — Powitajcie swoją nową przewodniczącą — powiedziała.

Damien, Stevie Rae, Shaunee i Erin wiedli prym w owacjach. A potem wszyscy mnie otoczyli i niemal znieśli z balkonu wśród okrzyków, śmiechu i gratulacji. Uśmiechałam się i pozdrawiałam swoich nowych „przyjaciół", ale nie dałam się łatwo zwieść. Nie sposób było zapomnieć, że dopiero co godzili się ze wszystkim, co mówiła Afrodyta.

Bez wątpienia trzeba to będzie zmienić. A to trochę potrwa.

Doszliśmy do mostku i przypomniałam sobie, że do moich nowych obowiązków należy dbanie o to, by w ciszy mijać najbliższe sąsiedztwo szkoły, więc gestem wskazałam, żeby kolejno przechodzić grupkami. Kiedy jednak Damien, Stevie Rae i Bliźniaczki skierowali się w tę stronę, zatrzymałam ich:

— Nie, wy pójdziecie ze mną.

Uśmiechnięci od ucha do ucha stali skupieni wokół mnie. Mój wzrok napotkał spojrzenie Stevie Rae.

— Nie powinnaś była zgłaszać się na ochotnika w charakterze ich lodówki. Wiem przecież, jak się tego bałaś. — Słysząc przyganę w moim głosie, Stevie Rae przestała się uśmiechać.

— Ale gdybym tego nie zrobiła, nie wiedzielibyśmy, gdzie będą się odbywać uroczystości. A tak mogłam wysłać Damienowi SMS-a, dzięki czemu mogli tu przyjść. Wiedzieliśmy, że będziemy ci potrzebni.

Podniosłam rękę, by przestała mówić, lecz wyglądała, jakby była bliska płaczu. Uśmiechnęłam się do niej wyrozumiale.

— Nie dałaś mi skończyć. Chciałam powiedzieć, że nie powinnaś była tego robić, ale cieszę się, że to zrobiłaś! — Uścisnęłam ją i przez łzy popatrzyłam na pozostałą trójkę. — Dziękuję wam. Bardzo się cieszę, że wszyscy byliście przy mnie.

— Tak właśnie postępują przyjaciele — wyjaśnił Damien.

— Aha — zgodziła się Shaunee.

— Dokładnie tak — powiedziała Erin.

I wszyscy razem, grupowo, zamknęli mnie w mocnym uścisku, co mi się niezmiernie podobało.

— Ej, a ja mogę się dołączyć?

Podniosłam głowę i zobaczyłam stojącego w pobliżu Erika.

— Jasne, oczywiście, że możesz — rozpromienił się Damien.

Stevie Rae rozchichotała się tak, że nie mogła się opanować, a Shaunee westchnęła i powiedziała:

— Daj spokój, Damien, to nie twoja drużyna, pamiętasz?

Wtedy Erin wypchnęła mnie ze środka zgromadzenia wprost w ramiona Erika.

— Uściskaj go, to on przecież ratował dziś twojego chłopaka — przypomniała.

— Mojego *byłego* chłopaka — sprostowałam, padając w objęcia Erika, odurzona nie tylko zapachem krwi, który jeszcze od niego się czuło, ale także tym, że wziął mnie w objęcia. Jakby tego nie było dość, pocałował mnie tak mocno, że myślałam, iż mi głowa odpadnie.

— No, no — usłyszałam głos Shaunee.

— Zróbcie im więcej miejsca! — dodała Erin.

Damien zaczął się śmiać, a ja półprzytomna wysunęłam się z objęć Erika.

— Umieram z głodu — wyznała Stevie Rae. — Mowa o lodówce zawsze sprawia, że chce mi się jeść.

— Racja, chodźmy coś zjeść — zarządziłam.

Przyjaciele byli już na mostku, kiedy usłyszałam, jak Shaunee spiera się z Damienem, czy wezmą pizzę czy może raczej kanapki.

— Nie masz nic przeciwko temu, żebym ci towarzyszył? — zapytał Erik.

— Nie, już się do tego przyzwyczaiłam — odpowiedziałam, patrząc mu w oczy i uśmiechając się do niego.

Kiedy szliśmy przez mostek, usłyszałam dochodzące z oddali przeciągłe niecierpliwe miauknięcie.

— Idźcie, zaraz was dogonię — powiedziałam i wróciłam w ciemne zarośla na skraju trawnika Philbrooka. — Nala? Kici, kici... — nawoływałam. No i oczywiście wiecznie narzekająca futrzana kulka wybiegła z krzaków, ani na chwilę nie przestając się uskarżać. Nachyliłam się, wzięłam ją na ręce i natychmiast usłyszałam, jak mruczy. — No co ty, niemądra dziewczynko, kto ci kazał biec za mną taki kawał drogi? Wiemy przecież, że nie lubisz dalekich wycieczek. Nie dość ci było jak na jedną noc? — robiłam jej ciche wymówki. Zanim jednak doszłam z powrotem do mostku, Afrodyta wychynęła z cienia i zastąpiła mi drogę.

— Może dzisiaj wygrałaś, ale to nie koniec — oświadczyła.

Zaczynałam jej mieć serdecznie dość.

— Nie usiłowałam niczego w y g r a ć, jak powiadasz, próbowałam jedynie zrobić to, co uważałam za słuszne.

— Myślisz, że ci się udało? — Co chwila omiatała wzrokiem drogę do balkonu i z powrotem, jak gdyby ktoś ją śledził. — Nie masz pojęcia, co tu się naprawdę wydarzyło. Po prostu posłużono się tobą, tak jak nami wszystkimi. Jesteśmy jedynie marionetkami, ot co. — Dłonią przetarła ze złością twarz, wtedy zauważyłam, że płacze.

— Afrodyto, przecież między nami wcale tak nie musi być — powiedziałam łagodnie.

— Właśnie że musi! — odgryzła się. — Takie są nasze role, które musimy grać. Zobaczysz... Przekonasz się... — To mówiąc, zaczęła się oddalać.

Nagle niedawne wspomnienie wynurzyło się z mojej pamięci. Wspomnienie Afrodyty, kiedy miała wizję. Tak wyraźnie, jakby odgrywało się to znów przed moimi oczyma, usłyszałam raz jeszcze jej słowa: Są martwi. Nie, nie... To niemożliwe! Nie w porządku! Nienaturalne! Nie rozumiem... Nie... Ty... Ty wiesz. Jak odbity echem jej przeraźliwy krzyk znów zabrzmiał mi w uszach. Pomyślałam o Elizabeth... o Elliotcie... Coś w tym musiało być, że właśnie mnie się ukazali. Zbyt wiele z tego, co mówiła, nabierało sensu.

— Zaczekaj, Afrodyto! — zawołałam. Obejrzała się przez ramię. — Ta wizja, którą miałaś dziś w gabinecie Neferet, właściwie czego dotyczyła?

Wolno pokręciła głową.

— To zaledwie początek. Będzie znacznie gorzej. — Odwróciła się i nagle zawahała. Drogę zastąpiła jej piątka moich przyjaciół.

— W porządku — uspokoiłam ich. — Niech idzie w spokoju.

Shaunee i Erin rozstąpiły się. Afrodyta uniosła głowę, odrzuciła do tyłu grzywę i przeszła obok nich, jakby była panią świata. Patrzyłam, czując skurcz w żołądku, jak mija mostek i znika. Afrodyta wiedziała coś więcej o Elizabeth i Elliotcie. Zamierzałam się dowiedzieć, co to takiego jest.

— Hej — sprowadziła mnie na ziemię Stevie Rae.

Spojrzałam na swoją współmieszkankę i jednocześnie nową najlepszą przyjaciółkę.

— Cokolwiek się zdarzy, razem stawimy temu czoła.

Poczułam, jak ucisk w żołądku zelżał.

— Chodźmy — powiedziałam.

Wracaliśmy razem do domu — ja i moi przyjaciele.

GRUPA WYDAWNICZA
PUBLICAT S.A.

Firma rozpoczęła swoją działalność w 1990 roku pod nazwą Podsiedlik-Raniowski i Spółka. W 2004 roku przyjęto nazwę PUBLICAT S.A., w tym samym roku w skład grupy PUBLICAT weszło wrocławskie Wydawnictwo Dolnośląskie. W 2005 roku dołączyło do niej katowickie Wydawnictwo Książnica. Rok 2006 to objęcie nazwą Papilon programu książek dla dzieci. W roku 2007 częścią grupy stała się warszawska Elipsa.

Papilon – baśnie i bajki, klasyka polskiej poezji dla dzieci, wiersze i opowiadania, książki edukacyjne, nauka języków obcych

Publicat – książki kulinarne, poradniki, książki popularnonaukowe, literatura krajoznawcza, hobby, edukacja

Elipsa – albumy tematyczne: malarstwo, historia, krajobrazy i przyroda, książki popularnonaukowe

Wydawnictwo Dolnośląskie – literatura faktu, kryminały, science fiction, powieści dla dzieci i młodzieży, biografie, literatura współczesna, książki i powieści historyczne

Wydawnictwo Książnica – światowa literatura kobieca, sensacja, fantastyka, science fiction, powieści historyczne

Publicat S.A., 61-003 Poznań, ul. Chlebowa 24, tel. 61 652 92 52, fax 61 652 92 00, e-mail: publicat@publicat.pl, www.publicat.pl

Oddział w Katowicach: Wydawnictwo Książnica, 40-160 Katowice, Al. Korfantego 51/8, tel./fax 32 203 99 05, e-mail: ksiaznica@publicat.pl

Oddział we Wrocławiu: Wydawnictwo Dolnośląskie, 50-010 Wrocław, ul. Podwale 62, tel. 71 785 90 40, fax 71 785 90 66, e-mail: wydawnictwodolnoslaskie@publicat.pl

Oddział w Warszawie: 00-466 Warszawa, ul. Polna 46/7

Language	Polish
Author	Cast, P.C.
Title	Naznaczona
Type	Fiction
ISBN13	9788324578184

www.brightbooks.co.uk